LE SIXIÈME SOMMEIL

Bernard Werber

LE SIXIÈME SOMMEIL

ROMAN

Albin Michel

Pour Amélie

AVANT-PROPOS

Imaginez que vous puissiez revenir vingt ans en arrière et retrouver, en rêve, la personne que vous avez été plus jeune.
Imaginez que vous ayez la possibilité de lui parler.
Que lui diriez-vous ?

ACTE I

Apprenti dormeur

1

– Vous dormez bien ?

La question surprend tant il semble impudique de parler d'un domaine aussi intime.

– Oui, vous, qui êtes en face de moi, ici et maintenant. Arrivez-vous à trouver facilement le sommeil et à vous réveiller en forme ?

En l'absence de réponse claire, Caroline Klein sourit, allume un cigarillo à filtre doré, souffle lentement quelques ronds de fumée puis déclare :

– Écoutez-moi bien. Nous passons un tiers de notre vie à dormir. Un tiers. Et un douzième à rêver. Pourtant, la plupart des gens s'en désintéressent. Le temps de sommeil n'est perçu que comme un temps de récupération. Les rêves sont presque systématiquement oubliés dès le réveil. Pour moi, ce qu'il se passe toutes les nuits sous les draps de chacun, dans la tiédeur moite de notre lit, est de l'ordre du mystère. Le monde du sommeil est le nouveau continent à explorer, un monde parallèle rempli de trésors qui méritent d'être exhumés et exploités. Un jour, à l'école, on enseignera aux enfants à bien dormir. Un jour, à l'université, on apprendra aux étudiants à rêver. Un jour, les songes deviendront des œuvres d'art visibles par tous sur grand écran. Dès lors ce tiers de vie qu'on considérait à tort comme inutile sera enfin rentabilisé pour décupler toutes nos possibilités physiques et psychiques. Et, si j'arrive à le réaliser, mon « projet secret » devrait ouvrir une voie encore plus extraordinaire dans le monde du sommeil, une voie qui pourrait vraiment tout changer.

Un long silence suit. Une fois énoncée cette profession de foi, Caroline Klein tire plus fort sur son cigarillo et laisse un nuage de fumée gris clair légèrement bleutée s'échapper de ses lèvres brillantes. La volute gazeuse forme un huit vertical puis s'étire en ruban de Möbius avant de se dissiper sous le plafond en contournant les lampes.

La scientifique secoue sa chevelure, satisfaite d'impressionner une fois de plus son fils, Jacques, âgé de 27 ans, et sa nouvelle fiancée, qu'elle rencontre pour la première fois et qui, si elle s'en souvient bien, se prénomme Charlotte.

Les deux jeunes gens l'observent, fascinés par cette personnalité hors du commun.

À 59 ans, Caroline Klein est une femme blonde de forte corpulence, aux yeux noirs espiègles. Elle porte comme à son habitude une robe rouge et, autour du cou, un collier orné d'un motif rouge en forme d'arbre. Ses gestes respirent la force et la maîtrise. Sa voix est puissante.

– C'est quoi, votre « projet secret » ? demande Charlotte.

Dans la villa moderne de Fontainebleau, qui appartient à la fiancée de son fils, les paroles résonnent. Caroline continue pourtant, imperturbable, comme si elle n'avait pas entendu la question.

– La plupart des gens souffrent durant la nuit, ils dorment sur de mauvais matelas, ils ont des apnées du sommeil et des insomnies, ils sont toujours fatigués, ils se lèvent avec des courbatures. Selon les dernières études, soixante pour cent reconnaissent mal dormir. Quarante pour cent consomment régulièrement des somnifères. Vingt pour cent ont des problèmes chroniques de sommeil. Cela provoque des troubles du système immunitaire, des maladies cardiovasculaires, des tendances suicidaires, et cela favorise aussi l'obésité. Des couples divorcent parce qu'il y en a un qui ronfle ou a le sommeil agité. Combien de drames, accidents de voiture, échecs scolaires ou professionnels sont dus, simplement, à... de mauvaises nuits.

Jacques sert du vin, ce que sa mère prend pour un encouragement à poursuivre son exposé :

— Napoléon prétendait dormir peu, en fait il était insomniaque. C'est probablement pour cela qu'il était très susceptible, piquait des colères et a envahi autant de pays voisins. Parmi les mauvais dormeurs célèbres, on pourrait aussi citer : Vincent Van Gogh, Isaac Newton, Thomas Edison, Marilyn Monroe, Shakespeare, Margaret Thatcher. Tous insomniaques.

— Cela les a pourtant bien inspirés. Du moins pour Newton ou Shakespeare, remarque Charlotte.

— Mais ils étaient malheureux. Et pour ces quelques cas où les nuits blanches ont été occupées à créer (forcément pour ne pas devenir déments), combien d'anonymes non créateurs sont restés simplement immobiles, atterrés, désespérés, à regarder sur leur réveil le temps qui passe en espérant une seule chose... s'endormir normalement ?

— L'insomnie est une punition injuste.

— Non, au contraire, c'est un domaine dans lequel nous sommes tous égaux. Face au sommeil, les riches et les pauvres, les gagnants et les perdants, les beaux et les laids, les Occidentaux et les Orientaux, les mariés et les célibataires sont sur le même oreiller récalcitrant.

Caroline Klein ménage ses effets en marquant un temps de silence.

— Croyez-moi, le sommeil mal géré est l'une des pires calamités de ce siècle et, pourtant, il est rare que ce thème soit ne serait-ce qu'évoqué. La seule solution qu'on ait trouvée à ce jour, c'est l'ingurgitation de somnifères, c'est-à-dire que l'on fait taire les symptômes plutôt que de soigner la cause. Mais les somnifères actuels, composés pour la plupart de benzodiazépines, ont des effets secondaires terribles : 1) ils éliminent les rêves ; 2) ils créent une accoutumance ; 3) depuis peu on les soupçonne d'augmenter les risques d'avoir la maladie d'Alzheimer.

— Et c'est quoi, votre « projet secret » ? insiste Charlotte.

Caroline Klein est amusée de remarquer que Charlotte lui ressemble. Mêmes cheveux blonds, mêmes yeux noirs, même silhouette un peu large. Elle se dit que son fils, en se liant avec cette jeune femme, lui montre qu'il est au final inconsciemment amoureux… de sa propre mère. L'idée la fait sourire et provoque ce tic à peine perceptible qu'elle a de secouer ses cheveux blonds.

Elle écrase son cigarillo d'un geste sec.

— Nous nous rencontrons pour la première fois, mademoiselle, permettez-moi de garder intacte une part de mystère que nous aurons plus de plaisir à explorer lors de nos prochaines entrevues. Surtout que vous n'êtes pas sans ignorer ce qu'il s'est passé d'assez traumatisant aujourd'hui et que, du coup… enfin… si nous passions à table ?

Ils quittent le salon et s'installent dans la vaste salle à manger. Charlotte rapporte de la cuisine un plat qu'elle a préparé à la hâte : des spaghettis bolognaise recouverts d'une montagne de fromage râpé.

— C'est un peu consistant mais je cuisine sans gluten, c'est meilleur pour la santé. Il doit forcément y avoir des liens entre la digestion du repas du soir et le sommeil qui suit, il me semble ? tente la jeune femme pour revenir au sujet qui les occupe.

— Tout influe sur le sommeil. La nourriture, la météo, l'heure du coucher, le stress, la boisson.

Jacques remplit les trois verres de vin couleur grenat.

— Et avec ce nectar, la sérénité de la nuit est assurée, complète-t-il pour détendre l'atmosphère.

– Comment faire pour bien dormir ? questionne Charlotte, toujours intriguée.

– Je conseille une bonne alimentation, une bonne sexualité (au moins huit rapports par mois), un endormissement à horaire régulier, quelques respirations amples, et un peu de lecture. Rien de tel qu'un bon roman pour bien dormir. Cela permet de fabriquer les premières scènes de son futur rêve. Jacques pourra vous en parler, je lui ai transmis ces clefs.

Ils prennent en dessert des îles flottantes recouvertes d'un nappage rose au Grand Marnier. Puis Caroline fait remarquer qu'il est déjà minuit et demi : elle est fatiguée et souhaite rentrer.

– Après toutes les épreuves que vous avez subies aujourd'hui, je comprends que vous soyez épuisée, professeur Klein. Si vous voulez, vous pouvez rester dormir ici, nous avons une chambre d'amis au premier étage.

– Non, merci, Charlotte, je préfère rentrer chez moi. Mes ennemis doivent s'être lassés de vouloir me nuire à cette heure tardive, et puis je ne dors bien que dans mon propre lit. J'ai mon petit rituel du soir. Quant à l'effroyable esclandre qui a eu lieu aujourd'hui, ne soyez pas inquiète, mon sommeil le métabolisera dans la nuit. Je suis comme ça. J'utilise mes rêves pour mastiquer, broyer, digérer mes tourments du jour.

Tout en parlant, elle a saisi une noix et la brise dans la paume de sa main.

– Il n'y a que dans le sommeil qu'on est libre. Il n'y a que dans le sommeil que tout est possible.

Elle avale les deux cerneaux de noix, semblables à deux minuscules hémisphères cérébraux beiges.

– Au revoir, et merci pour votre gentillesse et pour ce dîner improvisé. On se revoit très vite, c'est promis.

Caroline Klein remonte dans sa voiture de sport rouge et démarre en trombe tout en effectuant un dernier petit signe de la main à son fils et à sa fiancée restés sur le seuil de la villa pour la saluer.

Elle file dans la nuit chaude, contente de ne surtout pas avoir révélé le moindre élément de son « projet secret » à cette étrangère un peu trop curieuse à son goût.

Au-dessus d'elle, la lune est ronde, éclatante, avec un rictus bizarre, comme si elle savait, elle, que le pire s'apprêtait à arriver.

2

Dans le miroir, son œil rond se reflète. Ses cils papillonnent.

À 2 heures du matin, Caroline Klein est enfin rentrée chez elle.

Elle se démaquille avec des lingettes imbibées d'eau parfumée au lilas, se lave les dents avec une pâte bleutée.

À Montmartre, malgré l'avancée de la nuit, la chaleur a encore augmenté et Caroline ouvre les fenêtres de son appartement du sixième étage pour aérer et rafraîchir les pièces.

Elle se débarrasse de sa robe rouge, enlève ses sous-vêtements noirs et se glisse doucement dans ses draps de soie.

À 2 h 20, elle dort.

À 3 h 30, elle se lève lentement et, entièrement nue, les yeux ouverts mais perdus dans le vide, rejoint la cuisine. Là, elle sort un steak du congélateur, le pose dans son assiette, s'assoit et tente de le manger avec une fourchette. N'y arrivant pas, elle saisit dans un tiroir un grand couteau et entaille la viande gelée. Elle se lève de nouveau et, sans lâcher sa lame étincelante, ouvre les placards comme si elle cherchait un condiment miracle pour accompagner son aliment récalcitrant, dur comme de la pierre. Elle en palpe l'intérieur, se blesse en renversant un verre qui se brise et qu'elle piétine.

Puis elle ouvre la fenêtre de la cuisine et, l'air toujours hagard, monte sur le buffet et entreprend de sortir sur le toit à la recherche de l'accompagnement idéal pour son steak congelé.

Elle pose un pied sur l'ardoise, puis un autre. Elle fait deux pas, dix pas. Ses pieds poisseux de sang glissent sur les tuiles mais elle ne perd pas l'équilibre.

Tout autour d'elle, Paris scintille de myriades de points lumineux qui clignotent telles des lucioles, mais elle n'y fait guère attention, les pupilles largement dilatées, le regard fixe, perdu dans l'infini.

Encore une dizaine de pas.

Elle est à vingt mètres au-dessus du sol et toute chute lui serait fatale, mais elle n'en a pas conscience et poursuit sa progression, la main toujours crispée sur le grand couteau. Elle avance, nue sur le faîte de son immeuble, éclairée par la pleine lune et les étoiles.

À 3 h 37, une alarme de voiture tonitruante, déclenchée par une fiente de pigeon, retentit en contrebas.

Caroline Klein tressaille, ses pupilles se rétractent. Elle voit nettement les toits autour d'elle, réalise qu'elle est complètement nue. Puis aperçoit le grand couteau dans sa main, et pousse un hurlement de terreur.

Des lumières s'allument à la ronde. Des visages curieux et réprobateurs apparaissent derrière les rideaux des façades proches. Elle lâche le couteau qui tombe de six étages sur le trottoir dans un bruit mat. Elle cache ses seins et son sexe.

Caroline Klein a le vertige. Elle se met à quatre pattes pour réduire les risques de chute.

À 3 h 39, elle parvient à rejoindre la fenêtre de sa cuisine, tire les rideaux et échappe enfin aux regards de ses voisins. Elle jette le steak congelé, ferme les placards, se met des pansements sur la plante des pieds, chausse des pantoufles, ramasse les débris de verre. Elle enfile un peignoir de coton, puis boit un verre d'eau glacée.

19

À 3 h 50, elle reste quelques minutes à s'observer dans le miroir, atterrée. Elle respire amplement, pour chasser la rage mal contenue qui l'inonde. Des milliers de pensées affluent dans sa tête. Une tension l'envahit. Elle frissonne, se met à trembler, son visage est parcouru de tics et de convulsions.

Elle s'approche de son reflet, s'observe de plus près et ce qu'elle voit lui fait peur.

Elle brise le miroir d'un coup de poing.

À 3 h 57, elle prend une décision radicale afin que cette scène ne puisse plus jamais se reproduire, une décision dont elle assumera les conséquences, toutes les conséquences, aussi dures soient-elles.

3

La main féminine caresse sa nuque. L'ongle suit la carotide jusqu'au menton.

– Alors c'est quoi, son fameux « projet secret » ? demande Charlotte. C'est lié au sommeil et au rêve. Tu es forcément au courant.

– Elle m'a demandé de n'en parler à personne. Désolé.

La jeune femme hausse les épaules, déçue, puis renonce à insister et va s'enfermer dans la salle de bain pour se démaquiller et se préparer à la nuit.

Jacques Klein, resté seul dans la chambre, ouvre la fenêtre et inspire l'air chaud, en souriant, décontracté et satisfait.

Il voit la lune et les étoiles. Il repense à tout ce qu'il s'est passé au cours de cette journée agitée et riche en émotions.

Ma mère est tellement courageuse. Aujourd'hui, la manière dont elle a affronté ces épreuves, pourtant redoutables, est extraordinaire.

Calme, forte, sereine. Droite dans ses bottes. Je l'ai rarement vue aussi à l'aise. Elle est vraiment indestructible.

Il est satisfait d'avoir trouvé avec ce dîner improvisé à Fontainebleau la solution à la terrible crise qui s'est déroulée plus tôt, et il a l'impression que sa nouvelle fiancée, Charlotte, a plu à sa mère. Il a notamment adoré quand Caroline a évoqué sa passion du sommeil.

« Nous passons un tiers de notre vie à dormir. »

Cela signifie que pour quelqu'un censé vivre quatre-vingt-dix ans, il y aura trente ans de sommeil. Trente ans de temps oublié, perdu, inutile, considéré comme négligeable.

Trente ans… Plus que mon âge actuel.

« Et un douzième de notre existence à rêver. » Soit à peu près sept ans.

Jacques a déjà écouté ce discours plusieurs fois, mais il n'est toujours pas lassé d'entendre sa mère parler de son sujet de prédilection. À chaque fois, il prend un peu plus conscience de la signification de ses paroles.

La passion de Caroline est contagieuse, et quand elle parle de ce continent à explorer il est saisi de frissons.

Ma mère est une exploratrice des temps modernes.

Il ferme les paupières et se souvient du rapport que lui-même a eu, très jeune, avec le simple fait de dormir… puisqu'il est né en dormant.

4

C'était arrivé un samedi à minuit pile, vingt-sept ans plus tôt.

Comme l'accouchement s'était déroulé sous péridurale et avec césarienne, il n'y avait pas eu d'attente, de forceps, de travail de sortie, de compression, d'étirement, d'épisiotomie. Tout s'était passé rapidement, en douceur, et sans la moindre douleur. On l'avait dégagé comme on sort un gâteau tiède du four, et un peu secoué pour qu'il s'intéresse à la situation car il semblait complètement indifférent à ce qui lui arrivait.

Après tout ce n'était « que » sa naissance.

Ce qui l'avait perturbé c'était le changement de décor.

Il avait été dérangé par le bruit, la lumière, le froid. Sa première pensée à l'extérieur avait dû être : *Ainsi derrière le monde du ventre, il y a un autre monde différent que je découvre enfin, mais qui me semble très surprenant.*

Il avait manifesté son agacement par des coups de pied et fait comprendre son désir de continuer à dormir tranquille dans sa niche humide, rouge, sombre et tiède.

Il ne se doutait pas encore que la vie ce n'était que cela : des changements de décor successifs.

Du ventre de la mère au cercueil dans la terre.

Et en chaque lieu, en guise d'occupation, un problème différent à régler.

Sentant vaguement qu'il obtiendrait un répit s'il pleurait, le nouveau-né avait consenti à pousser quelques gémissements. Ce qui eut aussitôt pour conséquence qu'on le ballotta vers plusieurs couples aux lèvres gluantes qui l'embrassèrent sur le front et sur les joues.

Des bras l'installèrent dans une couveuse moelleuse et chaude qui sentait la lavande. Là, enfin, il put poursuivre son repos.

Jacques Klein bénéficiait déjà d'une hérédité qui le prédisposait à s'intéresser au sommeil.

Son père, Francis Klein, était navigateur et s'illustrait dans les régates en solitaire. C'était un grand homme roux avec une barbe courte et de grandes mains calleuses. Il avait les yeux verts et une peau très claire parsemée par endroits de taches de rousseur. Il avait déjà à son actif un beau palmarès de champion. L'essentiel de sa capacité à gagner tenait à sa maîtrise du sommeil par séquences réduites afin d'éviter de percuter les paquebots qui sillonnent les océans. Francis Klein avait appris à dormir « scientifiquement » auprès de sa femme, Caroline, la célèbre neurophysiologiste qui était à la pointe de la recherche sur le sommeil et les rêves et officiait déjà, à l'époque, à l'hôpital de l'Hôtel-Dieu à Paris.

Grâce au soutien de sa compagne, Francis détenait le record de la traversée de l'Atlantique en monocoque : 5 jours 1 heure et 13 minutes. Au soir de cette victoire, Caroline et Francis Klein avaient fait l'amour et le petit Jacques fut conçu cette nuit-là, comme pour fêter ce triomphe.

Depuis l'intérieur de la couveuse, le nouveau-né avait entendu ses parents prononcer des paroles qui pour lui n'étaient que des bruits, mais que Jacques adulte pouvait désormais tenter de faire resurgir dans son esprit.

« On en fera un grand explorateur », avait prédit son père.

« On en fera surtout un grand rêveur », avait rétorqué sa mère.

5

La tétine gisait à moitié collée par la bave sur sa joue droite. Sa bouche était ouverte, sa main crispée sur son doudou orange en forme de chat, et ses cils battaient par petits à-coups.

Jacques Klein à 2 ans s'avérait différent de ces bébés revanchards qui semblent prendre un malin plaisir à se réveiller au milieu de la nuit pour hurler, pleurer, trépigner et tester la patience de leurs parents.

Caroline et Francis l'observaient parfois.

– Ses yeux s'agitent sous ses paupières. C'est normal ? questionna son père.

– Bien sûr, c'est parce qu'il rêve, expliqua sa mère.

– De quoi peut rêver un enfant de 2 ans qui n'a rien vu du monde ?

– Soit des souvenirs de son ancienne vie, soit de sa programmation pour sa future vie.

– Et plus sérieusement ?

– C'est une énigme, mais même les fœtus semblent rêver de beaucoup de choses. En tout cas, de sujets qui vont bien au-delà de leur chambre, leur poussette, leur doudou.

Jacques Klein, couché à 21 heures, se réveillait le lendemain matin à 8 heures pour babiller joyeusement : « AYÉ PAPA-MAMAN, CHUI RÉVÉYÉ. »

Avec sa petite tignasse noire, il était ce qu'on pouvait appeler un enfant mignon et facile à vivre. Il apprenait vite, s'intéressait à tout, s'avérait un excellent bébé nageur dans la piscine municipale, section « têtards ».

C'est le jour du deuxième anniversaire de son fils, tandis qu'il dormait profondément, que Caroline Klein avait commencé à élaborer le projet fou de repousser les limites du monde connu du sommeil, après avoir lu cette citation d'Edgar Poe : « Ceux qui rêvent éveillés ont connaissance de mille choses qui échappent à ceux qui ne rêvent qu'endormis. Dans leurs brumeuses visions, ils attrapent des échappées de l'éternité et frissonnent, en se réveillant, de voir qu'ils ont été un instant sur le bord du grand secret. »

Elle relut le passage plusieurs fois alors qu'elle regardait l'enfant assoupi. Elle l'articula à haute voix pour bien s'en imprégner et, soudain, il lui sembla que ce texte était non seulement codé mais qu'il était une invitation directe. Edgar Poe s'adressait à elle à travers le temps pour lui indiquer ce qu'il fallait accomplir.

6

Une mâchoire bardée d'une double rangée de dents acérées surgit de l'eau, et arracha la chair encore enveloppée d'étoffe. Les yeux vitreux s'agrandirent alors que les mains tentaient de se dégager, mais la prise des mâchoires puissantes ne fit que se renforcer. Aussitôt du sang gicla, des hurlements résonnèrent et une musique symphonique fit vibrer les murs.

À 4 ans, Jacques Klein vit par hasard (alors que ses parents regardaient la télévision et que l'enfant s'était levé pour observer l'écran à la dérobée, caché derrière le canapé) le film d'épouvante de Steven Spielberg *Les Dents de la mer*. Il glapit au moment où le dernier héros, glissant du bateau incliné, tombe dans l'immense gueule du monstre aquatique.

Alertés par ce cri, les parents le recouchèrent, mais le film hollywoodien avait touché quelque chose de profond dans son inconscient, qui le traumatisa. Suite à cet incident il refusa catégoriquement de retourner se baigner. Il se mit à avoir si peur de l'eau qu'il se braquait dès qu'on essayait de le faire approcher d'un lac, d'une rivière ou d'un bord de mer où auraient pu se tapir des mâchoires susceptibles de lui déchiqueter les membres.

Il était en outre souvent réveillé en sursaut par des terreurs nocturnes.

— Je rêve qu'un énorme requin méchant vient me manger les pieds, raconta-t-il à son père, venu le rejoindre dans sa chambre.

Sa mère travaillait encore à cette heure tardive.

— Le mot « méchant » vient de « mèche ». Cela signifie « qu'on doit tirer par les cheveux pour punir ». Les poissons n'ont pas de poils, ils ne peuvent donc pas être méchants...

L'enfant ne comprenait pas la subtilité de cette explication étymologique. Le père chercha un autre argument plus accessible :

– Il n'y a pas d'animaux méchants, il y a des animaux qui ont faim et d'autres qui ont déjà mangé. Est-ce que tu es méchant parce que tu manges du poulet ?

– Les poulets sont gentils, ils ne mangent pas les hommes.

– En fait, les requins ne sont pas mangeurs d'hommes. Quand ils attaquent un homme, c'est par erreur parce qu'ils l'ont pris pour un gros poisson ou pour une otarie. Et quand ils sentent le goût de sa chair, ils recrachent le ou les morceaux. Comme toi quand tu n'aimes pas un plat.

– Ils ne nous trouvent pas « bons » ?

– Il n'y a qu'un seul animal mangeur d'homme, c'est l'orque. Et c'est une sorte de gros dauphin.

– Et les dauphins normaux ?

– Ils n'attaquent pas les hommes car ils n'ont pas les mâchoires ni les dents prévues pour. Donc les dauphins ne sont pas gentils, ils sont juste mal « équipés ». Et les requins ne sont pas méchants, ils sont juste « myopes ».

L'enfant ne perçut pas l'ironie de son père.

– Je ne veux pas me faire dévorer par les requins, insista Jacques d'un air buté.

– Sur cinq cents espèces de requins, seulement cinq peuvent être dangereuses pour l'homme. Chaque année, il n'y a que dix attaques mortelles, contre dix millions de requins tués par l'homme. Si on supprime les requins qui sont au sommet de la chaîne alimentaire, cela déséquilibre l'écosystème marin et d'autres espèces peuvent proliférer, comme les méduses.

– Je n'aime pas les requins.

– Sais-tu qu'il y a plus de gens qui sont tués chaque année par la chute des noix de coco que par les attaques de requin ? Cela signifie-t-il qu'il y a des cocotiers méchants ?

Francis caressa la tignasse noire de son fils, conscient de parler un peu trop sérieusement à cet enfant.

– Je vais te raconter une histoire, dit-il. Imagine que tu es en bateau, sur un grand voilier, avec papa, et que tu arrives sur une île merveilleuse, une île où il n'y a ni requins ni orques. C'est une île très spéciale. C'est « ton » île. Elle est reconnaissable au fait que son sable, au lieu d'être blanc ou jaune, est de couleur rose. C'est vraiment unique.

– Il y a des cocotiers ?

– Oui, mais ils attendent que les gens soient passés pour lâcher leurs fruits lourds.

– Ensuite on peut les manger ?

– On va se gêner, tiens ! Et ces noix sont délicieuses ! Sur cette île, il y aussi des trésors. Ce sont des coquillages très beaux avec plusieurs couleurs. Et tout particulièrement l'un d'entre eux, un coquillage avec une forme bien spéciale, qui t'apporte la solution à tous tes problèmes.

Jacques s'endormit au milieu du récit, sereinement.

Suite à cette soirée, Francis Klein prit pour habitude de rapporter à son fils, de ses régates dans les régions les plus éloignées, des coquillages bigarrés aux couleurs chatoyantes. Il y avait des bigorneaux géants, des coquilles Saint-Jacques, des colombelles, des scalaires, des bénitiers. Les coquillages s'accumulèrent et formèrent une collection de bijoux installée dans sa chambre sur une étagère au-dessus du lit.

À l'écoute de l'histoire de l'île de Sable rose et à l'évocation des coquillages merveilleux, Jacques fermait les yeux et commençait à se détendre.

Sa mère, à cette époque-là, travaillait énormément sur son « projet secret » et elle était moins présente à la maison. Cependant, même si elle rentrait tard, elle tenait à venir parachever la séance d'endormissement de son fils.

Elle l'embrassait sur le front puis racontait la fin du récit initié par son mari :

– Et le petit garçon, après avoir joué avec les jolis coquillages, découvrit qu'il y avait aussi une forêt sur l'île de Sable rose. Et dans cette forêt, un arbre particulier, un arbre rouge posé au centre de l'île. Le petit garçon s'installa sous l'ombre de l'arbre rouge, s'endormit et fit des rêves merveilleux.

Tandis que son père avait commencé la collection de coquillages, sa mère avait pour sa part installé plusieurs arbres bonzaïs sur l'étagère du dessous.

– Les coquillages c'est papa, les arbres c'est maman, avait-elle résumé un jour.

Retrouvant ces deux symboles réconfortants, le petit Jacques souriait, se retournait sur le côté droit, puis fermait les yeux. Là encore, l'enfant entendait leurs voix alors qu'il s'enfonçait dans le pays des songes.

Un soir, Francis Klein regarda son fils dormir.

– Il a l'air tellement paisible dans son sommeil. C'est comme si toutes ses tensions avaient disparu.

Jacques émit un profond soupir, se retourna et se mit à respirer différemment, comme une voiture qui passerait une vitesse pour augmenter son allure.

La scientifique expliqua :

– Là, il a dû passer du stade 1 de l'endormissement au stade 2 du sommeil léger. Désormais, il est lancé. Laissons-le tranquille.

Alors, à pas de chat, les parents se retirèrent et fermèrent la porte de la chambre.

7

À 8 ans, les étagères de Jacques Klein étaient remplies de coquillages bizarres et de bonzaïs tordus. Son père ne se contentait pas de lui offrir ces mini-sculptures marines, il tenait aussi à lui en expliquer la nature.

– Rien n'est plus parfait en géométrie que les coquillages marins. Regarde ces courbes, ces torsades et ces déliés. Observe ces ondulations, ces couleurs. Tout devrait ressembler à un coquillage marin. Rien n'est plus fluide et esthétique.

Caroline, de son côté, racontait sa connaissance des arbres.

– Chaque feuille est une machine à transformer la lumière en énergie. L'arbre déploie dans chaque branche puis dans chaque feuille un espoir de futur meilleur. Au fur et à mesure que l'arbre grandit, il abandonne les vieilles feuilles qui ne sont plus indispensables, il se développe et monte plus haut pour capter encore mieux la lumière.

– Mais dans le petit pot, les racines ne peuvent pas grandir ?

– Toute forme de vie a forcément quelque chose qui la contient. Un espace fermé. Et toute forme de vie essaie de s'étendre pour sortir de cet espace et comprendre ce qu'il y a au-delà. Car pour comprendre un système il faut s'en extraire.

Jacques adorait entendre ses parents lui expliquer le monde.

Mais, alors qu'il entrait dans sa neuvième année, ses réveils devinrent difficiles. Il mettait longtemps à sortir du lit, affichait un état de fatigue permanent. Ses notes à l'école étaient de plus en plus médiocres. Il ne grandissait pas aussi vite que les autres enfants de son âge. Il était souvent malade, le matin commençait par une toux grasse, le soir s'achevait avec un nez encombré.

Selon ses professeurs, il somnolait en cours, était las lors des leçons de gymnastique, se tenait tout le temps la tête comme si celle-ci était trop lourde. Les parents furent convoqués par le directeur de l'école qui les accueillit avec un air préoccupé.

– Votre fils m'a l'air d'avoir un problème. Il est toujours dans la lune. Quand on le questionne, il semble par moments éberlué. Il est régulièrement souffrant. Il mémorise difficilement les récitations. Je pense qu'il faudrait lui donner de l'hormone de croissance pour le faire grandir. Du magnésium pour augmenter ses défenses immunitaires. De l'huile de foie de morue pour la mémoire. Des vitamines. N'importe quel médecin vous prescrira ce traitement facilement et cela ne pourra que lui faire du bien.

Lorsqu'ils furent rentrés chez eux, sa mère reconnut :

— J'ai observé Jacques pendant son sommeil, ses yeux ne s'agitent pas longtemps. Il reste en stade 2 du sommeil léger, avec des petites incursions en stade 3 du sommeil profond mais il n'arrive pas à passer au stade 4 du sommeil très profond. Or c'est précisément à ce stade de sommeil très profond qu'il construit sa mémoire, renforce son système immunitaire et produit l'hormone de croissance.

— Le directeur a raison, nous devrions le faire soigner, il ne peut pas rester malade plus longtemps, déclara Francis.

— Le mot « maladie » vient de « mal à dire ». On va lui expliquer la situation et lui faire comprendre ce qu'il se passe vraiment durant son sommeil.

— À 9 ans !?

— On ne perd rien à essayer. Il peut comprendre, j'en suis sûre.

Ce soir-là, avant de se coucher, ce ne fut donc pas son père qui lui raconta la promenade en voilier jusqu'à l'île de Sable rose, mais sa mère qui lui expliqua à l'aide d'un dessin quelques rudiments sur le mécanisme du sommeil.

— Écoute-moi. Ferme les yeux, Jacques. Que vois-tu ?

— Rien.

— C'est faux, tu vois un peu de l'autre monde.

Il rouvrit les yeux.

— L'« autre monde » ?

— Celui où tu plonges tous les soirs.

Il referma quelques secondes les yeux et, quand il les eut à nouveau grands ouverts, elle continua son explication.

— Après être entré dans l'eau, il faut s'éloigner de la surface.

Elle prit une feuille blanche et un crayon, et représenta la surface par un trait.

– Si le sommeil est comme une baignade virtuelle, on pourrait comparer l'endormissement, à partir du moment où tu fermes les yeux, à l'entrée dans l'eau. Cela dure cinq à dix minutes. Puis vient la première descente. La tête passe sous la surface. C'est le stade 1. C'est le sommeil lent très léger. Le corps se détend. On commence à se ressourcer. On entend et on comprend les voix qui parlent à côté de nous mais on n'a plus envie de répondre.

Jacques, attentif, approuva.

– Arrive le stade 2. Celui du sommeil lent léger. On entend encore les voix mais on ne peut plus comprendre une conversation, les mots se transforment en bruits.

Elle dessina le petit garçon qui descendait sous une nouvelle couche d'eau de mer où était écrit le chiffre « 2 ».

– Ensuite vient le troisième niveau. Le sommeil lent mais profond. On n'entend plus rien de ce qu'il se passe à l'extérieur, tout le corps est détendu, la respiration ralentit.

Elle ajouta une bande avec le chiffre « 3 ».

– Il y a encore une autre couche d'eau. C'est le stade 4. Le sommeil lent très profond. Là, notre corps se repose vraiment, il fabrique des défenses contre les maladies et des substances qui vont l'aider à grandir. La mémoire se renforce. On fixe tout ce qu'on a appris dans la journée et qui est important pour nous aider à réussir. On commence à rêver.

Elle peaufina son dessin en y ajoutant le chiffre « 4 » et un petit garçon qui nageait en souriant au fond de la mer.

Elle traça ensuite en marge un trait figurant l'écoulement du temps et nota : « 90 minutes. »

– Une descente complète est un cycle de sommeil. Il dure environ quatre-vingt-dix minutes. Puis vient le moment où on remonte, prêt à se réveiller. Mais si on ne s'éveille pas, alors on recommence une nouvelle plongée dans les quatre couches d'eau.

Jacques semblait très intrigué.

– Une nuit de sept heures et demie est donc composée de cinq descentes, ou cinq cycles de quatre-vingt-dix minutes. Si cela se passe bien, tu vas chaque fois plus profondément jusqu'au quatrième stade. Et ainsi, tu deviens fort, tu as de la mémoire, tu grandis, tu résistes à la maladie. Tu comprends maintenant pourquoi il est vraiment important d'aller jusqu'au quatrième stade ?

Jacques Klein hocha la tête.

– Comment faire pour y aller, maman ?

– Je vais te mettre un bracelet détecteur qui nous permettra d'observer demain ton hypnogramme sur le smartphone.

– C'est quoi, un « hypnogramme » ?

– C'est le graphique qui montre l'amplitude de tes cycles de sommeil. Allez, je vais t'aider en te parlant et t'accompagner jusqu'au monde des rêves... Respire profondément pour te détendre, ferme les paupières, nous allons plonger dans la mer près de l'île de Sable rose.

L'enfant inspira comme s'il s'apprêtait à retenir son souffle. Elle passa les mains dans ses cheveux puis les posa doucement sur ses yeux.

– Imagine que tu descends sous l'eau.

Jacques eut un premier frisson de répulsion et mit quelques minutes à dominer sa méfiance. Il changea plusieurs fois de position. Puis il laissa enfin son corps se détendre.

Sa mère lui fit alors visualiser la traversée de la première couche, le stade 1 du sommeil. Sa respiration se modifia. Il franchit peu à peu le deuxième stade, le troisième, puis vint le quatrième. Enfin apparurent les mouvements des yeux sous les paupières qui signalaient que son fils était en train de rêver en sommeil très profond. Sa nuque se raidit, sa tête bascula en arrière.

Francis se montra sur le pas de la porte. Caroline commenta en chuchotant :

– Ça y est, Jacques profite vraiment de son endormissement. À partir de la sérotonine, sa glande pinéale sécrète de la mélatonine, sa chimie organique naturelle est enfin régulée. Il rêve. Son corps se reconstruit.

Les phalanges des doigts de l'enfant s'étaient crispées sur l'oreiller. Elles se détendirent progressivement.

8

Les semaines se succédèrent. La lune et le soleil se poursuivaient sur un arc parfait à l'horizon. Les yeux s'ouvraient avec l'aurore, clignaient toute la journée et se refermaient avec le crépuscule. Les muscles se tendaient et se détendaient.

Dans les mois qui suivirent, Jacques Klein dormit de mieux en mieux.

Le jour, il usait de son corps et de son esprit. La nuit, il permettait à son organisme de se laisser aller au repos, et améliorait l'architecture de son esprit.

Dans son cerveau, les neurones se tissaient pour composer des dentelles de filaments rouges, puis des buissons. D'infimes courants électriques transformaient en idées les signaux reçus par les rétines, les tympans, les récepteurs olfactifs et les capteurs de contact. Les idées se muaient en pensées, les pensées en souvenirs et les souvenirs étaient stockés dans les lobes temporaux du cortex.

Ainsi se formait sa mémoire.

Jacques retenait mieux les textes, les formules mathématiques, il retenait mieux le vocabulaire, l'histoire, la géographie. Partout il trouvait des connexions, des associations, des rythmes. Alors qu'il avait jusqu'ici pris l'habitude de s'asseoir au fond de la classe près du radiateur, il avança de quelques rangées.

Parallèlement il eut une brusque poussée de croissance (« Comme si on avait libéré un bonzaï coincé dans un pot trop étroit », reconnut le médecin) et son système immunitaire plus efficace lui évita d'attraper les maladies contagieuses des autres élèves morveux. Jacques ne toussait plus le matin, ne se mouchait plus le soir. Ses oreilles n'étaient plus saturées de cérumen, ses paupières ne collaient plus au réveil.

Ses professeurs remarquèrent ses progrès (qu'ils pensaient liés à la prise d'hormone de croissance et de vitamines) et Jacques, après avoir stagné parmi les derniers de sa classe, rattrapa son retard pour se retrouver dans la moyenne.

Son père l'invita à essayer de vaincre sa phobie de l'eau en l'accompagnant à la piscine municipale. Le jeune garçon, pourtant plein de bonne volonté, frémit en approchant de la surface turquoise. Il retint sa respiration alors qu'il y trempait ses orteils.

– N'aie pas peur. Il n'y a pas de requin dans cette piscine, ironisa son père.

– Je n'arrive pas à voir le fond ! J'ai besoin de voir le fond et d'être sûr que j'ai pied, répondit Jacques d'un ton qui était loin de la décontraction.

– Je suis là, je te tiens, tu ne peux pas te noyer.

L'enfant s'enfonça jusqu'aux mollets, jusqu'aux genoux, jusqu'aux cuisses. Il grimaçait comme s'il entrait dans de l'acide.

– Tiens bon, fiston, tu vas voir, ça va bien se passer. Il te suffit de le vouloir. Et de le vouloir maintenant. Fais ce choix. Un jour tu auras forcément besoin de nager et cela te sauvera. Et rappelle-toi cette simple phrase : « Celui qui n'a pas voulu quand il le pouvait... ne pourra pas quand il le voudra. »

Le contact de l'eau glacée sur son maillot de bain fut pour lui un instant pénible, mais il serra les mâchoires et les poings. Plus loin, des enfants se moquaient de lui, chuchotant qu'à son âge il était anormal d'avoir encore peur de se baigner.

Dans sa tête, les pensées s'entrechoquaient, l'envie de faire plaisir à son père bataillait contre l'intime conviction que cet élément liquide ennemi renfermait probablement les pires menaces.

Quand l'eau fut à hauteur de poitrine, il hurla, attirant l'attention de tous les baigneurs alentour.

— JE NE VEUX PAS Y ALLER ! JE NE VOUDRAI JAMAIS Y ALLER. JE N'AIME PAS L'EAU ! IL Y A PEUT-ÊTRE DES REQUINS CACHÉS TOUT AU FOND DANS LES RECOINS !

Alors Francis saisit son fils et, tout en le tenant par le torse, il le plongea dans l'eau jusqu'au cou.

— AU SECOURS ! JE ME NOIE !

Un homme s'avança vers eux et héla Francis :

— Vous êtes un peu rude avec cet enfant, vous ne devriez pas le forcer.

— Je suis son père, je sais ce que je fais. Mêlez-vous de vos oignons.

— Ah ! mais je vous reconnais : vous êtes le célèbre navigateur Klein ! Vous devriez plutôt...

— Vous, ne vous mêlez pas de ça.

Ne sachant comment réagir, l'autre afficha une moue hostile. Satisfait de l'effet produit, Jacques poursuivit sur sa lancée, criant à la cantonade :

— AU SECOURS ! MON PAPA VEUT ME NOYER !

Un cercle d'adultes en maillot de bain se forma alors autour d'eux. Ils observaient la scène avec réprobation, prêts à intervenir si la situation perdurait.

Finalement, Francis Klein renonça et, fuyant le regard triomphant de son fils, ils repartirent vers les vestiaires pour se changer.

La dernière pensée de Jacques en quittant la piscine fut :

Je veux bien nager en rêve mais pas dans le réel.

9

L'instant le plus délicat de la journée est celui du réveil, les quelques secondes où vous entrouvrez les yeux, vous vous rappelez à peine qui vous êtes et à quel moment de l'existence (la vôtre et celle du monde) vous émergez.

Vous devez tout réapprivoiser, tout, y compris ce corps dans lequel vous allez continuer à passer le reste de la journée, y compris cet esprit avec ses souvenirs et ses désirs, son futur à court terme préprogrammé.

Plus le sommeil est profond, plus ces secondes de retour de l'autre côté du mur des paupières s'avèrent difficiles.

Jacques déglutit, se réhabitua à son corps, son univers, son agenda du jour.

Il avait désormais 11 ans et était au collège. Sa scolarité se déroulait de manière satisfaisante avec des notes toujours au-dessus de la moyenne. Cependant, quelques mois à peine après la rentrée des classes, le professeur principal avait déjà convoqué ses parents.

– Jacques mémorise très bien, mais par contre, je suis désolé de vous le dire... il n'a aucune créativité. Il ne fait que répéter ce qu'on lui apprend comme un perroquet. Il est bon dans le par cœur, dans les récitations, dans l'énoncé des dates ou des noms de fleuves, mais dès qu'on lui propose un exercice libre, il ressert le dernier cours qu'il a parfaitement enregistré et n'apporte rien de personnel. C'est comme s'il n'osait pas exprimer quoi que ce soit qui vienne de lui-même. Il n'utilise que sa mémoire, pas son intelligence propre.

Caroline avait donc décidé qu'il était temps de poursuivre l'éducation « onironautique » de son fils. Le soir même, elle s'était assise sur son lit et avait eu ce geste familier de la main dans sa tignasse noire.

– Écoute-moi, Jacques. Tu te souviens du moment où je t'avais parlé des cycles du sommeil ?

– La plongée dans les couches sous la mer de mon rêve qui correspondent aux stades d'endormissement ?

Il montra son smartphone sur lequel on voyait l'hypnogramme de la nuit précédente avec ses descentes bien nettes.

– Je ne t'ai pas tout dit. Il existe un cinquième stade qu'on ne voit pas sur le détecteur de sommeil de cet appareil.

– Un sommeil encore plus profond que le stade 4 ?

– C'est comme si, tout d'un coup, à la fin de la descente jusqu'au stade 4 tu trouvais un stade 5, qui pourrait être visualisé comme...

– Une couche encore en dessous ?

– Non, au contraire, un pic abrupt qui surgit brutalement. Car c'est cela l'étrangeté de cette phase précise du sommeil : elle est celle où ton corps est le plus détendu, tu n'entends plus rien, ton cœur est ralenti, ta température baisse, et pourtant c'est dans cette phase que ton cerveau fonctionne le plus vite et le plus fort. Tu fais les rêves les plus spectaculaires et les plus beaux. C'est pour cela qu'on a nommé ce cinquième stade « sommeil paradoxal ».

– « Sommeil paradoxal », répéta le jeune garçon pour mémoriser l'information.

– C'est un scientifique français, le professeur Michel Jouvet, qui l'a découvert en 1959. Jusque-là, on ne comprenait pas ce qu'il se passait pendant cette phase délicate.

– On fait des rêves différents durant le sommeil paradoxal ?

– Alors que dans le stade 4, on rêve fréquemment de se retrouver nu, d'être poursuivi par des ennemis ou de perdre ses dents...

– Oui, j'ai souvent fait ces rêves, s'étonna Jacques.

– Donc des scènes plutôt pénibles... Eh bien, en sommeil paradoxal, on rêve qu'on s'envole, qu'on fait l'amour, qu'on vainc ses ennemis.

– En stade 4, on perd, en stade 5, on gagne ?

– En stade 4, on est en danger, précisa Caroline, et en stade 5 on trouve des solutions. C'est aussi en sommeil paradoxal qu'on renforce le plus sa santé et qu'on filtre le mieux sa journée. C'est en sommeil paradoxal qu'on oublie les mensonges et qu'on se rappelle ce qui est important. Michel Jouvet pensait que le sommeil paradoxal servait à se rappeler qui on était vraiment au-delà de toutes les influences, des mensonges ou des manipulations extérieures. On retourne au « programme source » qui fonde notre vraie identité.

– Un peu comme lorsqu'on reboote son ordinateur et que tous les fichiers se remettent automatiquement en place ?

– Oui. Cela dure entre dix et vingt minutes. C'est le cinquième stade.

Jacques Klein regarda l'hypnogramme.

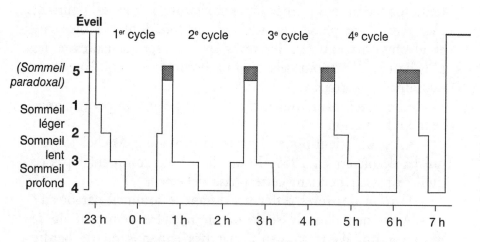

Puis il demanda à sa mère de lui dessiner le stade 5 puisque le smartphone ne pouvait pas le représenter.

Alors Caroline dessina la descente dans l'eau jusqu'au stade 1, puis la descente en stade 2, 3, 4 et au fond de la mer le pic du sommeil paradoxal qui montait affleurer la surface de l'éveil.

Jacques était émerveillé de découvrir cette information que tous ses camarades de classe ignoraient.

Aussi, juste avant de s'endormir, tel un plongeur en apnée, il se préparait mentalement à aller le plus profondément possible dans son prochain sommeil jusqu'à ce fameux pic du sommeil paradoxal qu'il comptait bien gravir.

Il réussit plusieurs fois ou, tout du moins, il lui sembla réussir.

— Maintenant que tu es prêt à aller plus loin dans ton sommeil et dans tes rêves, je vais te confier ça, Jacques.

Elle lui donna un carnet en cuir auquel un stylo-plume était accroché par un clip.

— C'est un carnet de rêves. Ton carnet de rêves. Demain, au réveil, tu te souviendras des nouveaux rêves que t'apporte ton entrée en stade de sommeil paradoxal et tu les noteras pour ne pas les oublier.

— Je n'arrive jamais à m'en souvenir. Ça disparaît quand j'ouvre les yeux.

— Il suffit de *décider* de ne pas oublier pour que cela marche. C'est comme un oiseau. Il faut le capturer avant qu'il ne s'envole. Si tu réussis une fois, ensuite cela sera plus facile, mais il faut passer le cap de la première fois.

Jacques Klein restait dubitatif. Aussi sa mère tenta d'appliquer ce qu'elle nommait la « méthode de Salvador Dalí ».

— Cela consiste à s'asseoir sur un fauteuil muni de deux accoudoirs. Tu tiens entre le pouce et l'index une cuillère au-dessus d'une assiette creuse, puis tu fermes les yeux et tu t'endors. Dès que le sommeil devient suffisamment profond, la main se relâche et libère naturellement la cuillère qui, en tombant, provoque un bruit qui va te réveiller. Ainsi tu reviens subitement dans le réel, en plein milieu de ton rêve.

Tandis que sa mère veillait sur lui, Jacques fit plusieurs fois l'expérience ce soir-là et finit par y arriver : il eut un soubresaut lorsque la cuillère percuta l'assiette. Ses yeux papillonnèrent, il retint l'oiseau.

– Je le tiens ! s'exclama-t-il. Ça y est, je m'en souviens ! Je me souviens parfaitement de l'histoire. Le rêve est dans la cage de ma mémoire.

– Raconte !

– Eh bien…. Il y avait un escalier en forme de huit qui tournait sans fin. Quand je montais, il fonctionnait comme un escalator, sauf qu'il descendait, alors j'avais l'impression de ne jamais pouvoir atteindre le sommet.

– C'est bien, mais il faut aller plus loin, jusqu'à se remémorer le rêve complet, pas seulement la dernière scène, mais tout le film. J'ai enfin réussi à trouver une application de smartphone capable de repérer le stade 5, le sommeil paradoxal. Je vais te l'installer sur ton appareil et régler le système pour que le réveil se déclenche au moment de la fin probable de ton rêve. Comme ça tu auras plus de facilités à mémoriser l'histoire complète.

Jacques testa le nouvel outil. Lorsqu'il fut réveillé par les cordes de la harpe du réveil il put garder en esprit tout le film, comme un cadeau qu'il s'empressa de noter.

– Ça y est ! Maman, j'ai réussi à me rappeler mon rêve complet du début à la fin !

Et il lui raconta, avec le ravissement d'un artiste montrant son œuvre magistrale, ce songe arraché du sommeil paradoxal.

– Il y avait le feu à l'école. Mon prof d'anglais qui était à l'intérieur hurlait « À l'aide ! » aux fenêtres. Et puis arrivait une sorte de géant plus grand que l'école qui le sauvait en le prenant dans le creux de sa main. À la fin, le prof d'anglais lui disait : « Bon, je vous mets un 11/20, mais peut mieux faire. » Il y avait beaucoup de couleurs, beaucoup d'action, et il y avait même de la musique derrière, comme dans un film.

– Bon… hum… eh bien c'est déjà pas mal pour un premier rêve complet, reconnut Caroline Klein en se disant qu'elle préférait qu'il rêve d'incendie plutôt que de noyades et de requins. Pense à bien noter le maximum de détails sur ton carnet de rêves.

Il griffonna des notes et des motifs sur son carnet.

— Ah ! Encore autre chose : quand on raconte le récit, on a naturellement tendance à vouloir rationaliser le rêve avec une suite logique et des acteurs cohérents. Il faut respecter son côté chaotique. Parfois les personnages changent de tête ou, tout d'un coup, les lieux se modifient sans raison.

— Maintenant que tu me le dis, maman, au début, le géant, il avait la tête du voisin. Et après, il avait une tête de chien, puis il avait ma tête.

— Note cela. Il faut que tu sois honnête avec tes rêves.

— Donc pour ce qui est de la « descente » proprement dite, j'ai intérêt à ne pas m'arrêter au stade 4 et à essayer d'aller rapidement au stade 5 et d'y rester le plus longtemps possible ?

— Notre cerveau accomplit ce qu'on lui demande.

Dès le moment où Jacques réussit à mémoriser son premier rêve, il y prit goût. Il ne voulait plus en oublier un seul. Il programmait son réveil pour qu'il sonne en pleine fin de sommeil paradoxal, puis se précipitait sur son carnet.

— Je vais t'apprendre un autre truc pour rêver de manière encore plus efficace, lui annonça sa mère.

Elle fit apparaître un livre, caché derrière son dos, intitulé *Alice au pays des merveilles.*

— La littérature fantastique. Si tu lis des livres avec des univers visuels forts avant de t'endormir, tu feras des rêves encore plus merveilleux.

Il observa les illustrations de couverture qui représentaient une petite fille blonde, un chat aux yeux démesurés, une chenille à lunettes sur un champignon, une reine de jeu de cartes en colère.

Elle récita par cœur :

— « Le monde des livres est le plus grand de tous les mondes que l'homme n'a pas reçus de la nature mais tirés de son propre esprit », disait un écrivain nommé Hermann Hesse. Et j'ajouterais : le monde des livres nourrit le monde des rêves qui est encore plus vaste.

Jacques lut donc *Alice au pays des merveilles* et rêva de décors similaires.

Après l'œuvre littéraire de Lewis Carroll (*La Chasse au Snark, Jabberwocky, De l'autre côté du miroir*), il découvrit celle de Rabelais qui lui inspira des songes de goinfres géants (*Pantagruel, Gargantua*), puis celles de Jonathan Swift (*Les Voyages de Gulliver*) et d'Edgar Poe (*Histoires extraordinaires*, traduit par Baudelaire) qui apportèrent à ses décors habituels corbeaux, cimetières, châteaux et fantômes, de Jules Verne (*L'Île mystérieuse, Voyage au centre de la Terre, 20 000 lieues sous les mers*), d'Isaac Asimov (*Fondation, Les Robots*), de Philip K. Dick (*Ubik, Le Maître du Haut Château*). Il lut aussi les poètes : Victor Hugo, Charles Baudelaire, Arthur Rimbaud, Boris Vian, Prévert, Georges Perec.

Après les romans et les poésies, sa mère lui conseilla de se faire une culture picturale pour nourrir les décors de ses rêves : Jérôme Bosch, Francisco de Goya, Rembrandt, Peter Paul Rubens, Jan Vermeer, William Turner, John Martin, Salvador Dalí, René Magritte.

Puis vinrent les musiciens : Vivaldi, Mozart, Beethoven, Grieg, Fauré, Debussy.

– Romans, poésie, peinture et musique sont les meilleurs ingrédients pour que tu te fasses ta propre cuisine onirique, lui expliqua sa mère. Ce sont des produits « frais ». En revanche, ne regarde pas la télévision. Ça, c'est le fast-food qui donne des rêves « prémâchés » aux goûts artificiellement saturés et qui ne font pas travailler ta créativité naturelle ni ton sens esthétique, seulement tes émotions basiques. Que cela soit un principe global : dans tes rêves, crée tes propres films, ne reproduis pas ceux des autres.

Et Jacques prit l'habitude de s'endormir un roman à la main. Il lisait le soir après le dîner, au moment où les autres élèves regardaient la télévision. Il dévorait ces histoires comme du

« combustible à rêve » et plus les univers livresques étaient originaux et visuels, plus il avait de purs frissons de plaisir, car il savait que la nuit allait les métaboliser et en faire des spectacles étonnants.

À l'école, ses notes s'améliorèrent dans tous les domaines créatifs. Il bénéficiait de la capacité de reconstruction du corps issue de son séjour en stade 3 du sommeil, de la mémorisation générée par sa descente en stade 4, de l'imagination et des délires engendrés par le stade 5.

Il devint le premier de sa classe.

Francis Klein était très impressionné par la réussite de son fils, liée aux enseignements ésotériques de sa compagne. En tant que navigateur, lui aussi améliorait sa maîtrise du sommeil pour réussir son tour du monde à la voile en solitaire. Cela lui serait nécessaire pour battre le record détenu depuis 2008 par Francis Joyon sur trimaran : 57 jours 13 heures et 34 minutes.

Grâce aux indications de sa femme, il visualisait la route idéale, il s'imaginait en manœuvre, il testait les scénarios, les pires et les meilleurs, trouvait en rêve les réponses techniques adéquates. Progressivement, il apprenait à réduire son temps de sommeil non indispensable pour aller directement au sommeil paradoxal, vraiment réparateur et efficace.

Un soir, Francis Klein vint voir son fils dormir et observa l'appareil qui dessinait la courbe de l'hypnogramme.

– Chut, tu risques de le réveiller, dit sa femme qui l'avait rejoint.

– Tiens, tu rentres plus tôt aujourd'hui. Tu as pu avancer sur ton projet, Caro ?

– Non, c'est trop dur ! Je vais peut-être renoncer. Je suis face à une barrière infranchissable, Francis.

– Je suis sûr que tu vas réussir à passer ce cap.

– J'ai peut-être placé la barre un peu haut, reconnut-elle.

Elle dégagea le smartphone posé sur le lit de son fils et examina la courbe de l'hypnogramme.

– Il est déjà au cinquième stade. Il ne faut surtout pas le réveiller.

– Et en dehors du smartphone, il y a un autre moyen de savoir s'il est en sommeil paradoxal ?

Elle acquiesça :

– Les yeux s'agitent plus vite sous les paupières, les tympans battent, la nuque se raidit, faisant basculer le crâne en arrière. Et puis… il y a un détail qui ne trompe pas.

Elle souleva lentement le drap.

– Quand on est en sommeil paradoxal, chez l'homme, c'est « repérable ».

Le jeune Jacques Klein de 11 ans avait une érection.

– Comment se fait-il que le stade 5 provoque quelque chose d'aussi… physique ? demanda le père.

– Il y a une telle joie à rêver à ce moment que le corps enregistre cela comme un… pur acte d'amour.

10

Le couteau électrique frôla le visage de Francis.

Le vacarme avait réveillé Jacques qui accourut dans la cuisine en se frottant les yeux : son père et sa mère se battaient. Sa mère, en nuisette, brandissait le couteau électrique. Le garçon crut qu'ils se disputaient mais Caroline murmura une phrase étrange à l'intention de son père en pyjama :

– Je veux des toasts. Allez, petit pain de mie, ne t'enfuis pas, je vais te trancher puis te faire griller, j'ai faim, je veux des toasts. Avec du beurre et de la confiture.

Caroline lança à nouveau son couteau électrique en avant, Francis se protégea le visage de son avant-bras et les deux lames biseautées et crénelées provoquèrent une estafilade dans l'épaisseur de l'épiderme. Du sang commença à couler.

– Ah! Ça y est! Il y a de la confiture de framboise! s'exclama-t-elle sur un ton victorieux.

Elle avait toujours le regard perdu dans le vide, les pupilles dilatées, le visage exprimant un contentement de personne affamée prenant son petit déjeuner. Les deux lames du couteau électrique souillées de rouge continuaient leur va-et-vient menaçant dans un bruit mécanique.

– Arrête, Caro, réveille-toi!

Malgré son ton déterminé, son père semblait effrayé.

Dans une sorte de combat au ralenti, sa mère utilisait le couteau électrique comme un sabre alors que Francis tentait de se protéger avec un couvercle de casserole en guise de bouclier.

Il parvint à la désarmer et à la maîtriser alors qu'elle manifestait encore des signes d'appétit non rassasié.

– Réveille-toi, je t'en supplie, réveille-toi! dit-il.

– Que... Que se passe-t-il? demanda-t-elle en secouant la tête et en clignant des yeux.

– Tu as encore eu une crise, ce n'est pas grave, dit-il en dissimulant sa blessure au bras et en arrêtant le couteau électrique.

– Qu'est-ce que j'ai fait?

Elle cherchait autour d'elle des éléments pour comprendre ce qu'il venait d'arriver.

– Rien. Il faut aller te recoucher maintenant, Caro.

Elle aperçut sa blessure, repéra le couteau électrique, puis s'effondra en larmes.

– C'est moi qui t'ai fait ça? Je suis tellement désolée, Francis!

– Ce n'est pas ta faute. C'est...

– C'est quelque chose au fond de moi, que je ne contrôle pas et qui me fait commettre des actes horribles durant mon sommeil.

– Tu n'es pas responsable de ce qu'il se passe durant ces instants de crise. Tu rêves éveillée, c'est tout. Cela arrive à beaucoup de gens, c'est juste qu'ils n'en parlent pas.

Il la serra fort dans ses bras et tous les deux pleuraient et tremblaient.

– Je ne suis pas normale. Il faut que je me soigne.

– Tu es normale, il faut juste que tu te reposes et que tu te calmes. Tu travailles trop, c'est cela qui te met dans des états d'épuisement psychologique et provoque ce genre d'incidents.

Jacques n'en revenait pas de voir ses deux parents se battre, puis pleurer et s'embrasser. Il comprit qu'il lui manquait des éléments pour saisir le monde des adultes, mais ces éléments lui semblaient pour l'instant inaccessibles.

– Je vais aller au bout de mon exploration, promit-elle. Il faut que je descende encore plus bas, beaucoup plus bas pour arrêter ce processus. Je le sais, c'est tout au fond de mon inconscient, dans ma zone actuelle de recherche au labo, que je trouverai le moyen d'arrêter cette malédiction.

– Repose-toi.

– Il faut au contraire que je travaille beaucoup plus.

– Arrête de te mettre autant de pression, c'est cela qui provoque tes crises.

– Tu sais très bien ce que je suis capable de faire quand je suis dans cet état. Tu sais très bien ce qui s'est déjà produit. Et ce n'est pas parce que la justice m'a déclarée irresponsable que je ne me suis pas jugée moi-même…

– Tu es trop dure envers toi.

– Va l'expliquer à ceux que j'ai déjà frappés dans la nuit ! Va l'expliquer au fantôme de mon petit frère !

À nouveau, elle éclata en sanglots.

Le jeune Jacques se retira à petits pas pour rejoindre son lit. Ne trouvant pas tout de suite le sommeil, il resta les yeux ouverts à fixer une marque au plafond.

Il ne s'est rien passé. Je n'ai rien vu, je n'ai rien entendu. J'ai dû rêver cette scène. Papa et maman sont des gens formidables qui (... se battent au couteau électrique dans la cuisine à 2 heures du matin...) m'aiment. Maman est une grande scientifique (... elle a essayé de couper papa en tranches parce qu'elle l'a pris pour du pain de mie....) un peu épuisée par son travail. Tout va s'arranger (elle a parlé de « malédiction »). Il ne s'est rien passé (elle aurait pu le tuer !). Rien (et j'ai assisté à ça !). J'ai déjà tout oublié (en serai-je capable ?). Il faut dormir. Il faut que je cesse de penser. Je ne pense plus. J'oublie tout. Je dors. Je...

11

Ses nuits suivantes furent peuplées de cauchemars. Le lit fut défait et refait. Les draps furent froissés et lavés, séchés et repassés. Les oreillers furent tapés et regonflés.

Puis, peu à peu, tout redevint normal.

Les jours passèrent.

Grâce à ses nuits bien rentabilisées, Jacques se maintenait premier de sa classe et se révélait toujours aussi curieux, créatif et attentif.

Les professeurs appréciaient cet élève studieux et décontracté. Cependant, si sa réussite enthousiasmait ses professeurs, elle agaçait les autres élèves qui voyaient en lui un fort en thème un peu trop zélé. Et le fait, à leurs yeux, que Jacques se ridiculisait à chaque séance de piscine n'arrangeait rien à l'affaire.

Jacques redoutait ces moments. En maillot, il regardait l'eau en grelottant, entendait son prof de gym qui lui répétait « Essaye au moins de te mouiller jusqu'aux genoux », puis il prenait un air buté et, si on insistait, il se figeait telle une statue.

Alors que le prof de gym était allé aux toilettes, Wilfrid, un de ses compagnons de classe, fit signe à ses petits camarades de surprendre et d'attraper Jacques. Qui fut rapidement maîtrisé, maintenu par les poignets et les chevilles.

— T'es qu'un fayot, Klein. Et nous on n'aime pas les fayots. De toute façon, toi tu es un petit. C'est écrit dans ton nom. Klein, ça veut dire « petit » en allemand. Je suis d'une famille allemande et je le sais. Petit Klein ! Petit Klein ! Et en plus tu as peur de l'eau, comme les bébés ! T'es qu'un petit bébé trouillard, Klein ! Et on va voir si tu te dissous dans l'eau comme une aspirine !

Jacques Klein voulut se dégager mais Wilfrid et ses complices étaient plus forts. Ils profitèrent du fait que le professeur n'était toujours pas revenu pour le soulever et l'amener au bord de la piscine, avec les encouragements de tous les élèves de l'école qui voyaient dans cette humiliation une juste rançon de ses succès de premier de la classe.

— On va l'aider à surmonter sa peur de l'eau ! Allez, balancez le tout petit Klein, on va voir s'il est effervescent ! À la une, à la deux, et à la...

Pris de terreur, Jacques se débattit et parvint à dégager une jambe. Il donna un violent coup de pied au garçon qui le tenait par les mollets. S'ensuivit un lancer raté et Jacques échappa de peu au grand bain. Mais son front heurta l'échelle de la piscine, et il se mit à saigner abondamment.

Avant qu'il ait pu se relever, Wilfrid lui mit la main sur la gorge.

— Tu diras que tu as glissé. Et je te préviens, si tu avertis le prof ou tes parents, on te noiera.

Quand le prof de gym revint, il ordonna qu'on emmène Jacques à l'infirmerie pour panser sa plaie.

Jacques souffrait mais, effrayé par le regard menaçant de Wilfrid qui mimait un noyé, il ne dénonça pas les coupables.

Quand Francis retrouva son fils blessé, il voulut savoir ce qu'il s'était passé.

— Rien, répondit simplement Jacques.

Francis dut insister un peu et, enfin, entre deux sanglots, Jacques avoua la situation humiliante qu'il avait vécue.

— C'est à cause de notre nom qui signifie « petit » en allemand. C'est vrai ?

— En effet, mais sache qu'il ne signifie pas que cela. « Klein », c'est aussi une forme géométrique merveilleuse en forme de huit en relief. La « bouteille de Klein » est un des rares volumes qui n'ont ni intérieur ni extérieur. Et c'est un de nos ancêtres, le mathématicien Felix Klein, qui l'a imaginée.

Le navigateur, saisissant le même calepin qui avait servi à sa femme pour expliquer la plongée dans les eaux du sommeil, dessina la forme d'un récipient enflé dont le goulot rentrait dans le flanc pour s'unir au fond du récipient.

— Tu ne trouves pas que c'est beau ?

Mais le jeune Jacques était encore sous le choc de l'agression et n'avait pas la tête à parler de géométrie.

— Ce gamin, Wilfrid, il est dans ta classe ? questionna Caroline, arrivée en renfort.

— Ne faites rien, sinon il va me noyer.

— Il ne faut pas que tu entres dans un cycle de peur : tu te transformerais en victime et, là, ils ne te lâcheraient plus.

— Mais il me fait vraiment peur. Et les autres élèves sont avec lui.

— La peur peut être canalisée et éteinte. Je n'arriverai pas aujourd'hui à t'aider à surmonter ta phobie de l'eau, mais je peux réussir à t'aider à affronter ce garçon. Ferme les yeux.

Sa mère lui proposa alors un exercice de rêve accompagné : visualiser l'île de Sable rose évoquée par son père depuis sa prime enfance. Là, elle lui suggéra de faire venir Wilfrid en imagination. Suivant les conseils de sa mère, Jacques se mit à se visualiser en géant face à un Wilfrid transformé en nain. « Alors, tu me trouves toujours petit ? » questionna-t-il à l'intérieur de son rêve. Écrasé et humilié, son agresseur prit peur, demanda grâce et s'excusa. Caroline réveilla Jacques peu après.

— Tu vois, lui dit-elle, c'est lui qui se trompe, ton nom est beau, et tu n'es pas peureux, tu dois maintenant en parler au proviseur pour qu'il sache ce qu'il s'est passé.

Le lendemain, le jeune Jacques trouva le courage de dénoncer son bourreau. Il raconta dans le détail l'incident. La cicatrice en forme de Y sur son front confirmait le récit.

Wilfrid fut convoqué et menacé d'exclusion à la moindre récidive. Il attendit la fin des cours pour suivre Jacques dans la rue. Celui-ci le repéra mais n'accéléra pas. Il se répétait : « Ne pas fuir, être fort comme dans le rêve sur l'île de Sable rose. »

Wilfrid le rattrapa.

— Petit Klein, tu n'es vraiment qu'une lavette, tu as besoin de tes parents et des profs pour te protéger car tu ne sais pas le faire tout seul, t'es vraiment minable. Tu m'as dénoncé et tu vas payer pour ça ! Je t'avais prévenu, pourtant ! Cette fois-ci tu vas dérouiller ! Tes parents ne te reconnaîtront plus.

Il avait sorti un canif. Jacques ne cilla pas.

— Tu es sûr que le plaisir de me blesser vaut le coup de te faire virer de l'école ? Je ne sais pas comment réagiront tes parents.

La soudaine assurance de Jacques surprit Wilfrid, qui hésita : il ne trouvait pas la moindre trace de peur dans le regard de son vis-à-vis.

— Fais gaffe, je vais te déchirer !

Jacques se contenta de sourire, ce qui eut pour effet de décupler l'énervement de Wilfrid, qui restait cependant partagé entre l'envie de blesser et la peur d'en affronter les conséquences.

— Pense à tes parents, « grand » Wilfrid, ironisa Jacques. Que diront-ils lorsqu'ils devront te changer d'école pour te mettre dans une école privée, qui accueille les brutes de ton espèce ?

Les secondes s'écoulaient. La main replia la lame.

– Tu as de la chance, petit Klein, tu as de la chance.

– Oui, je sais, dit-il. J'ai « appris » à en avoir.

– Tu en as maintenant, mais un jour tu n'en auras plus, et alors tu vas souffrir.

Le reste de l'année scolaire se passa sans nouvel incident. Suite à cette affaire, Jacques fut officiellement dispensé de piscine.

Wilfrid l'évitait systématiquement et Jacques comprit que grâce au travail psychologique accompli avec sa mère dans le monde du sommeil, il pouvait surmonter, au moins en partie, ses peurs.

Caroline précisa cependant son enseignement de la maîtrise des émotions :

– Les gens faibles se vengent. Les gens forts pardonnent. Les gens encore plus forts ignorent, énonça-t-elle. Désormais, cet événement doit être mis au congélateur et ce Wilfrid doit simplement sortir de ton espace mental émotionnel afin de ne plus le polluer. Il te jalouse parce que tu es bon élève. Il sait que, toi, tu vas réussir dans la vie et que lui va échouer. Alors il essaie de rééquilibrer les choses, mais c'est son problème, pas le tien.

– Et toi, il t'arrive d'avoir peur, maman ?

– J'ai surtout peur de moi-même. Je connais mon pire ennemi, je le croise parfois le matin dans le miroir… mais je ne laisse pas cette peur ni aucune des autres me submerger. Actuellement, j'affronte pour mon projet personnel scientifique des épreuves que tu ne peux imaginer. Je vis en permanence dans la terreur que cela échoue, dans l'angoisse d'entraîner des gens dans ma déroute. Tous les jours, je vais au labo effrayée mais en même temps, ce que j'y fais me rassure.

Jacques considéra sa mère comme une guerrière et une protectrice. Et il se dit que tant qu'elle serait là (et qu'il n'approchait pas des océans et des piscines), il ne risquerait rien.

12

Certains jours, on ferait mieux de rester couché.

C'était un vendredi 13, Jacques avait 13 ans et n'était pas encore superstitieux. Ce fut pourtant une journée qu'il aurait préféré n'avoir jamais vécue. Il aurait aimé l'enlever des agendas comme les Américains enlèvent le treizième étage des ascenseurs.

Cela commença à 6 heures du matin. Il y eut un appel téléphonique qui résonna longtemps dans l'appartement. Il entendit au loin sa mère qui décrochait. Il abandonna son rêve en plein milieu, se réveilla, se leva et s'approcha de la chambre de ses parents pour écouter ce qu'il s'y passait.

– VOUS ÊTES SÛR ? Quand ? Où ? Est-ce qu'on sait où ?

Il fit encore quelques pas.

– Je sais que tu es là, Jacques, tu peux me rejoindre. Tu as le droit de savoir.

Il entra dans la pièce, un peu honteux d'avoir été surpris. Sa mère, en peignoir, était assise sur son lit, et tenait en tremblant le combiné téléphonique.

– ... Papa ? demanda le jeune garçon.

Elle ne put s'empêcher de pousser un soupir prolongé. Elle eut une grimace et ramena ses cheveux blonds en arrière pour retrouver une contenance.

– Que s'est-il passé ?

– Tu sais que papa est parti depuis dix-sept jours sur son voilier *Défi ultime* pour tenter de battre le record du tour du monde à la voile en solitaire ?

L'adolescent hocha la tête, déjà inquiet de l'émotion mal contenue qu'il percevait dans la voix maternelle.

– ... Ils ont perdu sa trace GPS.

Pour s'occuper les mains, elle alla rapidement chercher un de ses cigarillos, qu'elle alluma.

– Papa a peut-être eu un accident, continua-t-elle. Nous le saurons bientôt. Pour l'instant, l'heure n'est pas à l'affolement, on attend juste d'en savoir plus. Mais ne t'inquiète pas, Jacques, nous ne sommes plus au Moyen Âge, et même en haute mer on arrive toujours à retrouver les gens. Cela doit probablement être une panne des systèmes électroniques embarqués.

Ils attendirent, côte à côte devant le téléphone du salon. Le cendrier était rempli d'une montagne de mégots.

Ensuite il y eut d'autres appels et d'autres conversations téléphoniques.

Plus tard, Caroline Klein alluma le téléviseur. La disparition du célèbre navigateur Francis Klein était évoquée sur la chaîne d'information en continu.

Sa mère buvait du café, écoutait les brèves tout en parlant nerveusement au téléphone à des gens lointains.

À 8 h 12 du matin, la nouvelle tomba. Un drone de la marine nationale venait de détecter la carcasse du bateau chaviré.

À 8 h 30, un navire militaire arriva sur place, les hommes de la marine nationale commencèrent à fouiller la zone avec du matériel radar et des détecteurs de chaleur. Ils finirent par retrouver le corps de Francis Klein gonflé d'eau et déjà en partie amputé par des requins.

L'enquête qui suivit apporta des explications. La boîte noire de son voilier *Défi ultime* avait enregistré toutes les informations – sons, images, position – qui permettaient de reconstituer chaque seconde de l'accident. Le voilier avait percuté un iceberg, le choc avait fendu la coque.

Au moment de l'accident, son père dormait.

Il s'était réveillé trop tard pour tenter une manœuvre d'évitement.

Caroline Klein était en larmes. Le liquide salé coulait comme des petits ruisseaux sur ses joues.

Ce fut ce jour-là que Jacques reçut sa nouvelle leçon : ne pas maîtriser son sommeil peut entraîner la mort.

13

C'est mouillé.

C'est puant.

C'est surtout très « vexant ».

Cette tragédie déclencha chez le jeune Jacques, âgé de 13 ans, des crises d'énurésie, terme médical qui désigne le « pipi au lit ».

L'eau avait tué son père.

L'eau avait coulé des yeux de sa mère.

L'eau maintenant sortait du corps du fils.

Caroline Klein rangea le pyjama humide de Jacques dans le panier à linge sale. Elle lui caressa les cheveux et se voulut rassurante :

— Laisse. Ce n'est pas grave.

— Mais je croyais que…

— Que c'était mal ? Non, et puis de manière générale évite de croire. Je veux te parler comme à un adulte, alors écoute-moi : les croyances sont le contraire des rêves. Les croyances ferment, les rêves ouvrent. Heureusement, la nuit, les croyances sont défaites par les songes, sinon tu serais en permanence dominé par un monde construit par les visions imposées par d'autres.

— C'est quoi, exactement, les « croyances » ?

— La première croyance, c'est de penser que lorsqu'on fait « Ouin », il y aura toujours un sein rempli de lait maternel qui arrivera directement dans ta bouche.

Elle lui caressa le visage.

— Ensuite, on croit que tout est grave. Comme faire pipi au lit. Et puis on s'aperçoit que cela ne l'est pas tant que ça.

Elle lui passa sa main fraîche sur le front, sur sa cicatrice en forme de Y.

— On croit à la suprématie du travail. On croit aux publicités. On croit aux articles des journalistes. On croit aux promesses des politiciens. On croit en la patrie outragée. On croit en un type en robe qui parle au nom de Dieu alors qu'il ne l'a jamais rencontré. On croit en l'argent, alors que ce ne sont que des feuilles de papier imprimé. On croit en la liberté. On croit en l'amour. On croit en la famille. On croit en ses parents, on croit en ses enfants. On croit à l'immortalité. Et pour finir, on croit le médecin qui vous dit que « vous allez vous en sortir » et puis c'est souvent à ce moment-là, quand il est trop tard, qu'on se demande si l'on ne nous a pas pris depuis le début pour « quelqu'un à qui l'on peut faire croire n'importe quoi ».

– Papa n'a pas eu de médecin qui lui a fait croire qu'il allait s'en sortir.

Tout en parlant, Jacques saisit quelques coquillages précieux de la collection offerte par son père. Caroline battit des paupières.

– Papa est mort en vivant sa passion, et sans souffrir puisqu'il dormait. Il est mort de la meilleure manière possible… pour lui.

– Dévoré par les requins ?

– Le corps est composé de chair, la chair c'est de la viande. La partie de ton père qui était comestible a été recyclée par la nature. Les poissons nettoient la mer, comme le jardinier désherbe ses plates-bandes.

Entendre le mot « viande » associé au corps de son père le surprit, mais paradoxalement cela le détendit. Il passa son doigt sur la courbe hérissée d'un coquillage *Strombus gigas*.

– Tu vois, les croyances amènent à un décalage par rapport au réel. Et je te l'ai déjà dit : ce sont les rêves du sommeil paradoxal qui nous remettent dans la vérité. Le rêve est comme un cadeau qui va nous aider pour tout. Ce message nous arrive sous forme de symboles, d'allégories, d'images étranges. L'inconscient parle. Et l'inconscient comprend plus de choses que le conscient. Fais-lui confiance, fais confiance à tes rêves et ne crois personne, pas même moi.

L'adolescent affichait une mine préoccupée.

– Qu'est-ce que la réalité, selon toi ? poursuivit-elle.

– Ce que je vois, ce que j'entends. Ce que je touche. Les informations fournies par mes sens ?

– C'est « ta » réalité, mais ce n'est pas une réalité objective. Nous ne percevons la lumière que dans un spectre réduit d'ondes. Les infrarouges et les ultraviolets que perçoivent beaucoup d'autres animaux nous sont étrangers. Il en va de même pour les sons graves et aigus que captent les chiens ou les dauphins. Nous ne voyons et n'entendons qu'une infime partie de ce qui existe vraiment.

– Si la réalité est une croyance, le rêve, c'est quoi ?

– Le rêve, c'est précisément la libération de toutes les croyances.

Jacques fixa sa mère.

– Les clients à l'hôpital te payent pour mieux rêver ?

– Les clients s'appellent des patients et ils me payent pour mieux dormir parce qu'ils souffrent dans leur sommeil. Insomnies, cauchemars, apnée, somnambulisme, terreurs nocturnes, bruxisme, narcolepsie... Ils gèrent mal ce qui devrait être un instant de détente.

– Tu les sauves et ils te payent ?

– Je fais aussi de la recherche pure. J'ai un grand projet personnel qui pourra un jour révolutionner le monde de la connaissance du sommeil.

Elle passa à nouveau la main dans ses cheveux.

– Tu veux que je t'aide à ne plus faire pipi au lit ?

– J'ai honte de ne pas me contrôler, avoua-t-il.

– Je te propose de faire une séance de rêve accompagné, cela te dit d'essayer ?

Caroline installa confortablement son fils dans le grand fauteuil du salon qui, jusque-là, n'était réservé qu'à son père.

– C'est quoi, le songe qui déclenche tes crises d'énurésie ?

Le garçon essaya d'être précis.

– Je rêve que je suis dans le voilier avec papa pour gagner la course autour du monde. Nous dormons tous les deux et puis il y a du vacarme. Nous sortons sur le pont et nous nous apercevons que le bateau a percuté un iceberg et que cela a crevé la coque. Papa me dit qu'il faut écoper. Nous nous mettons aussitôt au travail mais le niveau de l'eau ne cesse de monter dans la cabine. Le niveau arrive à nos pieds, puis à nos genoux, nos cuisses, bientôt jusqu'au cou et nos têtes finissent par être submergées. Le bateau s'enfonce. Puis papa et moi nous coulons. Alors j'essaye de sauver papa mais il est trop lourd. Il m'entraîne vers le fond. On se tient par la main et nous coulons ensemble à pic. Alors je fais pipi et cela me réveille.

– Très bien. Tu vas t'endormir profondément, mais on va convenir que, dans ton rêve, tu peux communiquer avec moi en balayant l'horizon de ton regard. Un coup pour oui. Deux coups pour non. OK ?

– Je vais essayer.

Elle baissa la lumière du plafonnier.

– Nous allons refaire ce fameux rêve ensemble.

Elle posa les doigts sur ses paupières pour l'obliger à fermer les yeux.

– Écoute-moi et laisse-toi porter par mes paroles.

Elle lui décrivit la scène qu'il avait lui-même narrée, en ajoutant des détails pour la rendre plus concrète. Des bruits. Des odeurs. Des dialogues avec son père. Elle lui fit revivre l'accident jusqu'au moment où l'eau pénétrait dans le voilier.

– Il faut maintenant laisser papa. Tu y arrives ?

Deux mouvements pour non. Il fronça les sourcils tout en gardant les yeux fermés. Toute son intelligence d'enfant était sollicitée pour résoudre un dilemme : choisir entre l'allégeance aux ordres de la mère et l'allégeance à la mémoire du père.

– Il s'agrippe à toi ?

Un coup pour oui.

— Imagine qu'il te parle et que c'est lui qui te demande de lâcher prise.

Un moment passa puis, enfin, il y eut un mouvement du globe oculaire sous la paupière.

— Il t'a lâché ?

Nouveau mouvement latéral unique.

— Bien. Tu peux remonter en surface et nager. Tu te souviens de l'île de Sable rose où ton père t'accompagnait autrefois ?

Un coup pour oui.

— Parfait. Rejoins cette île, c'est un lieu de totale sécurité.

Deux mouvements pour non.

— Qu'est-ce qui ne va pas ?

À nouveau deux mouvements.

— Ah ! Je comprends, tu le vois encore sous l'eau, c'est ça ?

Un coup pour oui.

— Fais-lui signe. Dis-lui adieu. Tu y arrives ?

Deux coups.

— Comprends cela, Jacques ! Tu ne peux pas le sauver ! Alors sauve-toi toi-même. Ce n'est pas de l'égoïsme. Tu n'es pas fautif. Croire que tu aurais pu le sauver, même en rêve, ce n'est que de l'orgueil. Salue-le, et nage pour rejoindre l'île de Sable rose.

Deux coups.

— ÉCOUTE-MOI ! Tu le dois ! Nage, Jacques ! Nage !

La peur de l'enfant se manifesta par une série de frissons qui se transformèrent en tremblements.

— Il n'y a pas de requins ! Nage. Je te garantis qu'il n'y a pas de requins. Il n'y en a pas car ils sont chassés par les dauphins. Ce sont les dauphins qui te protègent, tu comprends ?

Soudain, cette information sembla prendre du sens, car l'adolescent se détendit.

— Est-ce que tu vois l'île de Sable rose ? « Notre île » ?

Après un nouveau moment d'attente, Caroline décela enfin un mouvement d'yeux positif.

– Bravo. Remonte sur la plage. Tu es sur l'île et tu es sauvé. Sache que tu as fait ce que *papa* voulait que tu fasses. Tu vas aller dormir et rêver de l'île de Sable rose, sans papa. Une île déserte mais c'est quand même ton île, tu comprends ? Et dans la mer, les dauphins te protégeront toujours.

Caroline posa sa main sur les paupières de Jacques et affirma d'un ton catégorique :

– Et maintenant, tu ne feras plus jamais pipi au lit.

Le lendemain matin, Jacques mit du temps à se réveiller. Au petit déjeuner il ne parla pas, absorbé par des souvenirs, des images, des idées.

– Pourquoi cela a marché, ton « rêve accompagné » ? demanda-t-il à sa mère.

– En passant par le monde onirique, on peut résoudre des problèmes dans le monde réel. Cela marche dans les deux sens.

Jacques Klein découvrit ainsi que le rêve peut soigner. Il tenait cependant à comprendre en profondeur l'événement.

– Maman, tu crois que cela « devait se passer » ? Tu crois que les choses qui arrivent dans le futur sont inscrites dans un livre, une sorte de roman qui nous dépasse ?

Elle lui demanda d'approcher.

– Je ne suis pas dans la croyance, je te l'ai déjà dit. Mais ma propre mère pratiquait, elle, la chiromancie, c'est l'art de lire le futur dans les lignes de la main. Selon elle, sur la main gauche se trouve gravé le futur, ce qui pourrait être. Et sur la main droite ce que tu modifies au fur et à mesure que tu avances dans la vie.

Il regarda ses mains et observa l'enchevêtrement de lignes plus ou moins profondes auquel il n'avait jusqu'alors jamais porté attention.

– Il y a trois lignes principales : ta ligne de cœur (ta vie sentimentale), ta ligne de vie (ta santé), et ta ligne de tête (ta vie professionnelle). Tu vois, elles sont là.

– L'avenir serait écrit dans les lignes de la main ? Nous porterions notre « roman personnel » sur ces traits qui s'entremêlent ? Cela pourrait être aussi simple ? Mais alors, où sont nos choix ?

Elle prit le couteau le plus aiguisé.

– Regarde, il suffit que je fasse ça.

Elle se coupa et la ligne qu'elle avait désignée comme étant la ligne de vie se mit à saigner.

– Qu'est-ce que tu fais, maman !

– J'utilise mon libre arbitre pour modifier moi-même ma vie. Voilà, s'il y a un roman de ma propre vie inscrit quelque part et relié à mes lignes de la main, je viens d'en modifier un passage.

Elle laissa couler le sang de la plaie, consciente que cette blessure était le prix à payer pour qu'il comprenne une leçon importante : le libre arbitre surpasse tout.

14

Sa main se lève, poing fermé, en signe de victoire.

Jacques Klein, à 17 ans, vient de réussir son baccalauréat avec mention très bien.

Ses camarades de classe le félicitent. Ses professeurs aussi. Il hésite désormais quant à la suite de ses études. Sera-t-il ingénieur, avocat, architecte, médecin ?

– Laisse la sérénité de la nuit te porter conseil, lui conseilla sa mère lorsqu'il fut rentré.

Cependant, la nuit ne fut pas sereine.

À 4 h 04 du matin, des bruits incongrus dans l'appartement le réveillèrent. Il eut un sentiment désagréable car cela lui rappelait la nuit où sa mère avait reçu le coup de téléphone qui annonçait la disparition de son père.

Cependant, ce n'était cette fois ni un bruit de sonnerie ni une dispute : on aurait dit des détonations.

Il eut peur que des cambrioleurs armés se soient introduits chez eux. Son téléphone n'était pas à portée de main et il n'avait pas le temps de le chercher. Il hésita puis saisit une batte de base-ball.

Il se répéta une phrase que lui avait jadis enseignée son père : « Il y a un temps infini entre le moment où l'autre attaque et celui où tu reçois le coup. Ce n'est qu'une prise de conscience, on peut ralentir le temps avec son esprit. »

Il redoutait de devoir affronter des cambrioleurs.

Les détonations se poursuivaient en provenance de la cuisine. Il poussa lentement la porte et observa la scène.

Sa mère avait préparé des croque-monsieur avec... deux DVD qu'elle avait recouverts de beurre, de jambon et de fromage. Elle les avait ensuite mis à cuire dans le micro-ondes. Les disques, contenant une substance métallisée, avaient provoqué ces explosions.

Les gerbes d'étincelles continuaient de jaillir du four et l'ensemble commençait à dégager une épaisse fumée, mélange de plastique, de fromage et de jambon calcinés.

Cela ne semblait pas perturber sa mère. Armée d'un grand couteau, elle coupait méthodiquement des morceaux de savon qu'elle alignait dans son assiette comme des bouts de mozzarella, accompagnés de tomates qu'elle avait tranchées de la même manière.

Il s'approcha de sa mère.

– Maman ? Tu m'entends ?

Elle avait toujours les yeux hagards, perdus au loin, les pupilles dilatées. Elle souriait mais ne répondait pas. Alors, délicatement, il lui fit lâcher le grand couteau.

Heureusement que ce n'est pas un couteau électrique.

Heureusement qu'elle ne se bat pas avec moi comme naguère avec papa.

Heureusement qu'elle ne m'a pas pris pour un toast.

Je vais essayer de ne pas la réveiller. Juste la protéger d'elle-même.

Il éteignit le micro-ondes et le débrancha. Il utilisa l'extincteur pour éteindre les flammes qui s'en échappaient, juste avant qu'elles n'atteignent les rideaux.

Il raccompagna sa mère jusqu'à son lit, et s'assura qu'elle se mette bien sous les draps.

Il la regarda dormir les yeux toujours grands ouverts, et se souvint que, lors de la bagarre avec son père, elle avait évoqué un monstre intérieur tapi tout au fond de son inconscient, que ses recherches scientifiques avaient pour objectif de traquer.

Je viens de voir ton problème, maman. Et en effet je comprends que cela te préoccupe au point de consacrer ta vie à le résoudre.

Il lui ferma délicatement les yeux de sa main droite. Les globes oculaires s'activaient sous l'épiderme, faisant frémir les cils. Elle arqua sa nuque. Elle était en plein sommeil paradoxal.

Puis il revint à la cuisine, dégagea les reliquats noirâtres qui reposaient au fond du four. Il vida l'assiette de tomates-mozzarella-savon et celle de DVD-fromage-jambon dans la poubelle.

Le lendemain, il hésita avant de se décider à dire la vérité à sa mère. Il lui relata dans les détails les événements de la nuit. Sa réaction fut immédiate :

– NON ! Je ne te crois pas ! Ce n'est pas possible !

Il lui montra dans la poubelle les sandwichs de DVD, et la mozzarella-savon de Marseille.

Elle s'effondra.

– J'ai donc recommencé… Cela m'arrivait avant et je croyais que c'était terminé. Mais non, le monstre est encore là, caché au plus profond de mon inconscient. Dans les couches qu'on ne peut ni voir ni atteindre. Où fuir quand on a peur de soi ?

– Ce n'est pas grave, maman.

Elle restait sous le choc.

– Tu as dû te dire que ta mère était folle à lier ! Et je mangeais, en plus ! C'est une nouvelle maladie que l'on commence à identifier, qui se nomme « le somnambulisme boulimique ». Les gens grossissent et ne comprennent pas pourquoi. Et j'ai ça, moi aussi ! J'ai tellement honte. C'est comme si j'étais trahie par mon propre corps.

Elle était parcourue de tics et de frissons de pure répulsion.

– C'est à moi de trouver un moyen de me contrôler ou bien il faudra que je sorte de ta vie pour ne pas te mettre en danger. Il faut que j'accélère mes recherches. La solution est *forcément là*.

Elle baissait les yeux, n'arrivant plus à affronter le regard de son fils. Elle se mit à griffonner rapidement un schéma qui devait correspondre – pensait Jacques – à une nouvelle stratégie de recherche scientifique.

– Cela ne se reproduira plus. Je te le *jure*, Jacques !

L'adolescent fronça les sourcils et regretta de lui avoir parlé de tout ça. La réaction de sa mère lui semblait tellement disproportionnée…

Cependant, il avait trouvé la réponse à la question concernant son orientation après le bac. Il s'inscrirait à la faculté de médecine.

15

Une giclée de cortisol envoyée par son cerveau le réveilla. Cela lui fit l'effet d'une sonnerie interne. Ses paupières se soulevèrent d'un coup.

Il s'était endormi sur ses cours et se releva en sursaut. Il se frotta longtemps les yeux jusqu'à ce que cela cesse de le démanger.

À 18 ans, Jacques Klein était devenu étudiant en médecine. Il avait une chevelure un peu longue, une barbe et des sourcils noirs épais.

Il passait toutes ses journées à préparer l'examen de passage de première année. Il travaillait dur mais il commençait à avoir des difficultés à mémoriser la masse d'informations qu'on lui imposait d'apprendre.

Les cours étaient longs, il y avait des livres entiers à lire, des noms de maladies compliqués à retenir. À la fin de l'année universitaire, la sélection était draconienne et il savait que sur trois mille étudiants inscrits dans sa promotion de faculté, seulement trois cents pourraient passer en deuxième année.

Il échoua aux partiels de printemps et commença à paniquer. Le soir, sa mère le voyait de plus en plus fatigué et nerveux au fur et à mesure que la date de l'examen approchait.

– Je vais t'aider, proposa-t-elle.

– Tu ne vas pas pouvoir préparer l'examen à ma place, ironisa-t-il.

Elle scruta quelques pages des cours de son fils.

– Je dois reconnaître que, de mon temps, l'examen était plus facile.

– Sans doute parce qu'il y avait moins de candidats et plus de postes à pourvoir. La compétition devient féroce. Les jurés sont des médecins en activité, ils ne veulent pas affronter trop de concurrents. Ma tête sature et j'ai des pages et des pages à apprendre par cœur, avec tous les noms des organes, des hormones, des os : il faudrait incruster un disque dur dans mon cerveau.

– J'ai peut-être une autre solution plus simple. Le « jubjotage ».

– Je n'ai jamais entendu ce mot.

– C'est un mot récent.

Jacques Klein utilisa son smartphone pour aller sur Internet et tomba sur la définition : « Jubjoter : émerger d'un rêve sans en avoir la fin et tenter d'y retourner pour savoir la suite. »

– Joli concept, mais je ne vois pas le rapport avec mon examen de médecine.

– Encore un de mes gadgets psychologiques.

– Comme le système Dalí pour retenir ses rêves avec un fauteuil à accoudoirs, une assiette et une cuillère ?

– Cela consisterait plutôt à « reprendre le rêve de la veille là où on l'a arrêté ». Dès lors, tu ne rêves plus en « courts métrages » ou en « longs métrages » unitaires, mais en forme de feuilleton à suivre nuit après nuit.

– Je ne vois pas comment c'est possible.

– Tu vas poursuivre la mémorisation de tes cours durant ton sommeil. Il paraît que certains arrivent à apprendre en quelques jours des langues étrangères avec cette méthode, alors pourquoi ne pas l'utiliser pour retenir plus facilement ses cours de fac ?

Le jeune homme était sceptique, mais il accepta de tenter l'expérience.

Pour l'aider, sa mère mit au point une technique spécifique. Dans un premier temps, elle lui demanda de lire à haute voix les cours de médecine pour les enregistrer sur son smartphone. Ensuite, elle guida Jacques dans son sommeil par la parole et lorsqu'il eut atteint le sommeil profond, elle lui proposa de revenir sur l'île de Sable rose. Lorsqu'il signala y être par un mouvement d'œil latéral sous la paupière, elle déclencha le lecteur du dictaphone et sa propre voix enregistrée commença à égrener les textes des cours à retenir.

Ainsi, Jacques Klein apprenait le jour ses cours de manière normale et la nuit il poursuivait son apprentissage par « jubjotage ».

Il réussit l'examen de première année et termina dans les dix premiers. Car bien dormir permettait de mémoriser des masses infinies d'informations.

La vie avec sa mère s'avérait très agréable. Comme elle travaillait beaucoup à son projet personnel, elle était rarement présente, et lorsqu'elle était là, elle lui enseignait toujours quelque chose. C'était comme s'il était devenu le disciple d'une mère gourou.

Celle-ci prenait beaucoup de plaisir à instruire son fils, considérant qu'elle trouvait ainsi un moyen de rendre sa propre pensée immortelle.

— Il y a le conscient, le subconscient et l'inconscient. Le conscient, c'est celui qui te parle maintenant. Le subconscient, c'est là où tu stockes tes souvenirs et tes apprentissages. Quand je te fais apprendre tes cours par jubjotage, je les fais aller rapidement dans ton subconscient où ils sont stockés dans une région qui se nomme le lobe temporal.

— Et l'inconscient ?

— L'inconscient, c'est ce qui, par définition, échappe à notre pensée. L'inconscient, c'est celui qui s'exprime parfois quand on est saoul, ou lorsqu'on a pris de la drogue ou qu'on utilise comme voie d'accès l'hypnose ou le rêve. C'est le truc caché au fond. Chez moi, l'inconscient est celui qui me fournit l'inspiration, l'intuition, les trouvailles. Quand je réfléchis logiquement je ne trouve rien, quand je laisse parler l'inconscient je surfe sur une vague qui vient de loin.

— L'inconscient a toujours raison ?

— Oui, l'inconscient a toujours raison. Rappelle-toi, en général la première intuition que tu as quand tu rencontres quelqu'un de nouveau est toujours la bonne. Ensuite tu te laisses influencer par ses paroles et à la fin tu t'aperçois qu'il était bien comme tu l'avais pressenti. L'inconscient n'est pas influençable, lui. L'inconscient est ta partie libre, que personne ne peut manipuler. Prends l'habitude de te brancher dessus volontairement et tu gagneras du temps dans tout ce que tu entreprendras.

— Pourtant, c'est mon inconscient qui… m'empêche de me baigner.

— Oui et c'est aussi mon inconscient qui provoque mes crises de somnambulisme. Il semble qu'il y ait une couche plus profonde sous l'inconscient, qui est une sorte de « soi monstrueux ».

Elle inspira profondément et expira lentement.

– C'est pour cela qu'on ne peut pas descendre au fond de la mer de notre pensée n'importe comment ! Tout comme pour la plongée sous-marine, il faut respecter des paliers et, si on dévale trop vite trop loin, on peut tomber sur des monstres des abysses.

Ce soir-là, Jacques se leva dans la nuit pour regarder sa mère dormir. Il se demandait si elle allait avoir une crise de somnambulisme. Il prit une chaise et l'observa en détail. La nuque raide et les mouvements des globes oculaires sous les paupières indiquaient qu'elle était en plein sommeil paradoxal. Sa main était crispée sur son oreiller.

L'hypnogramme sur son smartphone indiquait qu'elle était au stade 5.

Observer quelqu'un dormir est fascinant, se dit-il, *c'est le moment où il n'y a plus la moindre défense. Elle flotte loin des vicissitudes du monde.*

Sa mère eut un infime mouvement des pieds.

Elle rêve qu'elle marche.

Elle eut un mouvement de succion de la bouche.

Elle rêve qu'elle mange.

Elle fronça les sourcils et se mit à murmurer quelques mots.

– Vous…. Vous… me plaisez beaucoup, oui vous, vous me plaisez, dit-elle.

Il se dit qu'il faudrait l'enregistrer et la filmer durant son sommeil. Mais en même temps, il songea qu'en tant que spécialiste, elle ne se laisserait pas observer. Elle aurait trop peur de révéler des éléments de sa vraie personnalité.

Il resta encore plusieurs minutes simplement à regarder sa mère et se dit qu'en fait il ne lui avait jamais réellement parlé. Elle communiquait avec lui comme un professeur avec son élève, mais elle ne lui avait jamais révélé qui elle était vraiment. Leurs échanges en dehors des thèmes liés à ses recherches se réduisaient à évoquer la santé, la météo, les vêtements. Et la seule fois où elle lui avait dévoilé une faille (sa crise de somnambulisme), elle avait aussitôt eu honte et mis au point une stratégie pour que cela ne puisse plus jamais se reproduire.

Il lui caressa ses longs cheveux blonds et murmura à son oreille :

– Dors bien, maman, fais de beaux rêves, sois heureuse. Et demain tu auras plein d'idées géniales venant de ton inconscient pour réussir ton projet secret.

La barre de contrariété de ses sourcils s'inversa et elle sourit : ses yeux ne bougeaient plus sous ses paupières.

Il s'apprêtait à quitter la chambre lorsqu'il la vit se lever.

Ne pas réveiller les somnambules, est-ce une superstition ou une recommandation fondée ?

Dans le doute, il ne fit rien et la suivit. Elle marchait les yeux ouverts, hagarde, les mains en avant. Elle allait, comme la dernière fois, vers la cuisine.

Oh non ! pas ça.

Les pupilles dilatées, elle ouvrit le réfrigérateur et ses mains palpèrent les clayettes pour attraper du pain de mie. Jacques le lui tendit rapidement. Elle posa dessus des tranches de bœuf séché. Elle se tourna ensuite vers le placard et se servit une pleine rasade d'huile d'olive, qu'il remplaça prestement par de l'eau avant qu'elle n'ait eu le temps de la boire.

Jacques était face à elle. Il chuchota :

– Bon appétit, maman.

Elle ne répondit pas et continua de mastiquer méthodiquement son pain de mie et sa viande. Elle se leva et déposa un morceau de fromage sur son pain, puis un morceau de chocolat.

Jacques était bouleversé.

Son inconscient lui fait faire ça. Voilà pourquoi elle grossit malgré tous ses régimes. Et peut-être fait-elle cela beaucoup plus souvent que je ne le pense.

Il attendit qu'elle ait fini de manger, rangea tous les ustensiles et aliments pour qu'il n'y ait plus la moindre trace de l'événement et la suivit pour la protéger. Il avait cependant tiré leçon de son expérience précédente : demain il ne lui dirait rien. Il ne s'était rien passé.

Jacques Klein se recoucha et cauchemarda : sa mère mangeait par mégarde ses propres doigts dans un sandwich de pain de mie. Les phalanges formaient comme des petites saucisses roses qui dépassaient des bords. Elle les mastiquait sans s'en rendre compte, puis dévorait sa main avec ce même air détaché qu'il l'avait vue afficher durant la scène du soir.

16

Les ciseaux tranchèrent les poils. Ceux-ci s'accumulèrent en tas noir dans l'évier. Désormais sa coupe de cheveux était plus moderne.

Jacques, 27 ans, rasa ensuite sa barbe. Puis s'habilla en costume noir chic avec chemise blanche.

Il avait la désinvolture d'un futur médecin, conduisait une voiture de sport noire et séduisait les femmes, avec une prédilection pour les étudiantes infirmières blondes. Son charisme lui assurait prestance, amitiés et flirts faciles. Ses études l'avaient passionné. Neuf ans s'étaient écoulés entre le début de la fac et son dernier examen de doctorat. Désormais, il avait son diplôme de médecin, mais il ne voulait pas s'arrêter là, il voulait se spécialiser.

Il hésitait.

Il discuta avec sa mère, qui entre-temps avait monté dans la hiérarchie de l'hôpital de l'Hôtel-Dieu, devenant à 59 ans la numéro 2 du service des pathologies du sommeil.

— Je vais donner cet après-midi une conférence à la faculté de médecine de Versailles. Ça te dit de venir ? proposa-t-elle.

L'amphithéâtre était rempli d'une foule bruyante et animée. Il n'y avait plus la moindre place libre. Des grappes d'étudiants s'amoncelaient sur les marches. Jacques Klein s'assit par terre, au premier rang.

Le silence se fit quand sa mère apparut. La femme imposante, aux cheveux blonds et aux yeux noirs pétillants, esquissa un petit salut, fit un essai micro, puis se mit à lire ses notes en articulant parfaitement.

— La vie n'est pas un flux d'images ininterrompu. Dès que nous battons des paupières, nous nous apaisons automatiquement. Faites l'expérience... Fermez tous les yeux et rouvrez-les seulement lorsque je vous le dirai.

Toutes les personnes présentes, environ un millier, fermèrent simultanément les yeux et le silence se fit encore plus présent.

Elle laissa passer trente secondes.

— Vous avez senti ? La vue est un sens tyrannique, mais si nous fermons les yeux nous reprenons le contrôle de notre esprit.

Tous acquiescent discrètement, étonnés de l'effet produit par un acte aussi simple.

— Nous ne pensons jamais à fermer les yeux, parce que nous avons peur de perdre un peu du spectacle de la vie... Pourtant, il le faut. D'ailleurs, nous clignons régulièrement des yeux. C'est comme du montage cinéma, c'est nécessaire pour séparer les scènes. Quand vous parlez à quelqu'un et que vous tournez la tête pour vous adresser ensuite à quelqu'un d'autre, votre cerveau fait « son cinéma personnel » et sépare les deux scènes par un battement de paupières qui fait comme un changement de chapitre. Une « respiration ».

Nouvelle rumeur lorsque la salle fit l'expérience de cligner des yeux pour distinguer des séquences. Certains tournèrent la tête et battirent des paupières pour faire du montage rapide.

— Et si nous sommes surpris, nous battons vite des yeux, comme les plans rapides au cinéma pour les scènes d'action.

Quand nous clignons des yeux, nous avons un infime repos de un dizième de seconde, quand nous éternuons nous avons un battement plus profond de trois secondes, quand nous dormons nous baissons les paupières plusieurs heures, alors... et alors seulement, ce vide attire le plein, un film imaginaire intégral peut être diffusé à l'intérieur de notre crâne. Car notre cerveau a toujours besoin d'images. Puisque durant le sommeil il en est privé, il fabrique son propre cinéma en mélangeant celles qu'il a déjà enregistrées. Notez bien cela : le cerveau ne supporte pas de ne pas penser.

Elle inspecta la salle puis inscrivit sur un tableau le mot « DORMIR ».

– Dormir, cela a l'air aussi naturel que respirer... Pourtant qui dort bien ici ?

Sur le millier de personnes présentes dans l'amphithéâtre un peu moins de la moitié leva la main.

– Qui a déjà pris des somnifères ?

Plusieurs centaines de mains répondirent à la question.

– Qui prend des somnifères régulièrement ?

Une centaine de mains se levèrent.

– Qui se souvient de ses rêves ?

Seulement quelques dizaines de mains se tendirent.

– Voilà un sondage instantané qui a le mérite d'être clair. Il est représentatif de l'ensemble de la société. Jamais on a consommé autant d'anxiolytiques et de somnifères. Saviez-vous que la France est le premier pays consommateur au monde de somnifères ? Soixante millions de boîtes vendues chaque année ! Les gens veulent dormir à coup sûr, donc ils prennent des béquilles chimiques. Or, ces médicaments contiennent de la benzodiazépine, une molécule qui détruit les rêves.

Caroline Klein fit signe au régisseur de baisser la lumière. Apparut sur l'écran la photo d'une tablette d'argile recouverte de traits creusés. Elle nota sur le tableau « RÊVER ».

– De récentes découvertes archéologiques montrent que depuis trois mille sept cents ans on considère les rêves comme une source de réflexion privilégiée. On en trouve des traces sur les tablettes d'argile sumériennes en cunéiforme qui racontent le récit de Gilgamesh. Le premier héros de l'humanité ne faisait qu'obéir à ses rêves et communiquait avec les dieux durant son sommeil.

Nouvelles photos représentant cette fois des cartouches trouvés dans les pyramides de Gizeh.

– En 2500 avant Jésus-Christ, les Égyptiens estimaient qu'un rêve pouvait prédire l'avenir. Ainsi, il est rapporté dans la Bible l'histoire du jeune esclave hébreu, Joseph, qui interpréta le rêve des sept années de vaches grasses suivies par sept années de vaches maigres. Il déduisit que cela annonçait une famine de sept ans et parvint à convaincre le pharaon de stocker des réserves de céréales en prévision de la catastrophe. Une civilisation entière fut sauvée par le rêve d'un seul homme.

Le professeur Caroline Klein fit un signe, et apparut une peinture représentant le jeune Joseph en tunique parlant au pharaon sur son trône.

– De même nous pouvons trouver, toujours dans la Bible, le récit de Daniel (encore un prince, prisonnier hébreu mais cette fois à Babylone), qui interpréta le rêve du roi Nabuchodonosor. Il comprit que le songe du géant aux pieds d'argile représentait l'histoire de l'humanité et les successions d'empires. La tête en or symbolisait l'Empire babylonien, qui serait remplacé par le torse en argent (qu'on pourrait désormais associer à l'Empire grec), puis par les jambes en fer (l'Empire romain), qui elles-mêmes vacilleraient du fait des pieds d'argile, l'empire spirituel apporté par un messie (cela fut ensuite interprété comme l'arrivée de Jésus-Christ, attendu comme l'incarnation de la prophétie de Daniel). Là encore, un rêve influença et programma mille ans d'histoire.

Caroline Klein ménagea une pause pour que tous puissent noter chacune de ses phrases.

– En Grèce antique, dans l'école de Pythagore, on enseignait que ce n'était que durant le sommeil que l'âme pouvait communiquer directement avec le ciel. Artémidore de Daldis, héritier de l'enseignement de cette école, élabore en 150 après Jésus-Christ l'*Onirocriticon*, l'un des premiers systèmes scientifiques d'interprétation des rêves.

Une nouvelle photo apparut, représentant un homme en toge levant le doigt pour désigner le ciel.

– Chez les Romains, on pratiquait l'« incubation », qui consistait à aller dormir dans des temples ou dans des grottes pour se soigner de maladies. Pour être guéri, il fallait se programmer l'esprit afin de voir en songe le visage du dieu de la Médecine : Esculape. Certains rêves étaient soumis comme thème de débat au sénat pour être analysés et interprétés en vue d'actions politiques.

Elle fit un signe et l'on put voir l'image d'hommes de l'Antiquité, barbus et en toges.

– Le pape Grégoire le Grand distinguait trois types de rêves : ceux dus à l'excès ou au manque de nourriture, ceux qui étaient envoyés par le diable (autour de la sexualité notamment) et ceux envoyés par Dieu. Les deux premiers étaient interdits puis, dans le doute, toute action volontaire sur le monde des rêves fut condamnée par le Vatican. L'oniromancie est officiellement proscrite à partir du VIIᵉ siècle et considérée comme une forme de sorcellerie.

Les étudiants s'activaient pour noter.

– De même, dans la plupart des sociétés chamaniques le rêve est considéré comme essentiel. Pour les Sibériens, l'âme s'en va durant la nuit, et il ne faut surtout pas réveiller quelqu'un qui dort au risque d'empêcher son retour dans le corps.

Certains étudiants rirent à cette évocation, ce qui agaça la scientifique.

– Ne vous moquez jamais des rites anciens, ils sont souvent très sensés. Et surtout n'allez pas croire que nos sociétés dites « modernes » sont supérieures à ces sociétés dites « primitives ».

Nouvelle image d'un barbu à l'allure négligée :

– Année 1869, le chimiste Dmitri Mendeleïev s'endormit alors que de la musique classique était jouée dans la pièce voisine. Il se mit à rêver que les éléments chimiques de base étaient liés comme les thèmes musicaux. À son réveil, il inventa le « tableau périodique » qui permit pour la première fois de classer et ranger tous les éléments chimiques de la nature.

Autre photo de barbu, mieux coiffé.

– Année 1844, Elias Howe rêva qu'il était dans la jungle, capturé par des indigènes cannibales. Ceux-ci l'entouraient, pointant leurs lances menaçantes en un mouvement d'avant en arrière pour le terrifier. Alors, dans son songe, il remarqua que les lances avaient toutes un trou rond à leur extrémité. Il eut l'idée de passer une ficelle entre les trous et, le lendemain, il avait inventé... la machine à coudre. En 1894, un jeune adolescent du nom d'Albert Einstein rêva qu'il descendait une montagne en luge. Emporté par la pente de plus en plus abrupte, il eut l'impression qu'il approchait de la vitesse de la lumière, ce qui déforma l'apparence des étoiles pour les transformer en traînées lumineuses. Ce rêve lui inspira quelques années plus tard sa théorie de la relativité.

Elle fit apparaître une photo avec le portrait d'un homme que tous reconnurent.

– Année 1899. Sigmund Freud publie *L'Interprétation des rêves*. Pour lui, le songe n'a aucun lien avec la magie, il participe à l'expression d'un désir secret refoulé ou caché. Il est (je cite Freud) « la voie royale pour atteindre l'inconscient ». Pourtant, le sommeil va rester un continent mystérieux jusqu'en 1937, date à laquelle le neurophysiologiste Nathaniel Kleitman met en évidence quatre phases successives qui se déroulent en moyenne sur quatre-vingt-dix minutes. Kleitman a découvert les quatre stades du sommeil. Ses travaux seront complétés par ceux du professeur Michel Jouvet qui découvre en 1959 le concept de « sommeil paradoxal ». Il s'agit d'un cinquième stade, très particulier, du déroulement de la nuit où le corps est complètement paralysé alors que le cerveau est suractif. C'est aussi durant ce stade qu'il y a le plus d'activité des yeux sous les paupières. Si l'on réveille les sujets à cet instant ils se souviennent facilement de leurs rêves.

À nouveau, Caroline Klein se tourna vers son tableau et nota : « CINQ STADES DE SOMMEIL. »

– Donc pour récapituler ce qu'est réellement une nuit de sommeil, nous avons : stade 0 : endormissement ; stade 1 : sommeil très léger ; stade 2 : sommeil léger ; stade 3 : sommeil profond ; stade 4 : sommeil très profond ; stade 5 : sommeil paradoxal. Puis vient une période de latence : soit on se réveille, soit l'on redémarre un nouveau cycle.

Elle circula sur l'estrade.

– On peut capter les ondes cérébrales grâce à l'électroencéphalogramme, qui transcrit les pulsations de la boîte crânienne en ondes.

Elle dessina un hypnogramme et se mit à noter des nombres sur le tableau pour ponctuer son discours.

– Ondes bêta : fréquence entre 15 et 30 hertz. C'est l'activité du cerveau dans la vie courante. Quatorze correspond à une attention banale aux choses de la vie, alors que 30 est détecté lorsque la personne a une activité intellectuelle intense, ou est anxieuse. Donc vous êtes probablement actuellement en ondes bêta...

Quelques rires résonnèrent dans la salle.

– Ondes alpha : fréquence entre 8 et 10 hertz. Cela correspond au stade 1. C'est l'état qu'on obtient quand on ferme les yeux et qu'on est calme. C'est l'état de relaxation. C'est l'état où vous étiez tout à l'heure quand je vous ai proposé de clore trente secondes les paupières.

Quelques étudiants fermèrent les yeux pour se rappeler cette sensation agréable.

– Ondes thêta : entre 4 et 7 hertz. Cela correspondrait au stade 2. Le sommeil léger. Notons que ce sont les ondes que l'on trouve lorsque le sujet est en état d'hypnose et en méditation. Les moines tibétains et certains grands mystiques arrivent à passer l'essentiel de leurs journées en ondes thêta.

Caroline Klein laissa passer quelques secondes.

– Ondes delta : fréquence de 0,5 hertz jusqu'à 4 hertz, cela correspondrait aux stades 3 et 4. C'est la fréquence du sommeil lent profond. Remarquons que c'est là où l'on peut trouver les terreurs nocturnes et les crises de somnambulisme. Y a-t-il des somnambules dans cette salle ?

Une dizaine d'étudiants, un peu honteux, levèrent la main.

– Y a-t-il des gens qui font des cauchemars récurrents ?

Encore une dizaine d'étudiants se manifestèrent.

– Poursuivons. Nous avons ensuite les ondes gamma : fréquence au-dessus de 30 hertz pouvant monter jusqu'à 45 hertz. C'est le moment où la personne est très concentrée pour résoudre un problème précis... Les joueurs d'échecs ou de poker, les amateurs de mots croisés, les tireurs à l'arc ou les « dragueurs compulsifs » sont en ondes gamma.

À nouveau, une rumeur amusée parcourut la salle à l'énoncé du dernier exemple.

– ... Et c'est aussi la fréquence que l'on trouve en mode de sommeil paradoxal, qui est le stade 5.

Elle laissa un instant l'assistance digérer l'ensemble de ces informations puis inscrivit au tableau : « RÊVE LUCIDE ».

– Parlons maintenant du rêve lucide. La première évocation du rêve lucide est faite par Homère qui relate dans l'*Odyssée* la rencontre avec un peuple de « rêveurs qui se savent en train de dormir ». Aristote fait référence à la possibilité qu'on peut être

« conscient de rêver sans pour autant se réveiller ». En 1867, l'écrivain français Léon d'Hervey de Saint-Denys rédige *Les Rêves et les moyens de les diriger* et se définit comme « onirologue ». Il vient de poser le socle des recherches modernes sur le songe. On sait maintenant que le rêve lucide peut se pratiquer dans les phases de sommeil paradoxal. En Californie, à l'université Stanford en 1980, le psychophysiologiste Stephen LaBerge relance la mode de l'étude du rêve lucide. Il fonde en 1987 le Lucidity Institute où il teste le couplage de l'électroencéphalographie avec l'utilisation de masques à diodes qui clignotent. Il utilise des substances chimiques comme catalyseurs, notamment la galantamine, aussi baptisée « pilule du rêve lucide », qui contient des extraits de fleur de lys rouge et de jonquille.

Les étudiants semblaient très intéressés par ces indications.

– Mais après cette période d'exaltation, les recherches liées au monde du sommeil stagnent, les découvertes ralentissent, la mode onirologique passe et on assiste à un abandon progressif de l'engouement pour l'exploration du continent des rêves. Cependant, le temps n'est pas seul en cause : là où l'acharnement scientifique dans une seule direction mène à une impasse, la géographie peut parfois aider à débloquer les choses. Et je voudrais attirer votre attention sur une découverte faite par l'ethnologue anglais Kilton Stewart en 1930 en Malaisie. Là-bas, en pleine forêt, que dis-je ? en pleine jungle, il rencontre par hasard une tribu, les Senoïs, qui ne vivent que pour et par le rêve. Ils maîtrisent parfaitement le rêve lucide et arrivent ainsi à trouver un équilibre politique, social et psychologique. Selon Stewart, cette société des Senoïs est totalement exempte de toute forme d'angoisse, de dépression, d'agressivité ou de pulsions suicidaires. Toutes ces tendances sont parfaitement régulées par un sommeil volontairement dompté.

Elle nota sur le tableau le nom de la tribu malaisienne : « SÉNOÏ », et le souligna plusieurs fois.

– Merci de votre attention. Et n'oubliez pas, si vous dormez mal, de penser à : 1) changer de matelas pour en prendre un plus dur ; 2) vous coucher régulièrement à la même heure ; 3) ne pas boire de café ou de jus d'orange le soir ; 4) éviter les somnifères chimiques de type benzodiazépines ; 5) et faire l'amour. C'est encore le meilleur somnifère naturel. Si vous ne le faites pas pour l'autre, faites-le pour... améliorer la qualité de votre sommeil.

La salle détendue applaudit à tout rompre. Les étudiants se levèrent pour lui faire une ovation.

Caroline avait le visage empourpré par l'émotion, elle n'était pas insensible à ces signes d'estime collective.

Quand elle sortit de l'auditorium, des photographes la fusillèrent de leurs flashs et quelques journalistes signalèrent qu'ils souhaitaient l'interviewer.

– Il paraît que vous avez un projet secret, pouvez-vous nous en parler ? demanda l'un d'entre eux.

– Si c'est un « projet secret », je préfère ne pas en parler, répondit-elle. Vous savez, je suis superstitieuse, je crois qu'on peut faire échouer une expérience prometteuse rien qu'en en parlant.

– Donnez-nous quand même un indice, insista un autre journaliste.

– Nous voulons travailler avec vous, madame, dit une étudiante en médecine.

– Nous adorons ce que vous faites, surenchérit un autre. On vous soutiendra toujours.

Jacques Klein était très impressionné par la prestation de sa mère et l'accueil de cette foule. Il comprit que le sommeil pouvait aussi apporter la gloire.

17

En sortant de sa conférence, alors que déjà quelques étudiants zélés accouraient afin de questionner la scientifique sur des points précis de sa conférence ou tendre leurs CV pour tenter d'être embauchés dans son équipe, des miaulements insistants se firent entendre.

Avant que quiconque n'ait eu le temps de s'interposer, des individus portant des masques de chat et miaulant de plus en plus fort firent une percée dans la foule des journalistes et l'un d'entre eux projeta sur Caroline un seau de peinture rouge. Alors que tous prenaient des photos pour saisir cet instant humiliant, plusieurs hommes à masque de chat se mirent à crier des slogans et brandir des pancartes :

ARRÊTONS LE MASSACRE DES CHATS POUR L'ÉTUDE DU SOMMEIL !

STOP À LA VIVISECTION ANIMALE !

LES CHATS SONT LES MARTYRS DE L'ÉTUDE DES RÊVES !

HONTE À CEUX QUI FONT SOUFFRIR LES BÊTES
SOUS PRÉTEXTE D'EXPÉRIENCES SCIENTIFIQUES !

Puis le commando s'enfuit aussi vite qu'il était apparu en continuant de pousser des miaulements de chat en colère. Quelques étudiants poursuivirent les trublions, d'autres voulurent aider Caroline Klein à se nettoyer, mais Jacques s'était déjà placé devant sa mère pour la protéger. Il utilisa sa mallette pour faire écran et empêcher qu'on la prenne en photo enduite de peinture rouge.

Il héla un taxi qui, voyant qu'elle était souillée, refusa de la prendre. Un second, moins regardant, accepta à condition de lui payer un supplément et d'utiliser des sacs plastique pour ne pas salir les banquettes en cuir. Une fois que la voiture fut suffisamment éloignée de la scène de l'agression, Jacques commença à essuyer Caroline avec des mouchoirs jetables.

— Les salauds !

— Ils ont raison, articula Caroline Klein. J'aurais peut-être agi de même si je n'étais pas moi. Ce que je fais n'est pas très moral. Pour comprendre le sommeil et le rêve je sacrifie des chats. Et je n'ai pas le choix car ce sont les animaux qui rêvent le mieux et le plus longtemps.

— Je ne te comprends pas.

— Le plus tôt tu pourras intégrer le point de vue de tes ennemis, le plus tôt tu pourras bénéficier de leur enseignement. Et tes ennemis sont souvent de très bons professeurs. Ils n'apparaissent pas dans ta vie par hasard. Même ce Wilfrid qui t'a fait cette vilaine cicatrice sur le front t'a permis de savoir que tu étais suffisamment courageux pour le dénoncer. Dans la vie il n'y a pas d'échecs, il n'y a que des réussites ou des leçons. Cette peinture est une leçon que je devais recevoir, voilà tout.

Elle continua à s'essuyer avec les mouchoirs qu'elle jetait au fur et à mesure par la vitre baissée.

— De toute façon, il est temps maintenant que tu saches qui est vraiment ta mère. Je crois que tu es prêt à voir la vérité qui se cache derrière toutes les grandes découvertes scientifiques.

Il eut un frisson désagréable.

18

Sur l'île de la Cité, en plein centre de la capitale, au pied de la cathédrale Notre-Dame de Paris, l'Hôtel-Dieu semblait un temple antique dédié au soulagement de la souffrance du peuple. Le lieu fondé par les ecclésiastiques en l'an 651 était empli d'histoire et les murs jaunes imprégnés de tous les tourments des visiteurs.

La section de bâtiments où travaillait Caroline Klein était une des rares zones récemment modernisées de l'établissement.

À l'extérieur, les cancérologues fumaient alors que des ambulanciers dégageaient avec difficulté des personnes âgées de leurs véhicules.

— C'est ici que j'officie. Cet hôpital est l'un des plus anciens de Paris mais c'est aussi l'endroit où il y a le plus grand service consacré aux troubles du sommeil.

Ils marchèrent dans des couloirs au carrelage abîmé.

— Chaque semaine on découvre de nouvelles maladies liées au mauvais sommeil. Récemment, on a trouvé un lien avec Parkinson. Cela nous a permis de détecter les terrains à risque avant qu'ils ne s'expriment.

Elle salua des collègues d'un petit geste complice.

— Mal dormir peut avoir des conséquences, comme un retard de croissance chez les enfants, ou la prise de poids chez les personnes plus âgées.

Elle s'arrêta pour parler à un jeune homme blond en blouse blanche.

— Lui, il travaille sur le somnambulisme qui touche cinq pour cent de la population. Il cherche à trouver l'origine héréditaire de ce problème.

Caroline Klein en parlait comme s'il s'agissait d'un problème extérieur et comme si son fils avait oublié l'incident dont il avait été témoin à 17 ans. Elle le guida ensuite dans une autre aile de l'Hôtel-Dieu. Elle lui fit rencontrer une femme à l'allure stricte et au chignon rempli d'épingles.

— Alors ? La fille de la salle 12 qui disait ne jamais dormir ?

— Les vidéos sont révélatrices. Elle dort, mais elle oublie qu'elle dort. C'est juste psychologique.

Caroline Klein poursuivit sa route dans un dédale de couloirs. Ils aboutirent ainsi à une succession de chambres. Plusieurs tableaux magnétiques étaient couverts de feuilles imprimées d'hypnogrammes ou de photos de scanners cérébraux.

– Officiellement, mon domaine est la mise au point d'un somnifère du futur. Jusqu'ici, la plupart des somnifères sont composés, comme tu le sais déjà, de benzodiazépines. Or comme je te l'ai dit…

– … les benzodiazépines entraînent la disparition des rêves, l'accoutumance et Alzheimer.

– J'avais peur que tu te sois endormi durant ma conférence, mais on ne répétera jamais assez que ces solutions à court terme génèrent de gros problèmes à long terme. Savais-tu qu'avant on faisait exprès de faire disparaître le sommeil paradoxal avec des benzodiazépines pour soigner la… dépression ?

Elle salua quelques collègues qui répondirent par des signes de soutien. Ils étaient tous au courant de l'incident avec les hommes-chats. À nouveau, elle minimisa l'événement par des « cela fait partie du job », des « pas de souci », des « tout va bien ». Elle présenta à Jacques un autre jeune homme en blouse blanche qui manipulait un tube à essai rempli d'un liquide jaune.

– Lui, c'est Vincent Baguian, le plus brillant chimiste de la maison. Nous perfectionnons un somnifère à base d'antihistaminiques, l'idée lui est venue tout simplement quand il a lu sur les boîtes de comprimés la mention : « Risque de somnolence, ne pas consommer avant de prendre la voiture. »

– Et ça marche ?

– Avec Vincent nous obtenons de bons résultats, mais pour l'instant nous sommes encore loin de la commercialisation d'une substance efficace vraiment nouvelle et sans effets secondaires.

Elle le guida vers une pièce où se trouvaient des cages remplies de chats blancs.

– Et voilà donc nos meilleurs expérimentateurs du sommeil.

Les yeux fermés, des chats mimaient des jeux avec des balles ou la poursuite d'une souris imaginaire.

– Voilà la cause de l'agacement des antivivisectionistes, reconnut-elle. Le chat est le champion du sommeil paradoxal parmi les mammifères. Il fonce directement et naturellement vers le sommeil profond.

Jacques repéra des chats qui semblaient rêver avec une telle intensité que leurs longs poils de moustache vibraient comme si l'animal détectait des odeurs.

– Et les singes ?

– On sait qu'ils dorment mais on ignore s'ils vont jusqu'au sommeil paradoxal. Pour les chats, on en est certains. Regarde comme ils ont des MOR prononcés.

– « Morts » ?

– Mouvement oculaire rapide (REM, pour Rapid Eye Movement en anglais).

Il remarqua qu'un peu plus loin les chats avaient le sommet de la tête rasé, une prise USB incrustée dans le crâne et des fils électriques branchés sur cette prise. Sous leurs fines paupières, les globes oculaires s'agitaient par à-coups.

Un chaton roux se mouvait comme si on le caressait. Il présentait son ventre les pattes écartées.

– Je pense qu'il rêve que sa mère le lèche, expliqua Caroline. Ce qu'on imagine est pour notre cerveau identique à ce qui est réel. C'est peut-être cela la grande aventure moderne : l'acceptation de cette idée. « Croire, c'est faire exister. » C'est pourquoi je t'ai toujours enseigné qu'il ne faut pas utiliser sa capacité de croyance pour n'importe quoi.

Elle alluma l'écran de contrôle et il put suivre l'hypnogramme du chat roux.

– Tu vois, ce chaton est déjà en plein sommeil paradoxal, stade 5. C'est vraiment un virtuose du rêve, et regarde comme il a l'air de s'y amuser !

Le jeune félin mimait maintenant la poursuite d'une souris, qui semblait prendre un malin plaisir à lui échapper.

– Il me plaît, celui-là. Pourrait-on l'adopter ?

– Il a une prise USB incluse dans le sommet de son crâne. Cela ne va pas être évident pour lui d'avoir une vie normale en dehors du laboratoire.

– Je mettrai un capuchon pour éviter que l'eau de pluie n'entre dans son cerveau et ne fasse rouiller les contacts.

Elle examina le chaton roux au crâne rasé.

– Normalement c'est interdit de sortir les animaux testeurs, mais pour toi… Je me souviens, tu avais un doudou similaire.

Elle débrancha l'animal.

Le chaton manipulé sortit de son sommeil et manifesta son agacement d'être dérangé. Il bâilla largement en dévoilant sa petite langue rose hérissée de papilles.

– En anglais, ces chats roux, on les appelle *marmalade cats*. Il bâille comme toi quand tu étais bébé. Il faudra lui trouver un nom.

– Il est tout trouvé : « USB », le premier chat qui a une prise informatique dans le crâne !

Le chaton vint se blottir dans ses bras. Il avait toujours sommeil, et il se lova naturellement dans la poche de veste de Jacques, qui avait placé un capuchon protecteur sur sa prise.

– Alors, on profite que j'aie le dos tourné pour voler des chats ? Si c'est pour faire des moufles, celui-ci est beaucoup trop petit !

L'homme qui venait d'entrer était un grand gaillard aux cheveux gris gominés et à la voix rocailleuse. Il donna une accolade complice à Caroline qui semblait beaucoup l'apprécier.

– Je te présente mon patron, le professeur Éric Giacometti, chef du service sommeil à l'Hôtel-Dieu. C'est à lui que je dois rendre des comptes et à qui je demande parfois des augmentations de salaire.

– On est tous fans de votre mère, vous savez. C'est notre star. J'ai vu ta conférence à Versailles en différé, dit-il en se tournant vers Caroline, tu étais vraiment très bien. Et pour l'incident qui a suivi, t'occupe, ce sont des petits cons. Nous, ici, on te soutiendra toujours jusqu'au bout ! Et il n'y a que ça qui compte, n'est-ce pas ?

– Giacometti a lancé un projet personnel très ambitieux.

Le grand homme les guida vers un nouveau secteur où l'on voyait plusieurs personnes dormant dans des scanners.

– Lorsque les cobayes sont en émissions d'ondes correspondant au stade 5, cela déclenche une sonnerie dans leurs écouteurs qui les réveille, et ils doivent noter leurs rêves. Ensuite on associe l'image de leur cerveau au descriptif de leur récit, expliqua Caroline à son fils.

– Nous essayons ainsi d'établir une sorte de banque de données ou de dictionnaire en faisant correspondre à chaque rêve son imagerie en IRMf (imagerie par résonance magnétique fonctionnelle).

– Tenez, regardez celui-là, c'est ce qu'on appelle un « bon client ».

Jacques vit que l'homme avait un mouvement régulier des yeux de gauche à droite.

– Selon vous, il rêve de quoi ? Ne cherchez pas, c'est un ancien arbitre de tennis, il rêve qu'il observe des matchs et, comme vous le voyez dans son rêve, il continue de suivre la balle. Si on scrute bien ses mouvements oculaires, on peut même repérer les coups rapides, les smashs, et les coups lents, les lobs.

Le scientifique sembla ravi de sa révélation.

– Et combien avez-vous de visions de rêveurs ?

– À ce jour, exactement 12 537.

Éric Giacometti montra à Jacques un gros livre qu'il le laissa feuilleter. Sur chaque page de gauche se trouvait une photo de cerveau avec ses zones éclairées en rouge, jaune, bleu ou vert selon leur activité, et sur celles de droite on pouvait lire un mot : voiture, avion, train, pomme, poire, femme, homme, chien, cheval.

— Pour qu'une association entre une imagerie et un mot soit considérée comme notable, il faut qu'elle se reproduise trois fois. Si trois personnes disant avoir rêvé de poire ont eu une imagerie cérébrale similaire, on l'inscrit dans ce dictionnaire. Nous espérons pouvoir dire un jour, rien qu'en regardant l'imagerie : « Nous savons que vous avez rêvé de poire. »

— Mais pour cela il faudrait qu'on dépasse cinquante mille imageries, n'est-ce pas ?

— En effet, mais je suis patient et opiniâtre. Et vous, jeune homme, quelle est votre activité ? Étudiant ?

— Je viens de finir mes études de médecine et je dois choisir une spécialité. La visite de votre service m'a permis de faire mon choix.

Jacques caressa le chat USB au crâne rasé qui déjà s'était endormi.

— En tout cas, vous avez bien choisi le chaton. Celui-là est notre meilleur chat rêveur.

— Nous l'avons baptisé USB, signala Jacques.

— Uhessebé ? Joli nom.

Il fit un signe amical au jeune homme.

— Quant à la neurophy', ça me semble aussi un bon choix. Vous verrez, cela ne vous apportera que des satisfactions en plus du sentiment d'œuvrer dans un domaine d'avenir où tout reste à découvrir.

L'homme aux cheveux gominés jeta un regard vers Caroline.

— Tu lui en as parlé ? Ce projet est censé être secret.

— Si ce projet réussit, il faudra bien un jour communiquer dessus.

— Ne vends pas la peau de l'ours avant de l'avoir tué, Caroline.

— De quoi parlez-vous ? intervint Jacques.

— Personnellement, au début je n'y croyais pas, mais désormais je me dis que cela peut réussir, dit Éric Giacometti.

La scientifique fixait son supérieur avec complicité.

– Nous réussirons forcément, mais quand ? Je vais tout faire pour que cela arrive bientôt.

Jacques n'osa pas poser plus de questions sur ce « projet secret » qui avait l'air de tant les préoccuper. Il vit cependant que sa mère semblait s'entendre très bien avec son chef.

Il se mit à caresser USB qui en retour lui lécha les doigts avec sa langue râpeuse. Jacques le regarda et se demanda si, grâce à cette prise informatique, il pouvait lui mettre de la musique directement dans le cerveau.

Le chat abandonna son léchage, bâilla puis s'endormit.

19

Ce fut une douce mélodie à la harpe qui attira son attention et lui donna envie de s'approcher. Elle provenait d'une vitrine où était inscrit « BAR À SIESTE ».

En octobre, Jacques Klein avait démarré ses cours de neurophysiologie à l'université de médecine. Il passait encore plus de temps qu'auparavant à étudier et cela l'épuisait.

Bar à sieste ?

Il n'avait jamais fréquenté ce genre de lieu auparavant et il lut comme un menu les prestations affichées sur la boutique :

Sur « Fauteuil apesanteur »
ou « Lit massant shiatsu » :

Micro-sieste	15 min : 12 €.
Sieste compacte	25 min : 17 €.
Sieste relax	35 min : 22 €.
Sieste royale	45 min : 27 €.

Abonnement : 9,90 € par mois.

L'établissement proposait aussi des siestes avec appareils de massage et lumières tamisées tournantes. Suivait ensuite une carte de boissons, « Tisanes ou thés ».

Ce fut la curiosité qui poussa Jacques à franchir le seuil. Il y avait déjà trois clientes qui attendaient. Il s'adressa à l'une d'elles.

— Je ne suis jamais venu ici, c'est bien, ces siestes payantes ?

— Moi, j'adore ça. C'est vraiment un moment de pause au milieu du tumulte de la journée.

— Et vous venez souvent faire des siestes ici ?

— Tous les jours. Mon métier m'amène à travailler la nuit. Je me couche tard, expliqua-t-elle.

Il prit un ticket pour quinze minutes puis vint s'asseoir près de la jeune femme.

— C'est quoi, ce métier qui vous oblige à travailler la nuit ?

— Étudiante en cinéma. Nous n'avons pas cours le matin, alors nous profitons du soir, après les cours, pour aller voir des films. Il m'arrive d'en voir trois par jour.

— Vous voulez être actrice ou réalisatrice ?

— Plutôt technicienne du cinéma. Je suis spécialisée dans les technologies nouvelles de captations d'images censées être impossibles du fait de la vitesse élevée, du manque de lumière, des dimensions. J'apprends à manipuler des caméras qui saisissent l'infiniment petit, l'infiniment grand, l'infiniment rapide, l'infiniment sombre, l'infiniment lumineux, bref ce que l'œil normal ne perçoit pas. Et vous ?

— Étudiant en médecine. Je suis moi aussi spécialisé, mon domaine de prédilection est la neurophysiologie, et je compte m'orienter encore plus précisément vers l'étude des pathologies liées au sommeil.

— C'est pour cela que vous avez été intrigué par ce bar à sieste ? Pour ma part, j'essaie de réduire mon temps de sommeil de nuit, dit-elle, pour travailler plus le jour. Avec une sieste de dix minutes j'arrive à tenir.

— La sieste ne fait pas partie de ma culture.

– Vous avez tort. Une courte sieste peut compenser beaucoup de temps de sommeil. Avant je faisais des micro-siestes sur les toilettes de la fac, dix minutes, mais il y avait toujours des gens qui s'impatientaient...

Ils éclatèrent de rire, surpris d'être si facilement complices.

– Il y en a qui tambourinaient sur la porte ?

– Il y a en qui suppliaient pour que je sorte !

À nouveau, ils rirent de bon cœur.

– Ils deviennent parfois agressifs. Alors j'ai renoncé à faire la sieste sur la cuvette des WC (même si je pense que c'est le seul endroit tranquille dans ce monde moderne), et j'ai découvert ce bar à sieste où je viens régulièrement.

Jacques l'observa plus attentivement et se dit soudain qu'elle ressemblait à sa mère en plus jeune, et en plus mince, c'est pour cela qu'inconsciemment il s'était dirigé vers elle plutôt que vers les autres clientes.

– Mais ils sont victimes de leur succès : toutes les cabines sont prises. En attendant, cela vous dit de prendre une verveine ?

– Je suis plutôt camomille.

– Le monde sera toujours divisé entre ces deux camps, les « plutôt verveine » et les « plutôt camomille ». Surtout dans les hospices.

Ils s'apprêtaient à rejoindre le bar lorsqu'une hôtesse signala que deux cabines venaient de se libérer.

– Retrouvons-nous après la sieste, proposa-t-il.

Jacques s'étendit sur un lit plutôt mou, et une musique répétitive au piano se déclencha. Il ne parvint pas à fermer l'œil.

Il se mit à penser à son rapport aux femmes.

Jusque-là il avait toujours perçu le couple comme une forme de location. C'est-à-dire que démarrer une aventure était comme louer un appartement avec un bail 3-6-9, renouvelable par tacite reconduction avec préavis en cas de départ anticipé. Si ce n'est qu'en location c'était 3, 6, 9 ans et sa vie sentimentale tournait plutôt autour des 3, 6, 9 semaines. Le seul fait de s'engager l'effrayait. Son credo était : « Je suis fidèle... jusqu'à ce que je trouve mieux. » Et il avait toujours trouvé mieux.

Maintenant, il était pressé de retrouver la jeune femme croisée dans le hall d'accueil. Quand le réveil sonna, il sortit et l'attendit au bar. Elle semblait parfaitement relaxée.

– C'était bien, mais je crois que je préfère dormir la nuit plutôt que faire des siestes l'après-midi. Vous vous appelez comment, au fait ?

– Charlotte, Charlotte Delgado, et vous ?

– Klein, Jacques Klein.

– Klein, comme *Monsieur Klein*, le film de Losey avec Alain Delon ?

– Euh... oui et non. Je suis un petit Klein normal qui découvre aujourd'hui la sieste après avoir longtemps vénéré le seul et unique sommeil nocturne.

Ils s'observaient en silence, un peu gênés.

– Hum... cela vous dirait que nous dînions ensemble ? demanda-t-il.

– Eh bien...

– Je connais un très bon restaurant italien près d'ici, enchaîna Jacques.

– Non, désolée, je suis allergique au gluten.

– Je ne connais pas de restaurant sans gluten, regretta-t-il.

Charlotte hésita puis, après un soupir, elle proposa :

– Dans ce cas, faisons des courses et allons chez vous.

– Ma mère est toujours chez moi, ce ne sera pas très confortable.

– Nous pouvons dîner chez moi, concéda-t-elle. Mais il faudra ensuite que vous rentriez chez vous, nous sommes bien d'accord ?

– Je croyais que vous passiez vos soirées à regarder des films au cinéma ?

– Certains jours, cela peut être intéressant de briser la routine, répondit-elle, mutine. Et puis pourquoi pas voir un film ensemble ? Sur le thème du sommeil, je connais un film d'horreur qui devrait vous plaire, *Les Griffes de la nuit.*

— Je ne suis pas très cinéphile, et encore moins amateur de films d'épouvante. C'est quoi, le sujet ?

— Un tueur qui apparaît dans les rêves et peut vous détruire depuis l'intérieur de votre songe. Du coup, les personnages ont l'angoisse de s'endormir, de peur que Freddy ne surgisse. J'ai vraiment été terrifiée quand j'ai vu ça la première fois.

— Je n'ai pas très envie de regarder un film qui me donnera peur de rêver, mais vous m'avez quand même intrigué...

Il était sous le charme. Il se rappelait la remarque de sa mère : « Ton inconscient reconnaît au premier coup d'œil les gens qui t'apportent de l'énergie et ceux qui t'en prennent. »

Elle le fixait toujours de ses grands yeux noirs.

— C'est loin ? questionna-t-il.

— Une heure de voiture. Je vis dans la villa de mes parents à Fontainebleau.

Elle battit des cils et, d'un geste de la main, demanda l'addition.

— C'est pour moi, dit-elle. Quant à la villa, j'y vis seule. Mon père et ma belle-mère n'y sont pas actuellement. Ils vivent aux États-Unis et m'ont demandé d'arroser les plantes et nourrir le chien.

— Vous avez un chien ?

— Il s'appelle Pompon. Parce qu'il est plein de poils et qu'il ne bouge pratiquement jamais. Vous aimez les chiens ?

— Plutôt les chats. Je crois que nous sommes plus complémentaires que similaires. C'est quoi, l'adresse et l'heure pour ce soir ?

La jeune femme inscrivit toutes ces indications sur une carte de visite.

20

La villa de Fontainebleau était très isolée.

Charlotte Delgado ne savait pas cuisiner, sa spécialité était donc les lasagnes surgelées... sans gluten. Ils accompagnèrent le plat trop cuit d'un vin italien ensoleillé. Et après le repas, ils passèrent au salon pour s'installer devant le film.

Comme elle l'avait annoncé, chaque fois que l'un des personnages s'endormait il lui arrivait des malheurs. Et imperceptiblement, à chaque scène d'horreur, Jacques se rapprochait d'elle, comme s'il avait besoin d'un soutien pour supporter la tension. C'était un des grands mystères du cinéma : les films d'épouvante rapprochaient les couples de spectateurs (qui finissaient par se serrer l'un contre l'autre pour se protéger mutuellement), alors que les films d'amour, et tout spécialement les scènes de sexe, avaient paradoxalement l'effet contraire.

Quand le personnage de Freddy Krueger sortit ses griffes d'acier pour labourer le mur puis la chair d'un dormeur, Charlotte crispa sa main sur la cuisse de son invité. Lorsque le tueur au pull rouge et vert rayé s'approcha inexorablement de sa victime pour l'achever, Jacques passa son bras autour des épaules de la jeune femme dans un geste protecteur. Ensuite, lors d'une sinistre scène de mise à mort, il se pencha pour l'embrasser. Elle l'esquiva. Mais ne le repoussa pas.

Plus tard, il essaya à nouveau de l'enlacer alors qu'une scène d'éviscération se déroulait à l'écran, mais elle se dégagea un peu plus.

Il laissa passer quelques minutes et reprit ses tentatives d'approche. Elle lui envoyait des signaux contradictoires. Il ne savait plus comment débloquer la situation. À la quatrième tentative elle céda, et lui accorda un petit baiser sur les lèvres, bouche close.

Il retenta l'expérience. Cette fois-ci elle s'abandonna complètement. Et entreprit de le déshabiller avec des gestes brusques. Leurs mains se cherchaient, trouvaient des repères sur ce corps étranger, leur respiration accéléra, se compléta, s'harmonisa.

Ils échangèrent leurs fluides vitaux.

Après l'amour, ils retombèrent chacun de leur côté et s'endormirent tendrement, souriant, en se tenant la main.

Au milieu de la nuit, Jacques Klein fut réveillé brusquement par des hurlements.

— Non ! Non ! s'époumonait Charlotte.

Il crut tout d'abord qu'elle s'adressait à lui, mais ses paupières étaient fermées. Comme elle tremblait, il l'entoura de ses bras pour la rassurer.

— Recule, belle-maman, non, je ne veux pas voir !

Elle lui décocha un violent coup de pied dans le genou. Il retint avec difficulté un cri de douleur. Elle continuait de rugir, les yeux clos.

— NON, PAS ÇA ! Laissez le couvercle ! NON ! Je ne veux pas voir le yaourt, belle-maman !

Charlotte bataillait contre un agresseur imaginaire. Un coup de genou partit dans le bas-ventre de son compagnon de nuitée, qui se plia en deux de douleur. Puis elle se mit à sangloter.

Il prit ses distances dans le lit et lui tourna le dos. Une phrase que sa mère lui avait confiée un jour lui revint en mémoire : « Tant qu'on n'a pas dormi avec quelqu'un on ne peut pas vraiment savoir à qui on a affaire. »

Le lendemain matin au petit déjeuner, dans la salle à manger, il hésita à aborder le sujet. Il ne savait pas comment Charlotte réagirait s'il la mettait face à ce qu'il lui semblait être une faille dans son inconscient. Dans le doute, il préféra renoncer.

Il repéra le chien Pompon et vit que l'animal était en effet anormalement calme et immobile. Il n'avait pas aboyé depuis son arrivée, ni fait le moindre mouvement, d'ailleurs.

— Tu... tu... tu as ce chien depuis longtemps ?

– Un an. Je sais, il est surprenant, il ne bouge pas, il n'aboie pas, il reste là tranquille à dormir et se lève juste pour faire quelques pas vers sa gamelle.

Jacques observa de plus près l'animal en se mettant à sa hauteur, au ras du sol.

– Tu es aussi vétérinaire ? demanda Charlotte, une pointe d'ironie dans la voix.

Il s'aperçut que le chien avait des poils si longs qu'on distinguait mal la tête de l'arrière-train. Il chercha les yeux. Il trouva finalement deux billes noires sous la frange.

– Tu n'as jamais pensé à lui couper la frange de poils sur son museau ?

– Ah non, c'est un Lhassa Apso, un chien tibétain à poils longs, ils sont comme ça pour être protégés du froid. Et ils sont naturellement amorphes. Entre propriétaires de cette race, on sait qu'il ne faut surtout pas leur couper les poils. J'ai des amis qui ont le même, il est exactement pareil.

Jacques trouva un élastique posé sur la commode puis il prit Pompon et lui ramena tous les poils devant ses yeux pour faire une houppette sur le sommet de sa tête. Aussitôt le chien se redressa, étonné. C'était comme s'il découvrait pour la première fois le monde qui l'entourait. Il se mit à courir dans tous les coins, puis à renifler les chaussures de Jacques, celles de Charlotte, sauta sur le canapé et se mit à aboyer joyeusement.

– Je crois qu'il avait un petit problème de type « optique ».

Charlotte fronça les sourcils.

– J'étais pourtant persuadée que les Lhassa Apso devaient être...

– Je crois qu'il préfère voir le monde qu'être aveugle.

Le chien continuait à pousser de joyeux jappements. Ils éclatèrent de rire.

– Cela dit, je le trouve moins beau comme ça. Désolée, mais quand tu seras parti, Jacques, je le remettrai comme avant. Ne serait-ce que par respect pour son prestigieux pedigree.

Le chien continuait maintenant ses explorations dans le jardin où il semblait s'émerveiller de l'existence d'un escargot, d'une fourmilière, ou d'une simple fleur.

– Je dois néanmoins reconnaître que tu as élargi son champ de perception du monde avec un... simple élastique.

Elle eut un geste tendre vers lui. Il se décida alors à aborder le sujet fâcheux.

– Je dois te parler de notre nuit.

– Cela t'a plu ?

– ... Je ne sais pas à quoi tu rêves, Charlotte, mais c'est... « violent », dit-il en lui montrant ses bleus.

Il fixa la jeune femme qui, douchée, peignée et maquillée, lui semblait différente.

– Tu as l'air de revivre quelque chose de précis, et tu parles durant tes rêves.

– Ah ? C'est la première fois que quelqu'un me dit ça. J'ai du mal à te croire. Je suis censée avoir dit quoi ?

– Tu as dit... (il hésita puis se lança)... tu as parlé d'un yaourt.

Charlotte changea instantanément de physionomie et avala d'un trait une grande gorgée de café.

– C'est un de mes cauchemars récurrents, c'est dû à un traumatisme d'enfance.

Elle lui proposa de s'installer dans le salon pour continuer la discussion. Elle mit du temps avant d'arriver à faire remonter la scène dans son esprit. Elle aspira à nouveau une gorgée de café, ferma les yeux pour laisser quelques images revenir, puis articula lentement :

– J'avais 9 ans. Ma mère, Solange, était morte d'un cancer, mon père s'était remis avec une autre femme plus âgée, Christine. Je sentais que cette femme ne m'aimait pas. Un jour, elle est arrivée vers moi, elle... elle tenait un pot de yaourt avec un couvercle en aluminium tordu sur le sommet. Elle m'a dit : « Tu veux savoir à quel point ta présence ici m'insupporte ? »

et elle m'a brandi sous le nez le pot dont elle avait soulevé le couvercle. À l'intérieur… il y avait…

Elle s'arrêta comme si elle revivait la scène.

— … un petit fœtus humain… Elle venait de faire une fausse couche… Elle avait récupéré le fœtus et l'avait mis dans ce pot pour me le montrer. Et il y avait encore un peu de yaourt blanc sur ce bout de chair rose et luisante où l'on distinguait déjà des yeux.

Elle déglutit et inspira profondément. Jacques la prit dans ses bras, la consola, l'embrassa. Le chien, maintenant, revenait vers lui pour lui lécher les mains. Une idée vint à l'esprit du jeune homme :

« Méchant » signifie « qu'on doit tirer par la mèche », alors peut-être que les gens méchants le sont parce qu'ils ne voient pas bien le vrai monde…

Il décida de prendre un peu de distance avec Charlotte, le temps qu'ils trouvent une solution à son problème.

Le lendemain, il dînait avec sa mère. Caroline lui expliqua qu'elle avançait à grands pas sur son projet et qu'elle espérait bientôt avoir des résultats visibles et incontestables. S'arrêtant de parler, elle le fixa longuement, puis étira un large sourire.

— Tu as une nouvelle fiancée ? demanda-t-elle.

— Comment tu le sais ?

— Tu as la marque d'un suçon dans le cou. Tu as l'air détendu, en tout cas. Elle te fait du bien.

— Elle est différente. Je n'ai jamais ressenti cela avec une femme, une sorte de complicité immédiate. On se comprend. Nous nous sommes rencontrés dans un bar à sieste.

— Le sommeil est le meilleur lieu pour rencontrer l'amour. Si tu perçois qu'elle est exceptionnelle, dans ce cas vas-y, investis-toi émotionnellement.

— C'est-à-dire qu'elle a un petit problème personnel qui risque de compliquer nos nuits à venir.

Il lui raconta le cauchemar de Charlotte.

– Si ce n'est que ça, c'est comme un logiciel d'ordinateur, il faut juste réparer un petit « bug ». Fais-lui une séance de rêve accompagné afin de la reprogrammer.

– Débloquer un cauchemar récurrent avec du rêve accompagné, je ne vois pas trop comment opérer.

Caroline Klein lui expliqua précisément comment s'y prendre. Et son fils se dit qu'il allait essayer de soigner sa nouvelle fiancée dès le lendemain.

Installé dans le salon de la villa de Fontainebleau des parents de Charlotte Delgado, Jacques Klein enjoignit à la jeune femme de s'allonger sur le divan. Elle calma le chien Pompon en enlevant l'élastique qui réunissait ses poils en houppe au-dessus de sa tête. Il se traîna vers le fauteuil et s'y recroquevilla, inquiet que toutes ces choses étranges qu'il avait découvertes ne veuillent profiter de sa cécité pour l'attaquer.

Charlotte, sur les indications de son compagnon, se détendit sur le divan du salon. Il commença à lui parler en chuchotant :

– On va y aller en mode plongée rapide... alors... ferme les yeux. Inspire profondément. Je compte jusqu'à cinq. Un... tu quittes cet espace-temps, deux... tu t'envoles dans le ciel, trois... tu rejoins la limite de l'espace et l'atmosphère, quatre... tu vois la ligne du temps, cinq... tu remontes le temps pour rejoindre l'instant de ton traumatisme. Lorsque tu avais 9 ans. Tu y es ?

– J'y suis.

La jeune femme respira soudain de plus en plus vite et fut prise de soubresauts.

– Que se passe-t-il ?

Elle ouvrit les yeux.

– Christine vient d'arriver, elle est là !

Il lui mit la main sur les paupières.

– Referme les yeux, nous allons l'affronter ensemble.

Elle obtempéra.

97

– Nous allons y aller plus progressivement. Un… deux… trois… quatre… cinq… Imagine que tu es dans la cuisine mais que ta belle-mère n'est pas encore là. Ça y est, tu visualises ?

– … Oui.

– N'aie pas peur. Je suis à côté de toi. Imagine que la « Charlotte de 23 ans » est aussi à côté de celle de 9 ans. Nous sommes trois contre elle. Tu la vois approcher ?

À nouveau Charlotte eut un frisson désagréable mais ne rouvrit pas les yeux pour autant. Elle grimaça.

– Elle… Elle… tient le pot de yaourt.

– OK ! Tu ne regardes pas ce pot, tu la regardes, elle, Christine, droit dans les yeux. Tu ne la quittes pas des yeux. Tu y arrives ?

– J'essaye.

– Qu'est-ce qu'il se passe ?

– Elle me dit : « Tu veux savoir à quel point ta présence m'insupporte ? »

– Réponds-lui : « Non, je ne veux pas le savoir. » Allez, dis-le haut et fort. Dis-le. DIS-LE-LUI !

– … Euh… Non… euh… je ne veux pas le savoir.

Les yeux remuèrent sous les paupières de Charlotte.

– Comment réagit-elle ?

– … Elle dit : « Eh bien tu le sauras quand même, Charlotte, car tu dois le savoir. Tiens, regarde. » Elle ouvre le pot de yaourt. Que dois-je faire ?

– Ne baisse pas le regard, ne regarde pas ! Fixe-la toujours dans les yeux. Tu y arrives ?

Enfin la jeune femme étendue sur le divan commença à se calmer.

– Et là, qu'est-ce qu'il se passe ?

– Christine me le met sous le nez et elle dit : « Allez, regarde, tu vas comprendre ce que je ressens. Regarde, petite conne ! »

– Ne regarde pas. Dis-lui que c'est son problème et pas le tien.

– C'est votre problème, pas le mien !

– Et là ?

– Elle insiste, elle dit que « tout cela, c'est de ma faute », que « si je n'existais pas, cela ne serait pas arrivé ». Elle place le pot de yaourt sous mon nez. Elle hurle : « REGARDE, PETITE SALOPE ! »

– Ne regarde pas, ne quitte pas ses yeux.

Charlotte hocha la tête en signe d'approbation.

– Dis-lui : « De toute façon il n'y a rien dans votre pot de yaourt. »

Elle articula en tournant légèrement la tête :

– Il n'y a rien dans votre pot de yaourt, Christine.

À nouveau Charlotte, les yeux fermés, fut parcourue d'un frisson.

– Elle répond : « Mais si, petite gourde ! REGARDE, TU VAS VOIR MON CADEAU ! »

– Très bien. Maintenant tu fais disparaître par ta pensée ce qu'il y a au fond du pot. Ou encore mieux : tu y places un morceau de papier sur lequel est inscrit « RIEN ». Cela sera encore plus ironique et maîtrisé. Et tu lui dis : « Regardez par vous-même. »

– Regardez par vous-même, Christine.

– Et alors ?

Charlotte avait toujours les yeux clos qui s'agitaient sous les paupières. Elle frissonna une nouvelle fois et changea d'attitude.

– Christine sort le papier où il y a inscrit « RIEN ». Elle est très étonnée et retourne le yaourt comme si elle espérait qu'il y ait un double-fond. Elle est en rage. Elle déchire le morceau de papier en petits morceaux pour en faire des confettis. Elle tape sur le pot, énervée, et ne s'occupe plus de moi.

Les mouvements sous les paupières ralentirent.

– Parfait. Cette scène ne t'affectera plus parce que désormais tu as compris que, primo, c'est son problème et pas le tien et que, secondo, ce moment ne présente plus de charge émotionnelle pour toi.

Charlotte ne semblait cependant pas totalement calmée.

– Qu'est-ce qu'il y a ? Elle est encore là ?

– Elle, non, mais j'avais oublié, il y a quelqu'un d'autre ici. Je ne le voyais pas jusqu'alors, mais maintenant, si.

– Qui ?

– Mon père.

– Ton père ?

– Oui, je ne l'avais pas remarqué jusque-là, mais en fait ce n'est pas à ma belle-mère que j'en veux, c'est à lui. Je lui en veux d'avoir abandonné ma mère et je lui en veux d'avoir choisi cette harpie. Enfin… je lui en veux de ne pas intervenir pour me protéger d'elle. C'est lui que je déteste plus que tout.

Jacques n'avait pas prévu ce retournement. Il repensa à sa mère qui lui avait parlé de « bug » et de « reprogrammation » et improvisa.

– Quitte cette scène dans la cuisine. Maintenant, je vais te demander de repenser au meilleur moment que tu as eu avec ton père.

Elle gardait les yeux fermés mais ceux-ci s'agitaient sous les paupières comme si elle feuilletait un album de photos-souvenirs. Enfin elle trouva une scène qui correspondait à la proposition de Jacques.

– C'était… c'était à la montagne, à Font-Romeu dans les Pyrénées. J'avais 5 ans. Nous étions en vacances, papa, maman et moi. Après avoir mangé une crêpe, nous étions allés au cinéma de la station de ski pour assister à un festival de dessins animés de Tex Avery. J'avais une crise de fou rire et mon père, hilare lui aussi, m'a tendu à un moment un mouchoir pour que j'essuie mes premières larmes de joie.

Jacques eut une idée.

– Tu vas remplacer le souvenir de ta belle-mère agressive et de ton père lâche par le souvenir du film avec ton père attentionné et ta mère encore là. Quand tu penseras au passé ou à ta famille, la première image qui apparaîtra sera celle de ton père dans le cinéma à Font-Romeu et de ce fou rire partagé devant les Tex Avery.

Charlotte respirait vite, puis, peu à peu, elle se calma.

– Tu vas pouvoir ouvrir les yeux maintenant, c'est fini. Attention, quand je dirai « zéro ». Cinq... quatre... trois... deux... un... zéro !

L'étudiante ouvrit les yeux, se remémora la scène et s'effondra en pleurs. Puis elle se reprit, sourit et se mit à respirer plus amplement.

– Respire, Charlotte.

Il lui servit un verre de vin.

– C'est génial, ton « rêve accompagné » ! Qui t'a appris à faire ça ?

– Ma mère.

– C'est quand même très, très étrange. Se retrouver, par sa simple volonté, dans la scène qui nous a le plus éprouvé... et la rejouer différemment. Puis remplacer ce moment pénible par un joyeux. Cela semble si facile. C'est comme si on pouvait refaire le montage du film de sa vie.

– C'est une possibilité de notre cerveau que nous n'utilisons pas. « Ce que l'imaginaire fabrique devient réel », m'a enseigné ma mère. Et on pourrait ajouter : « Pour le pire ou pour le meilleur. »

Charlotte s'approcha du jeune homme.

– Je voudrais rencontrer ta mère, dit-elle.

– Oups ! Pas maintenant. Elle est en plein dans des recherches qui lui prennent toute son énergie. Elle rentre épuisée, et tard le soir.

Charlotte prit la main de Jacques et la lui caressa tendrement.

– En tout cas, ce que tu m'as fait grâce à son enseignement est formidable. Tu m'as débloqué l'esprit. C'est une sorte de thérapie ultrabrève qui m'a peut-être fait économiser vingt-cinq ans de psychanalyse.

Il haussa les épaules comme pour signifier qu'il ne fallait quand même pas exagérer, mais il n'était pas mécontent.

– Je n'ai fait que t'enlever quelques poils qui t'obscurcissaient le champ de vision, dit-il en remettant l'élastique sur la tête du Lhassa Apso qui commençait à se demander pourquoi son monde s'élargissait et se rétrécissait aléatoirement.

À cet instant, il enviait la capacité des humains à gérer eux-mêmes leur système pileux. Surtout celui à la fourrure noire sur la tête. Et dans son esprit de chien, il se dit que, dans sa prochaine vie, il voudrait non seulement avoir des mains mais en plus être coiffeur.

Devant lui, le mâle et la femelle humains s'étaient rapprochés et s'embrassaient.

– Tu me fais beaucoup de bien, affirma-t-elle.

– Tu m'as permis de découvrir que j'étais capable de te faire beaucoup de bien, répondit-il. Je crois que tu es aussi très réceptive. Cela a marché parce que tu as accepté de te reprogrammer. En fait, je n'ai pas enlevé le souvenir, je l'ai juste relativisé. Maintenant, quand tu repenseras à ta famille, au lieu de l'image du yaourt te viendra celle du cinéma à Font-Romeu. C'est comme si j'avais changé l'image de fond d'écran de ton ordinateur.

– Tu es génial ! s'exclama-t-elle en se blottissant dans ses bras.

De cette séance, Jacques Klein déduisit qu'il pouvait également se faire aimer grâce à sa maîtrise du monde du sommeil.

21

Sonnerie.
Il dormait.

Nouvelle sonnerie.

Il dormait moins.

Jacques Klein allait mettre son téléphone portable en mode silencieux, mais, pris d'un pressentiment, il regarda qui appelait.

Sa mère. Il décrocha. Elle lui demandait de le rejoindre immédiatement. Il embrassa sur le front Charlotte encore endormie, s'habilla en silence, avala rapidement un café dans la cuisine et se mit au volant de sa voiture pour rejoindre l'Hôtel-Dieu.

L'hôpital était encore enveloppé de brumes matinales. Et le ballet des ambulances n'avait pas encore commencé. Même le gardien à l'entrée était encore endormi. Sa mère l'accueillit à l'entrée principale.

— Nous allons enfin faire un test ! lança-t-elle en guise de bonjour.

— De quoi parle-t-on ?

— De mon « projet secret ».

Il se frotta les yeux.

— Je suis intimement persuadée qu'il existe un sixième stade au-delà du sommeil paradoxal, continua-t-elle.

— Mais tu m'as toujours appris qu'après le cinquième stade, il y a une période de latence, puis qu'un nouveau cycle recommence. Ou que le dormeur se réveille. Comment pourrait-il y avoir encore autre chose ?

Caroline Klein ramena ses cheveux blonds en arrière.

— Ce sixième stade n'est pas naturel. Ce serait un stade forcé que nous pourrions obtenir en provoquant artificiellement un sommeil encore plus profond. À mon avis, certaines civilisations, comme celle des Hindous avec leur Nirvana, évoquent cet état de « rêve au-delà du rêve ». Le mot « Nirvana » lui-même signifie « extinction ». En tibétain, ils nomment cela « yolban » ce qui veut dire « le stade au-delà de la souffrance ». Pour les Hébreux, c'est l'« Olam Atzilut », littéralement « le monde au-delà du monde ».

— Plus scientifiquement, tu penses que ce stade se situerait plus haut ou plus bas sur la courbe de l'hypnogramme ?

— À ce stade de mes recherches, je n'en sais encore rien. Je suis comme Christophe Colomb qui part droit devant vers l'ouest. Je ne sais pas quel continent je vais trouver mais j'ai l'intuition qu'il y a un nouveau territoire à révéler.

— Christophe Colomb, si l'on se rappelle bien, ne cherchait qu'un chemin plus court pour aller aux Indes.

Ils franchirent une enfilade de couloirs, puis un escalier qui descendait au sous-sol.

— Ce sixième stade, je pense pourtant savoir comment il opère. Avec un rythme cardiaque encore plus lent, le corps serait encore plus détendu et le cerveau encore plus actif. L'électroencéphalogramme pourrait aller au-delà de 45 hertz. Il y aurait émission d'un nouveau type d'ondes. On pourrait appeler cela l'onde epsilon. Ce serait un stade où la perception du temps serait différente. À l'époque de Christophe Colomb, sur les cartes, on nommait *terra incognita* les zones vierges et inexplorées. Aussi, en m'inspirant de ce terme, j'ai baptisé ce stade *Somnus incognitus*, littéralement « sommeil inconnu ».

Caroline Klein inspira, prit un air mystérieux et lâcha :

— Si je dois lever le voile sur ce projet, tu mérites d'en avoir la primeur. Allez, suis-moi. Je pense que la découverte du *Somnus incognitus* pourrait ouvrir des voies bien au-delà du simple monde du sommeil : la philosophie et la physique quantique, la neurologie et la spiritualité.

Derrière la dernière porte qu'ils franchirent se trouvait une salle de recherche avec cinq laborantins en blouse bleu clair. C'était une vaste pièce au centre de laquelle était placé un lit, éclairé par des projecteurs et entouré d'écrans d'ordinateurs.

— Il est là ? lança Caroline à ses collègues.

Un bel homme torse nu aux muscles apparents et à la peau cuivrée sortit de ce qui ressemblait à une salle d'eau.

— Bonjour, professeur Klein.

– Bonjour, Akhilesh.

Se tournant vers son fils, elle expliqua :

– Akhilesh vient de Bénarès, c'est mon champion, c'est un yogi et un très bon dormeur. Son prénom signifie l'« indestructible » en hindi. Personne n'est jamais allé aussi loin que lui sur la voie du sixième stade du sommeil, du moins au sein de ce service.

– Il a approché ton fameux *Somnus incognitus* ?

Le yogi semblait beaucoup apprécier sa mère, lui aussi. Il prit la main de la scientifique, le visage rayonnant.

– Je suis en pleine forme, professeur Klein. Aujourd'hui, ça va marcher. Je le sens. Aujourd'hui, c'est le grand jour.

Elle gratifia son champion d'une tape d'encouragement et se tourna vers Jacques :

– Vois comme il a l'air motivé. C'est un plaisir d'être avec un cobaye aussi enthousiaste.

Elle enfila à son tour une blouse bleue et invita son fils à faire de même avant d'aller se laver les mains. Ces gestes participaient plus d'un rituel que d'une réelle nécessité, puisqu'ils n'allaient pas accomplir d'actes chirurgicaux mais seulement accompagner un endormissement.

– Allez, on ne perd pas de temps, le sujet est prêt, alors tout le monde en place. Nous allons procéder à la plongée. Tu te rappelles les consignes, Akhilesh ?

– Je garde l'écoute avec le monde extérieur et je communique en balayant dans mon rêve l'horizon du regard, de gauche à droite, une fois pour « oui », deux fois pour « non ».

L'Hindou s'allongea dans le lit, se détendit, ferma les yeux. Une assistante lui plaça des capteurs sur le torse et sur le crâne. Les écrans furent allumés. Sur les appareils, on pouvait suivre le passage des stades grâce à l'électroencéphalogramme.

Stade 1 : l'électroencéphalogramme indiqua une activité d'endormissement par des petites hachures sur l'écran. Cette première entrée dans le monde du sommeil fut accompagnée du chiffre 8, indiquant le nombre de hertz.

— Tu vas voir, Akhilesh est un phénomène, il sait plonger rapidement et profondément.

Le stade 2 apparut en effet quelques dizaines de secondes plus tard. L'écran indiquait qu'il était descendu à 4 hertz, ce qui correspondait à l'onde thêta. Encore quelques dizaines de secondes et il passa à 3 hertz. Le dormeur était au stade 3. La descente se poursuivait. À 2 hertz, il était au stade 4 de son sommeil.

Caroline Klein alluma un autre écran où l'on pouvait voir son hypnogramme en couleur et en trois dimensions.

— Il est descendu au fond, signala la scientifique.

Alors que les yeux commençaient à s'agiter sous ses paupières, comme si Akhilesh réagissait à une perception visuelle, son battement cardiaque ralentit et son activité nerveuse cérébrale monta en flèche pour rejoindre la ligne des 30 hertz.

— Stade 5 : sommeil paradoxal, reconnut Jacques.

Cependant, l'électroencéphalogramme continuait à monter. Les ondes affichèrent bientôt 31, 32, 33 hertz. Puis 35 et enfin 40 hertz.

— Tu as vu ça ? Il a une plongée rapide et une remontée spectaculaire, dit Caroline Klein, admirative. C'est un « acrobate rêveur ».

Alors que tous les écrans indiquaient que l'activité d'endormissement était de plus en plus intense, Akhilesh fut parcouru d'infimes mouvements nerveux. Ses yeux s'agitaient rapidement sous ses paupières. Le drap dissimulait difficilement l'érection de son pénis.

— Là, je ne sais pas ce qu'il voit, mais il est dans un rêve qui occupe tout son esprit, signala la scientifique d'un ton neutre.

— Si on le réveillait maintenant, que se passerait-il ?

— Dans un sommeil paradoxal aussi profond, il nous raconterait facilement son rêve, évidemment. Mais regarde, il continue de monter alors que ses battements cardiaques, eux, ne cessent de baisser. Il est à 45 hertz ! Le cerveau carbure et il doit être dans un film à grand spectacle plein de bruit et de fureur.

Les mouvements des yeux sous les paupières se firent saccadés. Le sexe était toujours dressé sous le drap comme une antenne.

Tout autour, les autres scientifiques s'activaient pour vérifier les écrans de contrôle et surveiller les capteurs de signes vitaux.

– Nous entends-tu, Akhilesh ? questionna Caroline en se penchant pour lui parler directement à l'oreille.

L'homme sembla digérer la question, et eut enfin une réaction. Akhilesh balaya une fois l'intérieur de ses paupières de gauche à droite.

– Sais-tu où tu en es de ta plongée dans le sommeil ?

Deux balayages latéraux.

– Tu es au stade 5. Veux-tu continuer ?

Les globes oculaires s'agitèrent sous les paupières puis vint un mouvement clair, à nouveau affirmatif, de gauche à droite.

Caroline Klein poussa un soupir de soulagement et, avec nervosité, ordonna à son cobaye :

– Alors prépare-toi. Nous allons commencer. Attention, tout le monde est prêt ? Vas-y, Akhilesh, plonge !

Caroline tourna la molette de réglage de la perfusion.

– Que fais-tu ? questionna Jacques.

– Je l'aide à ralentir son cœur artificiellement avec ce cocktail à base de potassium et de magnésium.

Sur l'écran de l'électroencéphalographe, tout indiquait qu'Akhilesh montait encore en activité cérébrale, alors que sur l'écran de l'électrocardiogramme les chiffres chutaient : le corps devenait un objet inerte. Soudain, l'agitation oculaire sous les paupières stoppa. Les mouvements des yeux reprirent un rythme normal. Caroline scruta l'écran de l'hypnogramme. Il y voyait ce qui ressemblait à un lac profond au sommet de la montagne du sommeil paradoxal, un lac qui descendait plus bas que le sommeil le plus profond.

– Confirmation sur l'hypnogramme : il descend, il nage vers le fond, signala une assistante en retenant difficilement son enthousiasme.

Déjà un laborantin, ému, filmait la scène avec son smartphone. D'autres l'imitèrent bientôt.

– Es-tu arrivé au fond du lac, Akhilesh ?

Ses yeux s'agitèrent.

On put distinguer clairement deux balayages rapides.

– Continue de descendre.

La respiration ralentit encore alors que le rythme cardiaque baissait, le corps était une poupée de chiffon à présent. En revanche, l'électroencéphalogramme culminait à 60 hertz.

– Émission d'ondes epsilon, signala quelqu'un.

– Il n'est jamais allé aussi loin, c'est dangereux, il vaudrait mieux tout arrêter, s'inquiéta un autre assistant.

– Akhilesh, peux-tu descendre plus profondément ?

Réponse : un balayage. Oui.

L'électroencéphalogramme indiquait maintenant 100 hertz.

– Tu approches du fond ?

Un balayage.

– Tout va bien ?

Pas de réponse.

– Akhilesh, tu m'entends ? Ça va ?

Toujours pas de réponse.

Et soudain deux balayages suivis d'un gros spasme et d'une série de petites contractions. Les yeux du yogi s'animèrent tout à coup de mouvements rapides et brusques, comme s'il venait de rencontrer le monstre du Loch Ness au fond de son lac. Il se mit à respirer de plus en plus vite et son cœur se mit à battre de manière désordonnée. Sur les écrans, l'électroencéphalogramme se hérissa de pointes, alors que l'électrocardiogramme dessinait des courbes irrégulières. Caroline fit signe à tout le monde de se tenir prêt à le faire remonter d'urgence. Mais Akhilesh se cabra, tous les muscles tendus. Il ouvrit d'un coup les yeux, pupilles dilatées. Son corps tétanisé se relâcha et il poussa un long soupir, comme une baudruche qui se dégonfle. La ligne de l'électroencéphalogramme et celle de l'électrocardiogramme cessèrent d'onduler pour se transformer en lignes continues, bientôt suivies d'un son aigu, ininterrompu lui aussi.

– Défibrillateur ! vociféra Caroline.

Un assistant apporta l'appareil électrique et ils procédèrent à l'envoi de décharges.

– Piqûre d'adrénaline ! VITE !

Malgré les efforts conjugués de tous, le yogi ne reprit pas conscience. Finalement, le réanimateur indiqua qu'ils ne pouvaient plus rien faire. Un long silence suivit.

Caroline Klein alla chercher une housse noire pour envelopper le corps du malheureux pionnier de l'onironautique. Elle dit, en retenant une rage mal contenue :

– Ceci doit rester secret. Je vous demande à tous de n'en parler à personne. Il en va de la survie de ce service. Nous ferons passer ce décès pour un simple accident cardiaque, nous sommes bien d'accord ?

Tous approuvèrent, mais certains affichaient des visages préoccupés. Alors la scientifique, au comble de l'épuisement nerveux, insista :

– Que ce soit bien clair ! Si l'un d'entre vous trahit cette promesse, nous ne pourrons plus continuer nos travaux. Je compte sur votre discrétion pour que cet « accident regrettable » reste entre nous. Je m'occuperai de la partie administrative en ce qui concerne le corps d'Akhilesh.

Malgré l'interdiction de fumer dans les locaux, elle alluma une cigarette et aspira goulûment une bouffée, qu'elle garda longtemps dans ses poumons.

22

C'était à la une du plus grand quotidien le matin suivant.

SCANDALE À L'HÔPITAL :

UNE SPÉCIALISTE DU SOMMEIL TUE SON COBAYE HUMAIN
LORS D'UNE EXPÉRIENCE AUX FRONTIÈRES DE LA SCIENCE.

En dessous se trouvait des photos d'Akhilesh, de Caroline
Klein et du porche de l'Hôtel-Dieu.

La spécialiste des pathologies du sommeil fut convoquée le matin
même par son chef de service, Éric Giacometti. Pour ce rendez-vous
un peu particulier, elle avait demandé à Jacques de l'accompagner.

– Pourquoi est-il là ? demanda Giacometti, nerveux.

Le supérieur hiérarchique de Caroline avait abandonné l'air
sympathique qu'il affichait lors de la première rencontre.

Fini, les promesses d'embauche, pensa Jacques.

Le visage de l'homme n'était qu'une barre de contrariété.

– Je compte un jour faire travailler mon fils avec moi. Plus
tôt il saura comment marche le système médical dans ce pays,
mieux ce sera.

Giacometti afficha un rictus d'agacement. Il retint un rire
moqueur, et se mit à tripoter le journal.

– Je ne trouve pas que ce soit une bonne idée de faire participer une tierce personne à ce moment de crise qui devrait
rester en interne.

– J'y tiens, rétorqua-t-elle, butée.

Les deux se défièrent du regard. Finalement, le directeur de
l'hôpital abdiqua.

– Entrons dans le vif du sujet. Caroline, vous êtes une scientifique remarquable, très estimée dans le monde entier, respectée

par vos pairs, par vos assistants et moi-même mais... ce qui s'est passé hier arrive au pire moment, commença-t-il en croisant et décroisant ses longs doigts.

Jacques remarqua qu'ils ne se tutoyaient plus.

– L'expérience a mal tourné, dit Caroline sans conviction.

– Un décès est un décès. Quoi qu'on en dise, c'est une vie humaine sacrifiée...

– ... Sur l'autel de la recherche, précisa la chercheuse.

Il se leva d'un bond.

– De quoi parlons-nous ? De science ? Dois-je vous rappeler que monsieur Akhilesh n'était pas une souris, pas un chat, pas un cochon ou un chimpanzé, c'était un homme comme vous et moi !

Il prit une grande inspiration, comme s'il avait besoin de plus d'oxygène pour trouver les bons termes et exprimer sa pensée.

– Si ça ne tenait qu'à moi, évidemment, nous pourrions considérer cela comme un incident lié aux risques de l'expérimentation. Le fait que cet individu soit, en outre, et fort heureusement d'ailleurs, orphelin et sans enfants ni compagne, aurait pu aider à étouffer l'affaire, mais la presse s'en est emparée.

Il tripotait toujours le journal comme s'il lui brûlait l'extrémité des doigts.

Caroline restait stoïque, attendant la sentence.

– Vous me faites le reproche d'avoir été trahie par une personne présente ? Je reconnais que si quelqu'un a parlé, c'est que j'ai mal choisi mon équipe.

– Il y a toujours un maillon faible dans une chaîne. Vous pensiez quoi ? Que tous garderaient le secret ?

– Je l'espérais.

– C'est l'image de l'hôpital qui s'en trouve entachée. Une institution dont l'honneur a été bafoué. Le public ne fait pas la différence entre « secteur recherche » et « secteur soin ». Pour eux, la responsabilité de cette mort revient aux diplômés en blouse qui sont censés leur garantir que tout va bien se passer, c'est tout ce qu'ils retiennent. Et du coup, ils perdent confiance.

Ils ont peur. Et je ne vous apprends rien en vous disant qu'un patient confiant est déjà à moitié guéri alors qu'un patient angoissé est déjà à moitié mort.

Il eut à nouveau ce rictus cruel.

Caroline Klein se tenait en position de combat, les épaules relevées, le menton crispé. À leur grande surprise, Giacometti finit par dire :

— Évidemment, je vous couvre, il n'y aura pas d'enquête criminelle, les assurances paieront les frais d'inhumation.

Caroline ne marqua pas le moindre signe de satisfaction. N'y tenant plus, elle sortit un briquet et alluma un cigarillo dans le bureau de son chef.

— Tout ceci est fort ennuyeux pour nous tous. Vous comprendrez que dans l'intérêt de l'hôpital (et il me semble dans le vôtre), le mieux serait que nous nous séparions dans les meilleurs termes et le plus rapidement possible.

— Je sers de fusible, c'est ça ?

Il la fixa, puis, d'un ton qui ne cachait plus sa colère, lâcha en la retutoyant dans son élan :

— C'est toi qui es sur les couvertures des journaux ! Tu aurais dû être plus discrète !

— Tu es un lâche. Tu savais que je faisais cette expérience, tu m'avais promis de me couvrir !

— Je te couvre si je peux te couvrir ! Là, tu as pris des risques qui dépassent nos accords ! Tu devais bien te douter que cela pouvait mal tourner puisque tu as fait l'expérience derrière mon dos.

— Je voulais te faire la surprise du résultat.

— Eh bien, c'est réussi !

— C'est facile de me laisser tomber maintenant, au moment où j'ai le plus besoin de toi !

— Arrête, Caroline ! Ne joue pas à ce petit jeu avec moi. Tu connais la réalité. Je suis responsable d'un service qui doit perdurer malgré ce qui peut arriver à ses membres. Et tu ne t'en tires pas si mal, je te rappelle qu'il y a eu mort d'homme ! J'ai convaincu l'avocat de l'hôpital que ce n'était qu'un accident et ce sera la version officielle soutenue par toute notre administration interne.

— Salaud !

— Mais tu ne te rends pas compte ! Tu as assassiné un type devant des témoins, certains ont même filmé la scène ! J'ai dû récupérer tout ce qui aurait pu servir de preuves et le détruire. Dis-moi merci, plutôt. Tu aurais pu faire de la prison si je ne t'avais pas couverte.

Elle se mit à tirer plus fort sur son cigarillo à bout doré.

— Qu'est-ce que je fais, maintenant ?

— Je vais te licencier en bonne et due forme et te verser une importante indemnité. Il y aura bien sûr une clause de confidentialité. Ensuite tu toucheras le chômage.

— Tu as peur de quoi, au juste, Éric ? Qu'est-ce qui te rend si dur ? Je ne peux pas croire que ce soit seulement à cause de cette expérience qui a mal tourné. Dis-moi la vérité.

— Je risque gros, moi aussi, et je ne veux pas que ta disgrâce médiatique affecte l'existence même du service sommeil à l'Hôtel-Dieu. Ton sacrifice est le prix de notre survie.

Il sortit un chèque, y inscrivit une somme, puis le signa et le lui jeta sur le bureau d'un geste méprisant.

— Je viendrai demain matin récupérer mes affaires à 9 heures pile. Ensuite tu n'entendras plus jamais parler de moi, dit-elle.

— Que vas-tu faire ?

— Je chercherai un autre travail. Ailleurs. Quoique… personne ne me voudra ailleurs, je présume. Au pire je redémarrerai au bas de l'échelle. Médecin de quartier, peut-être. Dans les banlieues, il paraît qu'il en manque.

— Ne sois pas cynique.

— Je suis réaliste : « La scientifique qui tue les humains pour ses expériences sur le sommeil », ça fait mauvais genre sur un CV. Ne t'inquiète pas, je trouverai, je trouve toujours. Il faut juste que je prenne un peu de temps pour réfléchir.

Elle empocha le chèque.

113

– Ne m'en veux pas, Caroline.

– Je suis juste déçue. J'aurais cru qu'en tant qu'ami tu m'aurais défendue.

– Cela ne servirait à rien que nous coulions tous les deux. Je te lâche pour qu'il n'y ait qu'une seule victime et que le service survive, mais, crois bien que si j'avais pu faire autrement...

Jacques n'avait pas prononcé un mot. Il emboîta le pas à sa mère qui sortit rapidement du bureau, et traversa le service pour quitter l'hôpital. Dehors, une dizaine de journalistes la mitraillèrent de leurs flashs et la pressèrent de questions :

– Est-il vrai qu'Akhilesh a refusé de faire l'expérience et que vous l'y avez forcé ?

– C'est quoi, votre « projet secret » lié au sommeil ? Vous cherchez quoi ?

– Y a-t-il d'autres décès que vous avez cachés ?

Elle fit signe qu'elle ne souhaitait répondre à aucune question, ce qui ne fit qu'exciter davantage les journalistes.

Quand Jacques et sa mère furent arrivés chez eux, un comité d'accueil agressif composé des hommes aux masques de chat les attendait. Ils scandaient le slogan : « STOP À LA BOUCHERIE ! » et miaulaient en brandissant des pancartes :

APRÈS LES CHATS, ELLE ASSASSINE LES HOMMES !

LE PRIX DE LA COMPRÉHENSION DES RÊVES : LA MORT !

Caroline Klein secoua ses cheveux blonds et afficha un air navré en direction de son fils avant d'entrouvrir sa portière, prête à affronter la foule hostile. Aussitôt, les manifestant se ruèrent vers elle.

– Tu voulais connaître les inconvénients de la profession, maintenant, tu sais, dit-elle à Jacques.

– Ne restons pas ici, maman, allons chez ma nouvelle fiancée, Charlotte. Je vais la prévenir et elle nous préparera un dîner, elle vit à Fontainebleau.

Caroline Klein réfléchit rapidement, referma et verrouilla sa portière avant que les plus énervés aient pu les empêcher de fuir.

– Fontainebleau ?

– On y sera dans une heure.

– C'est loin, c'est bien. Ton père disait : « La plupart des problèmes se résolvent par la géographie. » Quand ça ne va pas, il ne faut surtout pas rester coincé sur place, il faut voyager et ainsi prendre de la distance. Allons voir ta fiancée à Fontainebleau. Il me tarde de la rencontrer, je suis sûre qu'elle est charmante. Mais amène-moi d'abord au garage, je vais prendre ma voiture rouge, comme ça je ne me retrouverai pas coincée là-bas.

23

Jacques rouvre les yeux. Tous ces instants depuis sa naissance n'ont servi qu'à arriver à cet instant présent parfait. Il regarde les étoiles, la lune pleine, ronde et lumineuse. Il inspire une grande bouffée d'air tiède dans cette étouffante nuit d'été. Au loin, un hibou lâche un petit cri.

Charlotte ressort de la salle de bain et se glisse sous les draps.

– Tu viens te coucher ?

Il ne se retourne pas tout de suite.

– À quoi tu penses ?

– Je me disais que ma mère est vraiment une femme exceptionnelle.

– C'est bien, d'aimer sa mère, reconnaît-elle. J'aurais apprécié d'avoir une mère comme la tienne, au lieu d'une maman qui meurt trop jeune et d'une belle-mère qui me hait.

– Je n'ai aucun mérite, et rien n'est de ta faute. Ce n'est qu'une question de chance.

– Une mère qui t'instruit en permanence, c'est quand même fabuleux. Je voudrais bien la revoir rapidement.

Il ne lui répond pas.

– Allez, viens te coucher, Jacques, je suis fatiguée.

– J'arrive.

– Non, ne dis pas « j'arrive » : viens !

– OK.

Il vient s'allonger à ses côtés et elle colle aussitôt ses pieds toujours froids contre ses cuisses chaudes. Il frissonne mais accepte. Puis, naturellement, au fur et à mesure que le sommeil les gagne, ils s'éloignent et se tournent chacun de leur côté. Jacques s'enfonce dans le sommeil mais, brusquement, Charlotte se tourne vers lui, l'embrasse dans le cou, et lui chuchote à l'oreille :

– C'était quoi, son « projet secret » ? Tu y étais, donc, forcément, tu le sais ! Dis-le-moi, je ne le répéterai à personne.

– Laisse-moi dormir tranquille, je te le dirai demain.

Alors que son système digestif se met au travail pour dissoudre la nourriture, à l'unisson de la machine à laver la vaisselle dans la cuisine, son cerveau passe en mode veille, en même temps que l'écran de l'ordinateur du salon. Et tout autour d'eux les dernières lumières artificielles s'éteignent pour ne laisser que la lune illuminer leur nuit.

24

La sonnerie du téléphone lui vrille les tympans.

Il ouvre les yeux d'un coup. Le téléphone se fait de nouveau entendre. Il regarde l'heure inscrite sur son réveil. 11 h 30. Le numéro d'appel est inconnu.

Il décroche et reconnaît la voix du professeur Éric Giacometti.

– J'ai trouvé votre numéro de portable dans son ordinateur, Jacques. Je suis inquiet à propos de Caroline... Comme vous le savez, nous avions rendez-vous ce matin pour qu'elle récupère ses affaires, mais elle n'est toujours pas là. Il ne faudrait pas qu'elle tarde, sinon ils vont mettre ses affaires dans un garde-meuble. Elle est à côté de vous ?

– Non.

– Vous pouvez la joindre et lui dire de me recontacter d'urgence ?

Jacques appelle aussitôt l'appartement de Montmartre. Pas de réponse. Charlotte lui tend une tasse de café :

– J'ai profité que tu dormais pour aller chercher des croissants.

– Je crois que ma mère a un problème.

– Tout allait bien hier soir, pourtant.

– J'ai un mauvais pressentiment.

– Tu as fait un cauchemar ?

– Non, c'est son patron qui a appelé, maman n'est pas venue à l'hôpital ce matin.

– Normal, après ce qu'il s'est passé.

– Elle devait récupérer ses affaires, mais le plus inquiétant c'est qu'elle ne répond pas sur son portable ni sur son fixe. Retard plus téléphone muet, ce n'est pas dans ses habitudes.

Jacques abandonne le petit déjeuner, enfile son manteau et saute dans son véhicule. Il roule vers Paris avec la sensation que quelque chose ne va pas. Quand il arrive enfin devant l'immeuble à Montmartre, il constate que la voiture de sport rouge est garée devant la porte. Donc elle est bien rentrée hier soir. Il monte au sixième étage et trouve l'appartement vide. Les deux grosses valises de voyage qu'elle utilise habituellement ont disparu, ainsi que plusieurs piles de vêtements. Il examine la salle de bain et constate qu'elle a pris sa brosse à dents et son nécessaire de toilette. Le miroir est brisé mais il n'y a pas d'autres traces de violence. Cela n'a pas l'air d'un cambriolage ou d'un kidnapping. Il tente de nouveau de la joindre sur son portable et entend la sonnerie résonner dans la cuisine. Il s'y précipite et note qu'elle a déjeuné mais n'a pas pris la peine de ranger son bol. Jacques récapitule. Elle s'est habillée, elle a mangé et mis des affaires dans ses deux grosses valises, et elle est partie. Sans son téléphone. Sans l'avertir. Sans la moindre indication quant à sa destination.

Il s'assoit, abattu.

Un truc cloche. Ce n'est pas son genre. Elle a raté l'expérience, il y a eu un décès, certes, elle a eu les médias contre elle, elle a été virée, mais elle a dîné avec nous avec entrain, reparlant de son projet comme si elle avait la ferme conviction qu'elle pourrait s'y remettre rapidement.

Il revient dans la salle de bain et ramasse un morceau de miroir brisé où il décèle des taches de sang.

Cela ne sert à rien de s'affoler. Procédons avec méthode.

25

Le commissariat du 18e arrondissement, à Barbès, ressemble à une petite forteresse prête à être assiégée. Les policiers qui y entrent et qui en sortent ne paradent pas en uniforme dans le quartier quand ils ne sont plus en service, pour éviter de s'attirer les foudres des habitants.

Jacques fait la queue dans la petite salle d'attente, au milieu de personnes saoules, blessées, âgées. Il est enfin reçu par un lieutenant de police sympathique répondant au nom d'Hélène Pau. Elle a de longs cheveux noirs et semble très dynamique. Elle note sur un calepin les informations que lui donne Jacques Klein, mais après un moment elle s'arrête et pose son stylo.

— Une fugue d'une adulte de 59 ans ? Vous savez, votre mère a le droit de voyager sans avertir son fils ou son mari.

– Mon père est mort il y a quatorze ans. Elle est veuve Elle n'a que moi comme famille.

– Elle est majeure. C'est une scientifique qui a été attaquée par les médias, menacée par des associations de défense des animaux, et enfin licenciée par sa hiérarchie. Trois bonnes raisons de vouloir prendre le large, il me semble.

– Peut-on lancer un avis de recherche ?

Hélène Pau secoue la tête.

– Avant, il existait une procédure qui se nommait RIF, pour « Recherche dans l'intérêt des familles », elle permettait de faire appel aux services de police et de gendarmerie, mais déjà à l'époque, en 1945, il fallait qu'il y ait ce qui était énoncé comme une « raison objective de s'inquiéter » pour lancer cette procédure.

– Mais je suis inquiet !

– Ça, c'est une « raison subjective ». Y a-t-il des traces de kidnapping, de violence, des gestes de désespoir ?

– Il y a des traces de sang sur son miroir brisé.

– C'est un peu léger.

– Alors disons que je la connais et je peux vous affirmer qu'elle n'est pas du genre à disparaître comme ça !

– De toute façon, comme je le vous disais, la RIF *existait*. Depuis avril 2013 le ministère de l'Intérieur a abrogé cette procédure, considérant qu'à l'heure des réseaux sociaux et des GPS intégrés aux smartphones tout le monde peut être facilement retrouvé où qu'il aille.

– Elle n'a pas pris son portable.

La policière utilise l'ordinateur pour faire apparaître une photo de Caroline Klein prise au moment où elle sortait de l'Hôtel-Dieu.

– Elle n'a pas l'air d'une personne souffrant de troubles psychiatriques.

– Bien sûr que non ! C'est une femme saine d'esprit !

– Il n'y a pas non plus eu récemment d'histoire d'amour passionnelle ? Je ne sais pas, avec un jeune homme rencontré dans une soirée...

– Ma mère n'est pas une cougar, si c'est ce que vous voulez insinuer. Depuis la mort de mon père elle n'a jamais ramené un homme à la maison. Et tout son temps était consacré à son travail, alors je la vois mal aller en... boîte de nuit pour danser avec des gigolos !

– Un collègue de travail, dans ce cas ?

– Elle est plutôt du genre « sérieux », si vous voyez ce que je veux dire.

– Précisément, ce sont souvent ces femmes qui semblent sans vie sexuelle qui sont les meilleures proies pour les petits escrocs. Elles sont inhibées, ils les décoincent, après elles ne réfléchissent plus, elles sont comme des petites filles écervelées ! Elles se mettent à se maquiller et à s'habiller de manière sexy. Elles ont l'impression de renaître. Ce sont les premiers symptômes. Ensuite elles...

– Ma mère n'est pas du genre « petite fille écervelée », elle ne s'habille pas « sexy ».

– Ah ! l'aveuglement des garçons qui croient connaître leur mère !

– Ma mère n'a qu'une passion, c'est la science !

– Croyez-moi, souvent c'est la sexualité qui est la cause des brusques changements de comportement. Admettez qu'il est possible que votre mère soit tombée subitement amoureuse un soir en rencontrant quelqu'un.

– Entre minuit et 8 heures du matin ?

– Un auto-stoppeur, peut-être ? Elle avait consacré sa vie à votre père, à vous, puis à la science et soudain elle a découvert quelque chose de nouveau, de frais. Un homme... ou une femme ? Vous savez, ici on voit des histoires incroyables ! Oui, voilà ! Je crois que je peux vous refaire le scénario : elle vous quitte après le dîner, à Fontainebleau, je crois. Elle roule le soir, il fait chaud, elle voit une voiture en panne, une jolie fille à l'intérieur. Elle l'aide à réparer sa roue crevée. Elle a toute la pression de la journée et de son licenciement sur les épaules.

L'autre la rassure. Et puis les deux amoureuses décident sur un coup de tête de partir en voyage romantique à Venise. Votre mère veut vous tenir informé mais l'autre lui assène quelque chose genre : « Mais non, du passé, il faut faire table rase. » Elles s'embrassent et filent (enfin, le temps que votre mère fasse ses valises) vers… l'Italie.

Jacques, hébété, s'aperçoit que le lieutenant Hélène Pau ne plaisante pas. Il remarque aussi qu'elle a une pile de polars et de romans à l'eau de rose sur son bureau, et comprend qu'elle exorcise le stress généré par les histoires scabreuses qu'elle entend à longueur de journée en lisant des romans noirs et des histoires d'amour, mais force est de constater que cela commence à altérer sa faculté de jugement.

— Reconnaissez que c'est possible, dit-elle.

— Possible mais peu probable.

— Ne vous inquiétez pas, ce n'est pas la première fois que je suis confrontée à ce genre de situation, c'est un petit coup de chaud, elle a dû vouloir s'aérer un peu, se promener en forêt, à la campagne, au grand air, loin de la vie stressante de la capitale.

La policière est rassurante et semble parfaitement sûre d'elle.

— Elle va digérer les événements récents, relativiser, peut-être relâcher la pression, puis elle reviendra. À ce moment-là, il vous faudra être à l'écoute, la soutenir. C'est une femme sensible et cultivée, vous m'avez dit, alors il n'y a pas de risque. Paradoxalement, ce sont plutôt les incultes qui sont imprévisibles. Votre mère a seulement un petit parcours psychologique à effectuer, toute seule, sans doute loin de ses repères habituels.

Jacques affiche un air d'homme incompris.

— Si elle n'est pas là ce soir, ce sera pour demain, croyez-moi. Et si elle est partie, comme je le pense, avec une auto-stoppeuse à Venise, elle vous enverra rapidement des cartes postales.

Il fait semblant d'approuver mais la femme policière le retient par la manche.

– Et au fait, vous pouvez me le dire, maintenant, c'était quoi son « projet secret » qui lui a fait sacrifier l'Hindou ?

– Je...

– Cela n'a rien de professionnel, je ne suis pas sur cette affaire, c'est juste par curiosité. Il paraît que vous étiez là lors de l'expérience désastreuse qui...

– Je ne peux rien vous dire de plus que...

– D'après les journaux, elle aurait cherché à découvrir un phénomène mystérieux qui se passe durant le sommeil, c'est ça ? Ne niez pas. C'est sa spécialité et tout le monde en parle. Personnellement, je ne dors pas très bien. Si elle allait réellement faire progresser la connaissance du sommeil, c'est dommage qu'elle ait... enfin, échoué.

Jacques se retient de dire ce qu'il pense, il regarde sa montre et met fin à ce dialogue de sourds, qui ne mène à rien.

– Au revoir, lieutenant.

– Et, hum... vous êtes, vous aussi, médecin spécialisé dans le sommeil, vous me conseilleriez quoi pour mieux dormir ?

– Désolé de vous avoir dérangée durant la sieste.

– Ne le prenez pas comme ça. Même si c'était légalement autorisé, nous sommes en sous-effectif et nous n'avons ni le temps ni les moyens de nous occuper de ce genre d'affaire.

– Mon conseil pour mieux dormir ? Repensez à la liste de toutes les enquêtes que vous n'avez pas le temps ni les moyens de commencer.

– Je vous ai vexé parce que je vous ai dit que votre mère n'était pas une sainte et qu'elle pouvait avoir un regain de sexualité à 60 ans ?

– Au revoir, lieutenant.

Le soir même, Jacques rêve de sa mère dans les bras d'une autre femme sur une gondole à Venise. La femme a le même visage que la policière. Elles s'embrassent. Il sait que c'est le pouvoir de la suggestion, il suffit de créer avec des mots une image mentale et la scène se met à exister. Hélène Pau vient de générer un film imaginaire dans son trajet réel. Toute la nuit, il est donc le spectateur de scènes torrides entre sa mère et le lieutenant Hélène Pau. Et, étonnamment, cela le rassure.

Au moins elle est vivante et elle s'amuse, se dit-il dans son propre rêve.

26

Caroline Klein ne revient ni le soir, ni le lendemain, ni le jour suivant. Pas trace non plus de carte postale en provenance de Venise. Jacques Klein se décide alors à aller consulter un détective privé, Franck Thilliez. C'est un rouquin maigrichon avec un accent du nord de la France.

— Onze mille disparitions d'adultes par an, c'est le chiffre officiel. En réalité, on pense que le vrai chiffre avoisinerait plutôt les trente mille. On parle toujours des parents qui cherchent leurs enfants fugueurs, mais le vrai problème c'est plutôt le contraire. Vous n'êtes pas le premier enfant qui cherche son parent disparu et vous ne serez pas le dernier de la semaine.

— Ma mère est une personne raisonnable. Elle n'a aucune raison de ne pas m'avertir si elle souhaite partir en voyage. Elle l'a fait, elle l'a toujours fait.

— Qui n'a pas rêvé un jour de tout laisser tomber et de partir loin de son travail et de sa famille ? C'est le syndrome *Itinéraire d'un enfant gâté*, le film de Claude Lelouch où Belmondo s'en va en abandonnant tout sur un coup de tête, vous vous souvenez ? Un sacré bon film ! Vous aimez le cinéma ?

Jacques voit sur les murs du bureau de Franck Thilliez des affiches de films noirs américains des années 1950. Sur la table est posée une statuette à l'effigie de Humphrey Bogart.

– Racontez-moi les circonstances de votre dernière entrevue avec le docteur Caroline Klein.

– Nous avions passé une excellente soirée. Nous avons bu, nous avons ri, je lui ai présenté ma fiancée et elles étaient très complices.

– Elle a pu avoir une prise de conscience soudaine, un remords dans la nuit. Elle a quand même « assassiné », enfin « tué », ou « été responsable » de la mort d'un homme, si je me souviens bien des articles consacrés à elle dans les journaux.

– C'était une expérience scientifique qui a mal tourné, un « accident », rappelle Jacques en serrant les mâchoires.

– Avant que vous ne veniez et suite à votre coup de fil, j'ai commencé à récolter des informations. J'ai des amis qui m'ont fourni des images vidéo des caméras de surveillance municipales. Ce n'est pas à moi de juger mais, ce que je constate, c'est qu'elle est partie en taxi sans utiliser sa voiture. À partir de là, elle a pu prendre un train, un bateau, un avion, une voiture de location. Elle est peut-être loin.

– On ne peut pas interroger le personnel des aéroports, des gares, des agences de location de voitures ? Vos amis ?…

– Je n'en ai pas là-bas. Quant aux administratifs, ils ne sont habilités à transmettre ces informations que s'il y a recherche officielle, or un adulte majeur peut décider de voyager sans tenir son fils au courant. Désolé. Et même s'il y a des méthodes modernes de traçage, il y a également des méthodes modernes de camouflage. Savez-vous qu'il existe désormais des agences spécialisées en « anonymat » ? Des gens payent pour qu'il n'y ait ni photo ni trace d'eux nulle part sur la Toile. Légalement, votre mère est libre de disparaître et de ne plus donner de nouvelles. Si je devais résumer le scénario le plus probable, je dirais que suite au stress professionnel, elle a fait un « burn out » et, au lieu de prendre des tranquillisants ou de faire une dépression, votre mère a décidé de voyager. C'est plutôt un signe de force de caractère et de bonne santé.

– Et si je veux malgré tout que vous commenciez l'enquête ?

– Vu que vous m'êtes sympathique, je vais vous résumer la situation : 7 milliards d'humains sur la planète, cinq continents, deux cents pays, cinq mille avions qui volent en permanence dans le ciel, cela va être long avec un résultat assez proche de zéro chance de réussite. Si un détective concurrent vous dit qu'il peut y arriver, c'est que c'est un escroc. Et si vous voulez me donner l'argent, c'est du gaspillage.

– Alors je fais quoi ? demande Jacques en frappant du poing sur la table et en renversant la statuette de Humphrey Bogart.

Franck Thilliez n'en prend pas ombrage, il redresse l'objet, affiche un air navré et déclare :

– À ce stade, je ne vois qu'une solution : la prière.

Le détective le retient par la manche avant qu'il ne sorte.

– Et sinon, c'était quoi le « projet secret » de votre mère ? Enfin, celui pour lequel cet Hindou a donné sa vie ?

27

Le chien Pompon a de nouveau sa coiffure d'origine, avec ses longs poils qui lui font une frange épaisse devant les yeux. Il essaye pourtant, en utilisant sa mémoire, de circuler dans la pièce sans se cogner.

Il trottine lentement et s'arrête lorsqu'il sent un obstacle, mur, chaise ou table. Son activité ressemble un peu à celle des aspirateurs robots équipés d'un radar qui avancent et reculent en fonction du décor qui les entoure. Parfois, Pompon marche tout droit jusqu'à heurter un obstacle et, sans se démonter, continue sa promenade dans une autre direction.

Charlotte tient Jacques dans ses bras et le berce comme un enfant.

– Je suis certaine que ta mère reviendra.

– La police a l'air de sous-entendre qu'elle s'est enfuie avec un gigolo (il faudrait qu'elle l'ait rencontré entre le moment où elle a dîné avec nous et le lendemain matin !) ou une auto-stoppeuse. Et le détective pense qu'elle a fait un « burn out ».

– Si je me souviens bien des derniers instants que nous avons passés avec elle, elle est partie joviale. Elle ne pourrait pas être à ce point soupe au lait.

– Le détective m'a conseillé la prière. Pourquoi pas aller à Lourdes !

– Ne t'énerve pas.

– Ma mère était contre les croyances. Elle disait qu'il existe un monde au-delà de nos croyances. Plus exactement, elle disait : « La réalité, c'est ce qui continue d'exister lorsqu'on cesse d'y croire. » Elle avait lu ça dans un livre, un roman, je ne me rappelle plus de qui.

Il hausse les épaules.

– Mais elle disait aussi que tout n'existe que parce que nous l'imaginons.

– En fait, ce qui te fait souffrir, c'est qu'elle ne t'ait pas averti, qu'elle ne t'ait pas expliqué son geste. Elle a disparu d'un coup, comme ton père.

Jacques observe le chien en train d'errer dans la maison et se sent en phase avec cet animal aveuglé par une frange d'illusion dont il ne connaît même pas la source. Charlotte l'embrasse mais il ne réagit pas. Elle se place face à lui.

– Et si j'essayais de faire pour toi ce que tu as fait pour moi ? Veux-tu que je te dirige pour un rêve accompagné afin de te rassurer ?

Pourquoi pas ? se dit-il. *Ça ne peut pas faire de mal.*

Il s'étend sur le divan puis défait sa ceinture et enlève sa montre.

La jeune femme utilise son talent de réalisatrice de cinéma pour le plonger dans une situation où il se retrouve dans l'appartement familial. Elle lui fait visualiser l'instant où, après avoir fait ses valises, sa mère vient vers lui et lui annonce : « Je pars quelques jours en vacances pour me reposer, n'essaye pas de me retrouver, je reviendrai tranquillement quand je me sentirai mieux. »

La stratégie de Charlotte est de faire vivre à Jacques une coupure « officielle, claire et expliquée », car elle estime que ce qui fait le plus souffrir son compagnon c'est l'aspect soudain de la situation. Cependant, alors qu'elle lui propose de serrer sa mère dans ses bras pour lui dire au revoir, il ouvre les yeux :

– Ça ne marche pas. Ça ne marchera jamais parce que tu ne sais pas ce qu'il s'est vraiment passé.

– Excuse-moi, je...

À ce moment-là, le chien pousse un petit aboiement car il vient de rater les marches entre le salon et la salle à manger.

– Ton chien, ton Pompon, tu le maintiens aveugle ! Et moi tu voudrais aussi m'empêcher de voir, mais je ne suis pas dupe de ton petit jeu ! Tu ne m'auras pas.

Il se redresse d'un bond puis s'en va en claquant la porte. Étonnamment, le fait de s'en prendre à Charlotte lui donne le sentiment de reprendre le contrôle de sa vie. Il subit la situation mais, au moins, il a la possibilité d'agir sur quelqu'un d'autre. Il quitte la villa de Fontainebleau sans se retourner, avec la ferme intention de ne plus jamais y remettre les pieds et de ne plus jamais revoir cette femme.

28

Cinq jours sans la moindre nouvelle.

Cinq jours à mal dormir.

Le chat USB, qui a toujours son crâne chauve avec sa prise informatique apparente recouverte d'un bouchon étanche, vient vers lui pour réclamer sa pâtée. Son maître la lui sert dans sa gamelle.

Jacques veut manger dans la cuisine, mais l'idée lui est désagréable car il se souvient de la crise de somnambulisme de Caroline durant laquelle elle avait fait griller des DVD au fromage dans le micro-ondes, et failli mettre le feu à la cuisine. Il se fait un plateau-repas avec de la bresaola et de la mozzarella fumée, des tomates, des cornichons et des bagels, puis part vers sa chambre où il s'installe sur son lit à baldaquin.

Il se met à somnoler et rêve que son lit est un bateau qui flotte sur l'océan. Il est agrippé aux colonnes du baldaquin. Les rideaux servent de voile. Il se penche sur le bord du matelas et voit des ailerons de requins tourner autour du lit. Au loin, sa mère est sur une gondole avec la policière et lui crie : « Ne cherche pas à me retrouver. » Son père est sur son catamaran et lui dit : « Désolé, mais je n'ai pas le temps de m'occuper de toi, il faut que je batte mon record de tour du monde en solitaire. » Lui aussi est suivi par des requins. Toujours penché au-dessus de l'eau, il voit le visage d'Akhilesh qui lui fait signe et lui crie à travers l'eau : « Surtout ne JAMAIS descendre du lit ! Jamais ! Jamais ! JAMAIS ! » Puis il s'enfonce dans les profondeurs et disparaît. Charlotte est dans un pot de yaourt géant flottant, elle pagaie avec une cuillère, et l'appelle : « Viens, Jacques, il ne faut pas avoir peur de l'eau. On va faire une séance de rêve accompagné pour que tu arrives à vaincre ta phobie de l'eau. »

Jacques se réveille en sueur et prend conscience que son lit est le seul endroit où il se sent vraiment en sécurité.

Il décide de s'y installer. Sur des chaises à proximité, il place des réserves de nourriture, des boîtes de conserve pour le chat, des bouteilles d'eau et l'écran de télévision. Il utilise sa télécommande pour aller sur un site de vidéo à la demande et sélectionne des films parlant du monde des rêves : *Inception*, *Dreamscape*, *La Science des rêves*, les suites des *Griffes de la nuit*.

Il choisit des films avec le maximum d'effets spéciaux et de décors extraordinaires. Après trois heures de visionnage, il tente de s'endormir mais n'arrive même pas à amorcer la descente en stade 1. Il reste donc les yeux ouverts à observer une petite tache noire en forme de Y au plafond qui semble le narguer en faisant écho à sa cicatrice au front.

Il se dit qu'en dehors du lit, il est en danger.

Il se dit que les gens devraient rester toute leur vie au lit et qu'il n'y aurait plus de problèmes.

Il s'est couché à 3 heures du matin et, hormis une petite incursion dans le sommeil entre 4 h 30 et 5 h 30, il n'a pas réussi à s'endormir. Il observe la pendule qui projette au plafond les chiffres rouges qui défilent. Il connaît un nouveau répit d'endormissement léger entre 7 h 30 et 8 heures, puis le jour se lève et il sait que c'est raté pour cette nuit.

Sur son application de smartphone apparaît son temps réel d'endormissement : 15 %.

Il se dit qu'il a envie de tenter quelque chose : rester toute la journée au lit.

Il se lève seulement pour faire ses besoins et préparer un nouveau plateau-repas. Et cette vie de pur repli sur son lit lui semble finalement une évidence. Il s'organise. En dehors des films sur le monde des rêves, il ajoute des documentaires scientifiques sur le sommeil, dont un sur un zoologue qui est allé espionner tous les animaux durant leur temps de repos. Le savant explique que plus l'animal est élevé dans la chaîne de prédation, plus il dort longtemps. Les lions et les tigres dorment énormément, probablement pour compenser la violence de leurs efforts durant la poursuite et la mise à mort. De même que les pythons ou les boas dorment pour digérer leurs proies plus grandes qu'eux. Le documentaire lui apprend que les félins sont les champions du rêve et qu'ils peuvent être somnambules. Par contre les gazelles dorment à peine, par petites siestes successives. Autres petits dormeurs : la vache, le cheval, l'âne ou l'éléphant, qui ne dorment que trois heures par nuit. Les suricates dorment en gardant les oreilles aux aguets. Les flamants roses perchés sur leurs pattes en ouvrant un œil de temps en temps pour vérifier l'absence de danger. Les seiches et les pieuvres ont, durant leur sommeil, des mouvements rapides des yeux, signe qu'elles rêvent. Les baleines peuvent s'assoupir sous l'eau mais elles se réveillent toutes les vingt minutes pour aller respirer en surface. Parmi les champions du sommeil, les chauves-souris avec dix-neuf heures par jour, ou les paresseux avec dix-huit heures. Les ours de Laponie se couchent le 29 septembre pour se réveiller le 3 avril.

Jacques accumule les découvertes sur le sommeil animal, tout en mangeant des chips et des saucisses, puis il éteint l'écran et se couche. Il est 20 heures. À 22 heures, il fixe toujours le dessin noir en forme de Y et se dit que cela doit être un moustique qu'il a écrasé il y a longtemps mais que personne n'a pensé à nettoyer, étant donné l'emplacement de la tache.

À 22 h 30, il repense à sa mère.

Elle est forcément quelque part mais si elle ne m'appelle plus, c'est qu'elle ne m'aime plus.

À 22 h 45, il pense à Charlotte.

À 22 h 50, il tente à nouveau de s'endormir et n'y arrive toujours pas. Il décide alors d'utiliser la première technique d'endormissement qu'il a apprise : compter les moutons.

Il compte jusqu'à 100, 500, 1 000.

À 1 500 moutons, il renonce alors que la marque noire au plafond continue de le narguer. Technique numéro 2 : respirer lentement.

Il commence à prendre conscience de sa respiration et, telle une vague, essaie de la rendre la plus ample et la plus profonde possible.

À 23 h 05, les yeux grands ouverts, il passe à la phytothérapie. Tout d'abord le jus de griotte, substance contenant une forte concentration en mélatonine censée déclencher la fabrication de sérotonine, la fameuse « hormone du sommeil ». À 23 h 10, il ingurgite des tisanes à la mélisse, puis au serpolet, il passe à la valériane, à l'aubépine, à la passiflore... À 23 h 20, les fleurs de Bach : la bruyère, l'impatience, le marronnier blanc.

À 23 h 30, il espère qu'il s'est endormi sans s'en apercevoir mais, sur son smartphone, son hypnogramme lui enlève toute illusion. À 23 h 40, il passe aux huiles essentielles : deux gouttes de Lavandula Augustifolia mélangées à du zeste de mandarine et de myrte sur le plexus, la plante des pieds et les poignets. À 23 h 50 : réflexologie. Il presse l'extrémité de son gros orteil pour stimuler sa glande pinéale.

À 23 h 55, il passe à la méthode forte : une série policière allemande. Le commissaire au regard torve qui écoute un par un les suspects a certes un effet soporifique et lui fait tomber une paupière pleine d'espoir, mais l'instant de climax où le personnage boit une bière tout en haussant le sourcil le tient suffisamment en haleine pour l'empêcher de dormir.

À minuit, il tente un film français de la Nouvelle Vague sur un couple qui essaie de faire le point sur son échec conjugal. Un bâillement prometteur pointe son nez, mais comme avec le téléfilm allemand, cela ne le fait pas basculer dans le monde du sommeil.

À 1 heure du matin, après la télévision et le cinéma, il passe à la littérature. Il tente de choisir ce qu'il y a de plus ennuyeux dans la production française et s'aperçoit que les prix littéraires ont sélectionné un ouvrage de mille cinq cents pages intitulé *Nombril* où l'auteur prouve, avec des phrases d'une longueur dépassant souvent la page, que sa vie est unique. Cette fois-ci, Jacques, après quelques premiers picotements aux yeux, connaît grâce au talent de l'écrivain un instant de flottement : ses paupières se ferment pendant trente secondes et il bascule dans un délicieux vertige d'ennui pur. Mais ses yeux se rouvrent et la marque au plafond le nargue toujours.

Alors il passe à la technique numéro sept : l'alcool. Du whisky vingt-cinq ans d'âge, un pur malt en provenance du Japon. Il sait que la substance a sur lui un effet sédatif mais qu'à partir d'une certaine dose elle se transforme en excitant. Il ignore où se trouve exactement la limite alors, dans le doute, il prend deux verres qu'il boit sans plaisir, comme un médicament.

Et il attend.

Il se dit que l'humanité entière devrait rester au lit et que tout irait mieux. Plus d'embouteillages, plus de guerres, plus de manifestations, plus de grèves. Les soldats ? À la grasse matinée ! Les pollueurs ? Les râleurs ? Les fanatiques ? Les énervés ? Au lit, en train de regarder la télévision comme lui.

On mangerait moins, on consommerait moins, on serait plus tranquilles, plus sereins.

Il se dit que, même s'il ne dort pas, il ne se sent vraiment en sécurité que dans cet espace de deux mètres sur deux légèrement mou, avec un drap et une couverture pour le protéger. Et tout ce qui n'est pas son lit est « territoire dangereux ».

Le chat USB bâille pour l'approuver, puis il s'endort en se blottissant dans ses bras. Jacques Klein attend mais le sommeil ne vient toujours pas. De mauvaises pensées le traversent. Il repense à son père, il repense à Charlotte, à Wilfrid, à sa mère, à sa mère, à sa mère…

Maman aurait dû rester au lit.

Il se lève et va fouiller dans l'armoire à pharmacie, à la recherche de somnifères, mais n'en trouve aucun. Il se souvient que sa mère lui avait dit qu'il fallait éviter ce genre de facilité. Malgré ça, il met un manteau sur son pyjama, enfile des chaussures sans chaussettes et, après avoir repéré la pharmacie de garde, sort pour s'acheter des somnifères.

Le pharmacien, compréhensif, lui propose plusieurs marques, mais reconnaît qu'elles ont toutes le même principe actif : les benzodiazépines.

Rentré chez lui, Jacques gobe deux comprimés roses avec un verre d'eau puis se remet dans son lit. Son chat vient se frotter à ses pieds et se met à ronronner pour l'aider à plonger.

Jacques ferme les yeux et attend.

Et le miracle se produit, il est comme assommé par une bourrasque, comme s'il venait d'ingurgiter d'un trait un alcool ravageur, il se sent pâteux, lourd, très lourd. Le lit s'incurve sous son poids comme une membrane élastique. Il s'enfonce dans le matelas qui lui-même se transforme en puits, en fosse, en gouffre sans fin.

Enfin, tout là-haut au-dessus du trou, le réel disparaît pour laisser place à un néant qui l'entoure, l'envahit, le submerge.

C'est un sommeil nouveau, pénible et artificiel, sans la moindre lumière ni rêve. Une salle de cinéma éteinte avec un bourdonnement dans les baffles et une climatisation mal réglée. L'obscurité le rend tout petit, il perd pied, il n'a plus de pensées, rien que du noir dans le noir.

Mais c'est du sommeil quand même.

29

Il est resté dans la salle de cinéma glacée et puis le plafond s'est illuminé d'un point rouge, comme une sortie de secours.

Il a rampé, gravi les parois du puits et a fini par émerger à la surface de son matelas.

La première sensation est désagréable, comme s'il avait trop bu la veille. Il a une barre dure sur le front, les oreilles chaudes. Son cuir chevelu est tendu. Sa peau tiraille. L'hypnogramme de son smartphone indique qu'il a fait une plongée en stade 2 puis qu'il y est resté sans remonter. Du coup, il se sent fatigué. Il a dormi sans récupérer, il est juste devenu mou.

Si la France est le premier pays consommateur de cette substance, Jacques se dit qu'il doit effectivement y avoir un souci global dans cette société qui « s'endort » artificiellement, sans récupérer d'un vrai repos profond et naturel. Il cherche sur Internet et découvre qu'on utilise les benzodiazépines non seulement comme somnifère courant, mais aussi comme calmant pour les gens stressés ou dépressifs, et qu'ils servent même à calmer les animaux dans les abattoirs afin qu'ils ne paniquent pas au moment où on les tue.

Manger de la viande, c'est devenir addict aux somnifères dont on a gavé les bestiaux pour les rendre amorphes et donc plus faciles à manipuler et à égorger. C'est toute la société qui est ainsi empoisonnée par ce produit insidieux, et cela semble aller en empirant.

Jacques préfère ne pas dormir que se retrouver avec cette sensation désagréable au réveil.

Il boit, s'hydrate, espère que les benzodiazépines finiront par être évacuées de son organisme, mais cela ne résout pas son problème d'insomnie.

Étrangement, USB, qui avait pris l'habitude de dormir à ses pieds, a décidé d'aller se réfugier dans un coin de la pièce d'où il fixe Jacques comme s'il était devenu un étranger.

– T'inquiète, USB, j'ai testé pour savoir, maintenant je sais. Ce n'est pas une solution pour moi.

Les jours passent et l'inconfort le gagne.

Jacques Klein mange de manière compulsive. Il peut avaler trois paquets de chips tout en regardant des films ou des documentaires dans son lit. Il s'arrête lorsqu'il est incommodé par les miettes qui le grattent.

Il est toujours fatigué.

Alors il se décide à chercher des solutions originales sur Internet. Il finit par découvrir l'existence de l'Association des insomniaques anonymes qui semble fonctionner de la même manière que les Alcooliques anonymes. L'idée l'intrigue, mais il ne se sent pas encore prêt à s'y inscrire.

Un soir, alors qu'il somnole dans sa chambre, il entend du bruit au-dessus de sa tête. Il ouvre la fenêtre et s'aperçoit que c'est le chat USB qui marche sur le toit, mais l'animal est devenu gros et a des difficultés à se mouvoir. Ses yeux sont fermés et, depuis qu'on lui a touché la zone du cerveau qui permet la déconnexion entre le système moteur et le système musculaire, l'animal a des crises de somnambulisme. Il hésite à l'appeler, car il sait qu'il n'est pas bon d'être réveillé brutalement dans ces cas-là. USB pourrait chuter. Alors Jacques essaye de le rejoindre. Mais le chat, toujours en équilibre précaire sur l'arête du toit de l'appartement de Montmartre, se met à poursuivre une souris imaginaire. Soudain, il fait un bond, se rattrape mal, ses griffes labourent l'ardoise récalcitrante. Il ouvre les yeux et réalise trop tard la situation. Le gros chat tente de se rattraper mais son poids joue en sa défaveur et il bascule dans le vide.

Jacques ferme les yeux, attendant le bruit de l'impact au sol. Rien ne vient et cela le rassure.

Les chats ont tous la capacité de se rattraper même après des chutes impressionnantes.

Malgré les six étages de l'immeuble, tout espoir n'est pas perdu. Il descend quatre à quatre l'escalier et, arrivé sur le trottoir, il découvre la masse de poils roux inerte.

USB est mort. Il était trop gros, il n'a pas su se réceptionner souplement sur ses pattes.

Alors Jacques va chercher un sac-poubelle et une pelle, récupère péniblement le corps de son compagnon de vie et l'enterre dans le jardinet commun. Devant le monticule de terre, il constate que le sommeil a encore fait une victime innocente. Demain, il ira voir l'Association des insomniaques anonymes.

30

Le local de réunion est à Montrouge, au sud de Paris.

Jacques Klein s'y rend pour une séance ouverte annoncée à 20 h 30. L'endroit est une MJC qui accueille plusieurs associations et la réunion des Insomniaques anonymes tombe juste entre celle des « joueurs invétérés » et celle des « obsédés sexuels » qui veulent décrocher. Comme si l'insomnie était considérée comme une addiction.

La salle de réunion est éclairée par un néon aux reflets verts et la dizaine de personnes présentes ont toutes le teint terne et gris. Les hommes ne sont pas rasés. Les femmes ne sont pas coiffées. Une vieille dame raconte son enfer :

— Je me prénomme Hortense.

— BONSOIR, HORTENSE ! clame en chœur l'assemblée.

— Je suis retraitée. J'ai 92 ans. Je ne dors pratiquement plus depuis six mois. Je me gave de somnifères mais ceux-ci ne font plus aucun effet.

Le meneur des débats, Jean-Claude Ramirez, est un homme obèse et barbu. Il leur fait face, assis au centre de l'estrade sur une chaise qui semble prête à céder. Il sue à grosses gouttes et ne cesse de s'essuyer le front du revers de la main.

— Peut-être que vous dormez mais que, vu que vous avez aussi des pertes de mémoire, vous oubliez que vous dormez ? suggère-t-il.

Tous rient, sauf la vieille dame.

— Ma mémoire va très bien, merci ! s'indigne-t-elle.

— Dans ce cas, c'est bien la preuve que vous dormez, car ne pas dormir affecte la mémoire.

La vieille dame a l'impression qu'on se moque d'elle et s'enferme dans un mutisme complet.

— Suivant ! lance Jean-Claude.

Une jeune fille aux cheveux noir corbeau, à la peau blanche, vêtue d'un perfecto noir clouté faisant ressortir ses maigres épaules, lève la main. Elle a des piercings au nez et aux oreilles, des tatouages sur la nuque et les poignets et, quand elle parle, on peut voir qu'elle s'est fait fendre la langue à la manière de celle, bifide, des serpents. Elle zozote légèrement.

– Je m'appelle Justine. Je suis étudiante en philosophie.

– BONSOIR, JUSTINE ! répètent les habitués.

– Depuis combien de temps souffres-tu d'insomnies, Justine ?

– Depuis trois mois. Cela a commencé quand je faisais la fête à l'université, nous avions monté une sorte de boîte de nuit et j'étais volontaire pour la gestion. J'organisais les soirées, on m'appelait « la chauve-souris » car j'étais tout en noir et je dormais la tête à l'envers, les pieds accrochés au plafond.

Tous marquent la surprise et ceux qui somnolaient se réveillent.

– Non, je plaisante, c'était juste pour voir si vous m'écoutiez. En tout cas à l'époque, comme les chauves-souris dans les cavernes, j'avais tendance à boire du sang. C'était le nom de la boisson à base de jus de tomate, de vodka et de taurine qui nous faisait tenir. Je prenais aussi des amphétamines, des acides, de la caféine, enfin plein d'excitants pour traverser la nuit. Je dormais le jour. Et puis il y a eu mes premières quarante-huit heures d'affilée sans dormir. J'ai fermé mes volets et j'ai essayé de transformer mon appartement en lieu qui prolonge la nuit. En fait je n'aime pas le soleil, je n'aime pas la lumière, je n'aime pas la chaleur. J'aime la lune, j'aime le noir, j'aime le froid.

Elle frissonne et ses bras décharnés, tatoués de motifs compliqués, s'agitent.

– En fait, je crois que je suis comme les vampires, reconnaît-elle. Sauf que les vampires dorment quand même un peu, et moi pas. Alors je suis tout le temps sous produits pour tenir, je me promène toujours avec ça.

Elle montre un étui à violon, l'ouvre et révèle son contenu rempli de boîtes de médicaments. L'organisateur hoche la tête, compréhensif.

– Je crois que ton cas va être facile à soigner, dit-il. Il faudrait seulement te laver le sang. Ensuite, il faudrait que tu arrêtes de prendre des saloperies. Fous ton étui à violon directement à la poubelle et tout devrait s'arranger. Insomniaque suivant !

Jacques Klein lève la main.

– Je m'appelle Jacques.

– BONSOIR, JACQUES !

– Je suis étudiant en médecine. Je viens de perdre ma mère.

– Morte ?

– Disparue du jour au lendemain sans laisser de trace. Depuis qu'elle ne donne plus signe de vie, je n'arrive plus à dormir. J'ai testé les formules légères d'aide à l'endormissement puis les somnifères. Avec les somnifères, je me sens comme cotonneux, j'ai l'impression que cela transforme mon cerveau en purée de pois chiches.

L'assemblée approuve comme si tous étaient passés par là et connaissaient cette sensation désagréable.

– Continue, Jacques, propose le meneur.

– Je dors très peu, je dors mal, quand je me réveille j'ai des vertiges, je sais que si je tentais de conduire, je serais un danger public.

Là encore plusieurs personnes hochent la tête.

– Qu'attends-tu de ce genre de réunion, Jacques ?

– Le simple fait de savoir que je ne suis pas le seul à vivre ça, c'est déjà beaucoup. J'ai l'impression que non seulement on est puni de quelque chose qu'on ignore mais qu'on ne peut pas en parler aux autres. Comme si ne pas dormir était « honteux ».

À nouveau, une approbation générale se fait entendre dans l'assistance. Puis le maître de cérémonie donne la parole à un animateur d'émission de radio qui, depuis qu'il travaille de nuit, n'arrive plus à trouver un sommeil normal. Se succèdent ensuite un vigile de parking, un policier des quartiers dangereux, une prostituée du bois de Boulogne, un écrivain de romans d'horreur, un humoriste célèbre (qui a tenu à ce que sa présence reste secrète), un gardien de phare, une mère qui est sur le point d'assassiner son enfant hyperactif, un boulanger qui se lève trop tôt, un taxi de nuit qui ne récupère pas le jour. Un camionneur insomniaque signale qu'il est enfin arrivé à s'endormir et tous le félicitent même si cela s'est produit alors qu'il était en train de rouler sur l'autoroute. Il n'a cependant causé aucun accident, précise-t-il, car la route était droite et que, durant son somme, le camion n'a pas dévié de son trajet. Parmi les autres cas de réussite, le groupe entend également le témoignage d'un joueur qui passait son temps à jouer aux jeux vidéo et à ne dormir que par petites siestes. Il annonce avoir réussi une nuit de sommeil complète grâce à un nouveau jeu où il ne faut tuer personne mais qui est « quand même prenant ».

À la fin, tous sont invités à prendre un verre de cidre doux dans des gobelets en plastique pour fêter l'arrivée des nouveaux insomniaques dans leur association.

Jacques rejoint Justine, la junkie gothique.

— Je peux voir votre langue bifide ? questionne-t-il. Je n'ai jamais rien vu de pareil auparavant.

Elle acquiesce et lui fait même un petit numéro : elle attrape une cacahuète et la tient avec les deux pointes de sa langue qui forme ainsi une sorte de pince.

— Ça ne fait pas mal ?

— Je n'ai aucun préjugé contre la douleur, répond-elle. Elle permet de se sentir vivre plus fort. Certains de mes tatouages ont été plus douloureux que cette petite opération sous anesthésie.

— Ah oui ! J'oubliais que vous êtes étudiante en philosophie. Stoïcienne ?

— Non, philosophie masochiste. Cela consiste à souffrir pour se sentir vivre. Et puis c'est tellement bon quand la douleur s'arrête... Et vous, vous êtes étudiant en médecine spécialisé en quoi ?

— Je suis neurophysiologue. Ma spécialité, c'est le sommeil.

Elle éclate de rire et est sur le point d'avaler de travers sa cacahuète.

— C'est une blague !

— Non ! Les cordonniers sont toujours les plus mal chaussés.

— Vous m'impressionnez.

— Cela n'a rien de surprenant, on cherche toujours ce qu'il nous manque. Vous êtes étudiante en sagesse et, de ce que j'ai compris, pas vraiment sage. Et moi, je suis étudiant en sommeil et je ne dors plus. Et pourtant j'ai testé tous les moyens connus.

Elle le scrute avec plus d'attention. Son regard brille un peu et elle bat des paupières.

— Et puis je suis fainéant depuis ces derniers temps, je traîne, je ne vais plus en cours, je ne vais plus à l'hôpital, je suis dans une phase « trois points de suspension ».

— Si vous voulez, je connais un moyen de dormir qui n'a été évoqué par aucun de ces tarés.

Ils rapprochent leurs visages. Leurs lèvres ne sont plus qu'à quelques centimètres.

— Il est tard, murmure Justine. J'habite pas loin d'ici, cela vous dirait qu'on essaie de se faire dormir mutuellement ?

Justine et Jacques quittent sur-le-champ la MJC de Montrouge.

Après avoir passé plusieurs ruelles malfamées et enjambé les corps de clochards endormis sur des grilles d'aération tièdes, ils arrivent devant un bâtiment en ruine. Justine en ouvre la porte d'entrée fermée à l'aide d'un gros cadenas et ils montent cinq étages avant d'arriver dans un charmant studio sous les toits. La pièce unique est encombrée, véritable capharnaüm où s'accumulent des vêtements et des tablettes numériques. Jacques patauge sur ce sol incertain pour rejoindre un divan noir. Aux

murs, des posters de poètes – Rimbaud, Baudelaire, Prévert –
et de groupes de rock – Led Zeppelin, Iron Maiden, AC/DC,
Deep Purple.

– Amatrice de poésie et du hard rock d'antan ?

– En ce moment, j'écoute ça.

Elle lance *Wish You Were Here* des Pink Floyd sur son smartphone.

– Ça conviendra parfaitement pour notre séance « d'endormissement mutuel ».

Elle se jette sur lui, l'embrasse, lui arrache ses vêtements, le
mord, le lèche, le caresse, le pince, se déshabille à son tour,
augmente le son de la chanson qu'elle programme pour qu'elle
tourne en boucle. Ils font l'amour de manière compliquée. Elle
a toutes sortes d'appareils, de jouets en plastique aux formes sus-
pectes, de crèmes, d'onguents, de poudres, d'objets qui vibrent,
s'allument, produisent des bruits, d'huiles lubrifiantes ou de
vapeurs parfumées.

– Je ne connaissais pas tous ces gadgets, reconnaît-il.

– Les femmes sont là pour instruire les hommes. Cela s'appelle la « maïeutique », l'art de faire accoucher les esprits des
autres, hommes ou femmes.

– Merci pour ce cours. Je crois en effet qu'avant de te rencontrer j'étais un peu « classique banal ».

– Eh bien maintenant, tu es « rock'n'roll spécial ». Tu as dit
que tu t'appelais Klein, tu es de la famille de Naomi Klein, la
journaliste ?

– Euh non, je ne crois pas.

Elle agite sa langue de serpent.

– Tu as peur des femmes ?

– Bien sûr. Tout homme intelligent a peur des femmes.

– Nous sommes pourtant simples à comprendre. Je vais tout
te résumer en quelques étapes clefs. Les femmes... à 20 ans, elles
sont un peu paumées, elles courent partout, elles papillonnent,
font des expériences, comprennent tout très vite, et maîtrisent

la psychologie et les émotions. Ce sont toutes des princesses. À 30 ans, elles veulent avoir des enfants, donc elles cherchent à se fixer avec le bon géniteur, de préférence beau, riche et plein d'humour (souvent dans cet ordre). À 40 ans, elles ont eu des enfants, mais elles se demandent si elles ne se sont pas trompées de partenaire de vie (car il ronfle, il pète, il couche avec sa secrétaire). À 50 ans, elles en sont sûres et se demandent même si elles n'ont pas carrément raté toute leur vie. À 60 ans, elles concluent qu'elles ont fait les mauvais choix mais qu'il est trop tard, alors elles se résignent et mangent des gâteaux, grossissent tout en se défoulant sur leurs enfants et leur compagnon de vie (qui du coup se voûte et rentre imperceptiblement la tête dans les épaules).

Jacques Klein sourit.

— Et toi ?

— Certaines femmes ne sont pas faites pour être apprivoisées, elles aiment être libres et recherchent simplement des hommes libres pour être à leurs côtés un certain laps de temps sans faire aucun projet d'avenir.

— Quelle heure est-il ?

— Oublie l'heure. Le temps n'existe pas.

Jacques cherche et trouve sa montre. Mais Justine la lui arrache des mains et l'envoie au loin avant qu'il ait pu voir le cadran.

— Je pense qu'il doit être 11 heures et des poussières, dit-il. J'ai aujourd'hui 27 ans, mais cette nuit je vais changer. Je vais avoir 28 ans, avoue-t-il.

— Demain c'est ton anniversaire, Jacques ?

— Je suis né à minuit pile.

— Le temps n'est pas important mais les cérémonies d'anniversaire, ça, par contre, c'est sacré. J'adore les rituels.

Elle fouille dans un tiroir et en sort des bougies de tailles différentes qu'elle pose sur un gâteau surgelé sorti de son congélateur. Elle coupe la musique, allume les bougies, prend sa guitare électrique et joue « Joyeux anniversaire » avec des riffs saturés. Jacques souffle les flammes.

– Voilà, tu as bientôt, dans quelques minutes probablement, 28 ans, et je décrète que ta vie va changer. Tu ne dormais pas bien, tu vas bien dormir. Tu ne baisais pas bien, tu vas bien baiser. Tu subissais le temps en regardant ta montre et les calendriers, tu vas t'émanciper du dieu Chronos. Tu étais esclave malheureux dans tes études et ton métier t'a confiné dans les carrés des hôpitaux et des universités, tu vas devenir un homme libre et heureux qui arpentera toute la planète.

Pendant la nuit, ils refont l'amour trois fois, puis finissent par tomber, épuisés.

– C'est ça, le meilleur somnifère, dit-elle. Profite ! Dors, maintenant.

Jacques a juste le temps de se reconnecter à son smartphone pour analyser sa nuit. Justine passe deux doigts sur ses paupières pour le forcer à baisser le rideau sur le monde. Elle l'embrasse une dernière fois et il s'endort, mi-soulagé mi-curieux de ce qu'il va se passer, avec l'espoir d'avoir enfin une vraie nuit de sommeil. Et de pouvoir rêver.

Il passe le premier stade, puis le second, puis le troisième. Sa glande pinéale sécrète de la sérotonine. Il entre dans un sommeil profond et parvient à la phase de sommeil paradoxal.

31

Jacques Klein est sur l'île de Sable rose.

Il se dit qu'il a naturellement « jubjoté » pour retrouver son décor onirique d'enfance.

Il se sent merveilleusement bien dans le rêve inventé par son père et entretenu par sa mère. Il se sent enfin seul, protégé sur son île, au plus profond du songe. Au loin, un lever de soleil n'en finit plus d'être orange, s'accordant ainsi parfaitement au rose du sable. Il voit des coquillages étincelants. Les arbres rouges de sa mère font bruire leur feuillage. Il apprécie d'être là. Soudain apparaît une silhouette.

Jacques est surpris que quelqu'un puisse être sur son île de rêve personnelle. Il se frotte les yeux. Il a l'impression de connaître l'homme qui sort du brouillard dans lequel est plongée sa forêt. Il a les cheveux gris.

– Bon sang, ça marche ! s'exclame le nouvel arrivant.

Jacques observe ce visage familier. L'autre semble tout excité, partagé entre plusieurs émotions. Tout son corps exprime la joie, l'étonnement, la jubilation.

– Ça marche… ÇA MARCHE ! J'ai réussi ! répète-t-il, ravi.

Le personnage prend du sable rose entre ses mains et le laisse couler entre ses doigts, puis son regard se pose sur Jacques. Ses yeux sont mouillés par l'émotion.

– Je sais que tout cela peut paraître un peu surprenant, mais surtout, ne t'inquiète pas.

– Je ne suis pas inquiet. Je ne sais pas qui vous êtes, mais ce que je sais, c'est que nous sommes dans mon rêve.

– Je ne suis pas qu'un personnage de rêve et je ne suis pas là par hasard.

À nouveau, Jacques a le sentiment que cet homme ne lui est pas inconnu. Il a déjà vu ce visage à de multiples reprises, mais quand ? Et il comprend. L'homme a le même nez que lui, la même couleur d'yeux, le même menton, les mêmes sourcils, et surtout la même cicatrice sur le front en forme de Y. Il le scrute avec curiosité. Mais si le personnage surgissant du brouillard lui ressemble de manière troublante, il est légèrement plus ridé et ses cheveux sont gris, beaucoup plus clairs que ceux de Jacques qui sont encore bien noirs.

S'il devait le définir, il dirait que c'est un « lui-même plus âgé ». L'idée l'amuse. Jacques s'approche de l'homme et palpe tour à tour leurs deux visages pour mesurer le changement de texture de peau.

– Je n'ai pas le temps de tout t'expliquer maintenant, Jacques. Il faut tout de suite sortir de ce rêve et agir. Maman est en danger. Vite ! Vite ! Reviens dans le réel. Réveille-toi et fonce.

– Qui êtes-vous ?

– Je suis toi dans vingt ans. Donc toi âgé de 48 ans.

– Qu'est-ce que vous fichez dans mon rêve ?

– Il faut que tu acceptes ces trois idées qui peuvent sembler bizarres, je te le concède : 1) j'existe réellement ; 2) je suis l'homme que tu vas devenir dans le futur ; 3) je te parle grâce à une invention que j'ai faite (et que donc « tu » vas faire) dans ce futur. Mais là, pour l'instant, il y a urgence : maman est réellement en grand danger ! Réveille-toi ! fonce ! obéis-moi !

– Vous n'êtes qu'un personnage de mon rêve, pourquoi je devrais vous obéir ?

– Non, je te l'ai dit, je ne suis pas qu'un personnage de rêve : je suis bel et bien réel. La preuve, je te donne une information que tu n'as aucun moyen d'obtenir en dehors de moi : maman est en danger de mort. Et il n'y a que toi qui puisses la sauver. Alors réveille-toi et fonce. Vite ! Sauve maman !

– Donnez-moi une raison de croire en votre existence réelle, une seule.

– Je suis le résultat du projet secret de maman. Le sixième stade du sommeil : le « *Somnus incognitus* ». C'est précisément cela qui me permet de venir te voir ! Si tu en doutes, écoute ton intuition profonde, quelque chose en toi sait forcément que je dis la vérité !

Jacques observe attentivement l'homme.

– Je suis désolé, mais vous êtes dans mon rêve, donc vous n'êtes pas réel.

L'autre pousse un profond soupir.

– J'avais oublié que j'étais têtu à ce point. Je te promets que si nous nous revoyons, grâce au jubjotage, je t'expliquerai tout en détail, mais pour l'instant, je t'en prie, fais-moi confiance. Il faut sauver maman, elle est en danger. C'est une question de minutes, voire de secondes.

— Comment savez-vous que ma mère est vivante ? Comment savez-vous où elle est alors qu'elle a tout fait pour le cacher !?

L'autre le regarde et semble réfléchir longuement, à court d'arguments.

— Fais-moi confiance, je le sais.

— Alors où est-elle ? Puisque vous êtes si malin, Monsieur-le-personnage-de-mes-rêves-qui-se-prétend-moi-même-plus-âgé.

— En... Malaisie. C'est là que tu dois aller pour la sauver car elle est en danger de mort.

— Qu'est-ce qu'elle serait allée faire en Malaisie ?

— Souviens-toi, maman avait évoqué les Sénoïs, le « peuple du rêve ». Les Sénoïs, ces gens qui accordent plus d'importance au temps qu'ils passent à dormir qu'au temps passé éveillé. Après l'accident et la réaction de son entourage, elle a été si écœurée qu'elle est partie là-bas. Pour fuir Paris, mais aussi pour parfaire sa connaissance du monde du sommeil, afin de pouvoir réussir ses prochains lancements de pionniers vers le sixième stade.

— Et pourquoi serait-elle en danger ?

— Les Sénoïs sont un peuple de la forêt, ils sont menacés et elle les protège, mais personne ne la protège, elle. Et actuellement, maman risque de...

— Je ne vous crois pas.

— Écoute, Jacques ! Tu as le choix entre te réveiller et agir, ou dormir et laisser le monde dérouler son scénario sans toi. Tu auras toujours ce choix, mais dis-toi bien que si c'est vrai, si je suis celui que je prétends être, que maman est en danger et que tu ne fais rien, tu le regretteras toute ta vie. Es-tu prêt à prendre ce risque ? Tu te rappelles la phrase de papa ? « Celui qui n'a pas voulu quand il le pouvait... ne pourra pas quand il le voudra. »

Les deux hommes se fixent avec intensité, chacun essayant d'anticiper la réaction de l'autre.

Dans l'appartement de Montrouge, Jacques Klein ouvre brusquement les yeux. La remontée sans respect des paliers du sommeil lui donne une sorte de nausée.

Justine dort à côté de lui, nue et ronflant bruyamment.

Il cherche dans sa poche son carnet de rêves et note celui qu'il vient de faire avec le maximum de détails.

« Un autre moi-même plus âgé de vingt ans qui me demande d'aller sauver maman en Malaisie, chez les Sénoïs. »

Sur l'instant, il n'a qu'une envie : se replonger dans le sommeil enfin retrouvé. Il se recouche et se blottit contre le dos de Justine, en prenant soin d'avoir le maximum de surface d'épiderme en contact avec la peau de sa partenaire.

Cette fois, Jacques ne souhaite plus revenir sur l'île de Sable rose. Son sommeil reste donc plus superficiel, ne dépassant pas le stade 4.

32

La différence entre le rêve et le réel ne tient parfois qu'à un rayon de soleil. Comme les stores sont complètement baissés, Jacques n'a pas vu le jour se lever et la lumière ne l'a pas réveillé tout de suite. C'est un faisceau blanc dardant par un trou dans les volets qui finit par s'en charger.

– Quelle heure est-il ? marmonne-t-il.

Il rampe jusqu'à son smartphone et, après l'avoir longuement examiné sous plusieurs angles, « 15 h 34 » s'inscrit sur sa rétine. Il grimace.

– Je crois qu'il est trop tard pour que j'aille au travail.

– Moi aussi, dit Justine qui s'éveille à ses côtés. Mais je m'en fous. C'était bien, hier soir.

Elle le regarde et lui fait un petit clin d'œil.

– Je ne me souviens plus très bien...

– Tu ne te souviens pas quand tu as vomi ?

Il marque aussitôt la surprise.

– Non, je plaisante. Nous avons fait quatre fois l'amour, j'ai eu deux orgasmes et tu t'es endormi comme un bébé.

– Les bébés, ça dort mal. Ils se réveillent toutes les heures pour pleurer. Tu ne vas vraiment pas aller à ta fac de philosophie aujourd'hui ?

– Ce n'est pas un lieu fréquentable, car on n'y enseigne que la théorie et je préfère la pratique. La seule vraie philosophie, c'est apprendre à aimer.

– De quoi as-tu rêvé ? demande-t-il.

– J'ai rêvé que j'étais prisonnière de pirates, ils m'avaient ligotée sur le mât, avec des cordes très rêches qui me piquaient aux poignets et aux chevilles. Ils avaient déchiré ma chemise blanche, mais à la fin je me libérais et prenais possession du bateau pour devenir à mon tour capitaine des pirates et attaquer d'autres navires. J'avais de très longs cheveux ondulés et ma chemise était ouverte, un peu comme ça.

Elle joint le geste à la parole.

– Tu es bizarre, tu rêves de trucs qui ressemblent plutôt à des fantasmes d'homme...

– Et toi, de quoi as-tu rêvé ? Si tu fais des rêves érotiques hard, tu peux me les raconter, j'adore ça. Surtout s'ils sont très « politiquement incorrects » ou même « franchement pervers ». Rien ne me choque.

– Euh non, désolé. J'ai seulement rêvé que je rencontrais mon moi du futur qui venait me dire ce que j'avais à faire.

– Ah, ça, c'est l'« image du père ».

– C'était vraiment mon visage et non pas le sien. Ce qui était vraiment étonnant, c'est qu'il semblait réel, vraiment réel.

– Ça te dirait de sauter sur une capitaine pirate avant de manger ?

Ils font l'amour, se reposent un peu puis recommencent. Justine lui propose d'ajouter un nouvel ingrédient pour épicer leur relation : une cigarette de marijuana. Ils fument. Jacques est pris d'un fou rire. Il a bientôt une vision molle de ce qui l'entoure.

– Je n'en avais jamais goûté, c'est vraiment... déstabilisant.

Il tousse, grimace, a un frisson désagréable.

– Se lever à 15 heures. Fumer de l'herbe. Être avec une vraie femme philosophe. Voilà trois expériences qu'il te manquait et que je suis heureuse de t'offrir.

Justine agite sa langue fendue.

– Tu vas voir, ça fait faire des rêves plus colorés et psyché-déliques.

Jacques tousse à nouveau. Elle lui montre comment fumer correctement : il faut laisser la fumée franchir la barrière de défense de la gorge. Il y parvient enfin et marque la surprise devant les sensations que lui procure cette substance.

– Pour le dîner ce soir, tu veux que j'aille faire des courses ? propose-t-il.

– Non, j'ai tout ce qu'il faut dans le congélateur.

Justine se dirige vers le coin cuisine puis exhibe un plat qui ressemble plus à un pavé de brique blanc et rouge qu'à des pâtes.

Jacques observe la chose informe et affiche une moue peu enthousiaste.

– Qu'est-ce qui ne va pas, tu n'aimes pas les pâtes ? Tout le monde aime ça.

– Ça me rappelle un mauvais souvenir lié à ma mère et une amie.

– Les mères de notre génération, ce sont des catastrophes ambulantes. La mienne, c'est une pimbêche qui passe son temps à faire du shopping et à hanter les instituts de beauté et les coiffeurs.

— Ma mère m'a toujours soutenu, elle m'a éduqué, elle m'a donné le goût des livres et celui de la médecine, elle m'a appris à rêver, elle est formidable... Le seul problème est qu'elle a disparu.

— Elle t'a abandonné. Utilise le mot exact.

— Je ne sais pas. Cela a été si soudain. Elle a dû...

Sa phrase reste en suspens, créant une gêne. Justine allume des bougies rouges et se met à califourchon sur Jacques, lui bloquant les bras avec ses genoux.

— C'est quoi, ces longues cicatrices sur ton poignet ? questionne-t-il.

— Tentatives de suicide à la lame de rasoir.

Elle lui pose un baiser sur le front.

— Mais ils n'ont pas voulu de moi en enfer, il y avait probablement déjà trop de monde. Et au paradis, j'ai perdu mes accréditations.

— Et ça ? demande-t-il en désignant des marques qui s'alignent sur l'arrondi de son épaule, mal camouflées par les tatouages. Tu as raté les poignets parce que tu visais trop haut ?

— Scarifications tribales, j'ai fait ça au poignard de chasse, toute seule.

Elle se lève, se retourne pour lui montrer son dos.

On y voit des tatouages qui représentent un squelette, un jardin japonais, un dé, un as de pique, une moto et quelques phrases en lettres gothiques : « Qu'est-ce qui nous prouve qu'on existe ? », « Ce qui ne vous déchire pas vous rend plus élastique », « À force de se planter, un beau jour on devient une fleur ».

— Tu as inscrit tes cours de philo sur ton épiderme ? ironise-t-il.

Elle désigne son ventre sur lequel sont inscrites des phrases difficiles à lire du fait de la maladresse du tatoueur. Il décrypte et articule tout en lisant :

Choses à faire aujourd'hui :
1) prendre un risque,
2) m'aimer,
3) aimer quelqu'un,
4) avoir un orgasme.

Un peu plus tard, ils mangent les pâtes en écoutant de la musique. Jacques perd la notion du temps. Quand ils sont épuisés, Justine rapporte d'un placard de nouveaux sachets plastique remplis de feuilles séchées. Ils fument, se commandent deux pizzas qu'ils mangent accompagnées de bière. Puis elle remet les Pink Floyd sur son smartphone. Ils s'endorment enlacés tandis que résonnent les accords de l'album *Wish You Were Here*. Jacques fait attention à ne pas descendre jusqu'au cinquième stade, de peur de retrouver son « vieux lui-même ».

Le lendemain, la seule personne qu'ils voient de la journée est le dealer de drogue. C'est un homme ventru, blond, à longue barbe et au crâne chauve, qui a lui aussi le corps recouvert de tatouages plus ou moins gothiques. Son anneau dans le nez le fait ressembler à un taureau d'élevage. Il semble connaître parfaitement Justine.

— Vous avez l'air cool ici, tous les deux, dit-il en observant la pièce sens dessus dessous dont le sol est jonché de vêtements et de détritus alimentaires.

— Patrick est prof de philo, précise Justine.

— Je suis spécialiste de Nietzsche et mes thèmes de prédilection sont « la joie dans la destruction » et « peut-on être libre autrement qu'en asservissant les autres ? ».

— Cela a l'air... comment dire ?... « original ».

— Les jeunes adorent, mais je suis quand même très strict sur les notes. Je ne veux pas encourager le laisser-aller sur des sujets aussi primordiaux qui vont forger leur caractère. Ils doivent argumenter, trouver les bonnes références, être logiques.

— Et le boulot de dealer ?

– Fonctionnaire, ça ne paye pas assez, tout juste l'appart. Si je veux aussi rembourser ma Harley-Davidson, il me faut un deuxième job. Vous voulez de la sensimilia ? Je risque d'en avoir bientôt de la bonne en provenance d'Amsterdam.

Une fois que Patrick les a laissés, ils dînent aux chandelles, des pizzas, encore.

– Avant de te rencontrer je m'étais calfeutré dans mon lit. Seul. C'était une erreur. On peut vivre dans son lit à deux, c'est plus amusant, reconnaît Jacques.

– J'avais une vieille tante qui avait décidé, à 60 ans, qu'elle était malade. Sa fille s'est vite transformée en servante-infirmière à domicile. Du coup, cette tante ne quittait plus sa chambre et vivait dans son lit. Elle est morte à 105 ans. Je l'ai toujours enviée.

– Ça peut être un parcours d'existence sympa.

– Allez, je te propose qu'on essaie de battre le record de vie sans sortir du lit. Le record homologué est de trois mois. Mais il faut vraiment ne pas mettre un pied hors du lit. On va rapprocher toutes les affaires et on gérera le reste par téléphone et ordinateur. On n'ouvre pas les stores, on se fait livrer de la nourriture, on se fait livrer de la drogue, on baise, on écoute de la musique, on boit, on ne quitte le lit que pour les trucs vraiment obligatoires. On se photographie, on tient un blog et on exige d'être dans le livre des records.

Jacques est séduit par l'idée et approuve. Les jours se suivent sans qu'il en prenne vraiment conscience. En interrogeant avec retard son répondeur téléphonique, Jacques apprend que Charlotte ne souhaite plus le revoir. Un deuxième message stipule qu'elle ne veut *vraiment* plus le revoir. Un troisième dit que même s'il revient, elle ne lui pardonnera pas. Dans le quatrième elle lui propose de se retrouver pour avoir une explication franche et claire. Un cinquième message lui dit qu'elle ne lui en veut plus mais qu'elle souhaite vraiment une dernière explication pour « mettre les choses au point ».

Un sixième message d'un collègue étudiant en médecine lui demande pourquoi il ne vient plus en cours. Un septième, laissé par la concierge, lui signale qu'il y a du courrier pour lui qui s'accumule dans sa loge.

Jacques Klein se sent étrangement peu concerné par ces informations. D'ailleurs, il n'a même pas envie d'écouter les actualités pour savoir ce que le reste de ses congénères a encore trouvé comme moyen pour autoréguler l'espèce : guerre, épidémie, accidents, fanatisme, pollution…

Une nuit, alors qu'il dort à poings fermés, il descend jusqu'au cinquième stade, par inadvertance, et se retrouve à nouveau sur l'île de Sable rose qu'il avait jusque-là réussi à éviter.

33

L'homme qui a exactement son visage mais avec des cheveux gris et quelques rides est habillé d'une chemise hawaïenne et d'un short, chaussé de tongs et tient dans la main un verre de piña colada décoré d'une tranche d'ananas. Il se balance dans son rocking-chair qui grince et crisse sur le sable.

– Oh non ! Encore vous !

– Bonjour, « ancien moi-même ».

– Laissez-moi tranquille !

– Désolé, il se passe des choses graves en dehors de l'appartement de Justine. Maman est toujours en danger.

– Arrêtez de l'appeler « maman », il n'y a que moi qui ai le droit de l'appeler ainsi.

– C'est aussi ma mère. Et si je suis là, c'est que c'est important. Alors écoute bien : Maman est vivante. Elle est partie en Malaisie. Elle séjourne avec une tribu de la forêt : les Sénoïs. Elle court un grand danger. Il faut que tu ailles la sauver !

– Comment savez-vous ça ?

– Je te l'ai dit : je suis ton toi du futur. Je sais donc forcément des choses que tu ignores. Je vois le monde qui sera le tien dans vingt ans et je me souviens de ce que fut ma vie quand j'étais dans ton présent.

– Dans ce cas, dites-moi comment sera ce monde dans l'avenir.

– Ça, je ne le peux pas. À cause de l'effet papillon. N'importe quel petit changement dans ton présent (qui est mon passé), peut radicalement changer ton avenir (qui est mon présent). C'est ce que l'on appelle les paradoxes temporels, qui ont fait le bonheur des romans de science-fiction comme *La Machine à explorer le temps* d'H.G. Wells ou de films comme *Retour vers le futur*. Si je te donne une seule information et que tu l'utilises, cela pourrait tout changer et risquer de me faire disparaître.

– Par exemple ?

– Si je te donne le numéro gagnant du Loto et que tu deviens riche, tu pourrais te faire agresser par un voleur qui te tuerait pour dérober la somme. Et hop : je n'existe plus. Et mon invention n'existe plus non plus. Je ne peux donc pas être là, ici, devant toi. Et maman n'aura aucune chance d'être aidée !

– Vous vous débinez car vous n'êtes pas du futur, parce que vous n'existez pas et que vous n'êtes qu'un de mes délires dus sans doute à la prise de cette saloperie de drogue !

– Bon sang ! J'avais oublié que j'étais si stupide quand j'étais jeune. Il va pourtant falloir que tu comprennes que ce dialogue est possible grâce à « notre » invention.

– Et c'est quoi, « votre invention » ? Toujours le sixième stade ?

– Oui, c'est lié au stade 6, mais ce n'est pas seulement ça. J'ai baptisé cette invention Aton pour « Ascenseur temporel onirique naturel ».

– Comme Aton, le dieu égyptien qui a donné son nom au pharaon Akhenaton ?

– Exactement. Akhen-Aton qui signifie « dédié à l'Aton ».

– Et votre Aton serait une machine à remonter le temps ?

– À mon époque, enfin dans vingt ans pour toi, on le découvrira avec certitude : il est impossible de remonter le temps parce qu'on ne peut pas faire dépasser à la matière la vitesse de la lumière. Pour l'instant, on est seulement parvenu à faire revenir des particules quelques centièmes de seconde en arrière dans le temps. Donc pas question de faire remonter plusieurs minutes, et à plus forte raison plusieurs années, à un être humain pour qu'il assiste à sa propre naissance.

– Alors c'est quoi, votre machine Aton ?

– D'abord ce n'est pas une machine, c'est un principe qui peut agir uniquement dans la dimension des rêves car il est affranchi des lois de la physique newtonienne et même einsteinienne. Le monde des rêves est un autre espace-temps où tout ce qui est impossible dans le monde matériel devient possible. Le monde des rêves échappe à tout ce qui nous contraint dans le réel. C'est pour cela que je peux être face à toi maintenant.

– Votre Aton serait donc un principe qui permet le retour dans le temps en… rêve, c'est cela ?

– Plus précisément, l'Aton ne permet de retourner que dans ses propres rêves de jeunesse.

Il se lève de son rocking-chair et commence à marcher, invitant son plus jeune lui-même à le suivre, comme deux touristes en vacances sur une île tropicale. Jacques digère l'information. Il répète pour essayer de se convaincre :

– Une machine à remonter dans ses propres rêves de jeunesse… Parce qu'on échappe aux lois physiques de la matière… Et vous voulez que je croie ça ?

– La preuve que ça marche : je suis là.

L'homme s'arrête et lui fait face. Ils sont exactement de la même taille. Le Jacques aux cheveux noirs s'approche et touche à nouveau le visage de celui aux cheveux gris comme pour se persuader qu'il est bien réel. Il laisse un instant son doigt sur la cicatrice en forme de Y laissée par Wilfrid. Il touche le menton, souligne du doigt les rides.

– Pour bien se repérer, nous n'avons qu'à nous appeler par nos initiales associées à notre âge. Tu es le Jacques Klein de 28 ans alors on pourrait t'appeler « JK28 » et moi je suis le Jacques Klein de 48 ans, donc « JK48 ».

Le jeune homme ne répond pas et continue de palper le visage, fasciné par ce miroir vieillissant en relief.

– Et c'est moi qui vais inventer le moyen qui a rendu possible ce contact aujourd'hui ?

– Dans exactement vingt ans.

JK28 hoche la tête, touchant les cheveux gris comme s'il voulait s'assurer qu'il ne s'agit pas d'une perruque.

– Évidemment, ce serait extraordinaire... Une machine à remonter dans les rêves de sa propre jeunesse pour se parler à soi-même en plus jeune.

– « C'est » extraordinaire.

– Je n'y crois pas. Vous n'êtes qu'un délire envoyé par mon inconscient. Rien, dans mes rêves, ne peut être extérieur à moi. Rien.

– De toute façon, le fait que tu y croies n'est pas déterminant. Ce qui est important désormais, c'est que je réussisse à te convaincre de partir en Malaisie pour sauver maman.

– Parce que je devrais suivre les conseils d'un rêve ? Laisser tomber Justine et prendre l'avion pour un pays que je ne connais pas et où je n'ai rien à faire ! Et vous pensez vraiment que je vais faire ça ?

– Ce serait mieux, oui. Et pour toi, et pour moi, et pour maman.

– Je vais ouvrir les yeux, vous allez disparaître et tout va rentrer dans l'ordre.

JK48 le fixe d'un air navré.

– J'aurais préféré éviter cela, mais puisque tu ne m'écoutes pas je vais être obligé de passer aux menaces.

– Me faire menacer par le futur moi-même dans un rêve !
On aura vraiment tout entendu, ironise le plus jeune.

– J'ai un moyen d'agir sur toi depuis le monde des rêves.
Un moyen que je ne voulais pas utiliser car il est très pénible,
mais si tu m'y obliges…

– Et vous croyez que vous me faites peur ?

– Je l'espère.

– Même pas… en rêve. Ma décision est prise : je n'irai pas
en Malaisie. Allez, ciao !

Jacques tente alors de se réveiller, mais rien ne se produit.
Étonné, il essaie à nouveau d'ouvrir les yeux mais reste coincé
dans le rêve. Alors, JK48, toujours aussi affligé, claque des doigts
et soudain, le bruit de la mer, des oiseaux, du vent dans les
arbres, est remplacé par le son du ronflement de Justine.

– Que se passe-t-il ?

– Cela a un nom médical : « paralysie du sommeil ». Ça
arrive parfois par accident, mais en l'occurrence pas cette fois,
c'est moi qui ai déclenché ce phénomène, pour te forcer à
m'écouter. C'est mon moyen d'action sur toi.

– Un personnage de rêve ne peut…

– Crois bien que je regrette de devoir te faire du mal, mais
il est vraiment important que tu partes vite chez les Sénoïs en
Malaisie. Il ne tient qu'à toi que tout revienne à la normale.

Après, il se produit un autre événement troublant. Le soleil
levant de l'île de Sable rose s'éteint d'un coup, et la seule chose
que Jacques devient capable de discerner, c'est une surface marron qu'il connaît bien car c'est celle de ses paupières vues de
l'intérieur. Il essaie de bouger les mains, les orteils, les jambes :
impossible.

34

Il est prisonnier d'un corps inerte.

Il sent Justine remuer à ses côtés : elle va pouvoir l'aider, mais celle-ci, après s'être levée du lit et lui avoir déposé un baiser sur le front, le laisse seul.

Elle croit que je dors ! Il faut que je l'appelle.

« *JUSTINE ! JUSTINE !* »

Il est certain d'avoir envoyé les influx nerveux mais sa gorge, ses lèvres et sa langue refusent de laisser sortir les mots. Jacques Klein se demande soudain si tout cela n'est pas un mauvais rêve, et il ne peut même pas se pincer pour s'en assurer !

Il n'a plus qu'à attendre et prier pour que la connexion entre son esprit et son corps revienne.

Ou espérer que Justine finisse par se rendre compte qu'il est incapable de bouger.

En effet, la jeune femme finit par s'inquiéter du sommeil anormalement prolongé de son ami. Elle le secoue. De plus en plus violemment. Elle le retourne sur le dos, lui touche rapidement la poitrine puis pousse un cri. Jacques l'entend parler, paniquée, au téléphone, mais ne distingue pas tous les mots. Après avoir raccroché, elle le secoue de plus belle, en vain.

Enfin quelqu'un sonne à la porte.

Il reconnaît la voix de Patrick, le professeur de philosophie dealer de drogue.

– C'est dingue ! Je ne m'attendais pas à ça ! C'est arrivé ce matin ! Il n'a pas bougé depuis tout à l'heure.

Jacques sent que l'autre lui prend le pouls, palpe sa poitrine, son cou au niveau des jugulaires.

Peut-être que mon cœur ne bat plus, ou à peine ? J'ai eu un accident cérébral, un AVC en plein rêve profond, et je me retrouve bloqué, incapable de faire quoi que ce soit. Si seulement je pouvais ne serait-ce que soulever les paupières ou ouvrir la bouche !

Jacques essaie de se calmer, afin d'analyser froidement la situation.

Maman avait déjà évoqué la paralysie du sommeil. Due, selon elle, à une remontée trop rapide du sommeil le plus profond jusqu'à la surface. La paralysie du sommeil, oui, c'est forcément ce qui m'arrive. JK48 m'a fait passer du stade 5 au stade 0 en brûlant tous les paliers. C'est ça qui a provoqué ce « bug ». Je suis coincé entre le monde des rêves et le monde réel. JK48 m'avait prévenu qu'il me punirait si je ne l'écoutais pas.

À nouveau il sent qu'on le pince, palpe, secoue. Ne plus pouvoir faire obéir son corps est une sensation horrible. Sa paupière est soulevée par un gros doigt. Il aimerait tant pouvoir mouvoir sa pupille ! Mais celle-ci reste immobile, rien à faire.

— Il est mort ? demande Justine.

— Ça en a tout l'air.

— Overdose ?

— Vous avez pris quoi hier ?

— Tes produits. J'en ai pris moins que lui.

— Une allergie ?

— Ça peut tuer, une allergie à la marijuana ?

— Je ne suis pas médecin, mais une fois, j'ai fait un œdème de Quincke en mangeant une crevette, et je peux te dire que j'ai failli y passer. Alors il suffit qu'à Amsterdam ils se soient amusés à mettre de la strychnine ou de la morphine dedans, pour augmenter les effets, et cela a pu provoquer ça. Va savoir ce qu'ils font de leur herbe, les Hollandais. Tout le monde trafique les produits, de nos jours on ne peut faire confiance à aucun dealer, ils mettent du cirage dans le shit, du liquide WC dans la cocaïne, de la paille dans l'herbe. Qui osera parler de la difficulté à trouver des drogues pas coupées !

À nouveau, Jacques sent qu'on le manipule. Patrick lui soulève une paupière et approche son visage au plus près : iris contre iris.

— L'est complètement mort, ton bonhomme, diagnostique le professeur de philosophie. C'est plus qu'un tas de viande bientôt faisandée.

— Qu'est-ce que je fais ? J'appelle le médecin ? Les pompiers ? questionne Justine.

La paupière est relâchée, ôtant à Jacques la possibilité de voir la suite de la scène. Il lui reste le son :

— Il y aura forcément une enquête. Ils vont faire venir les flics, ils feront une prise de sang et comprendront que le type a pris de la drogue. Tu as vu la série télévisée *Les Experts* ? Ils vont trouver de l'ADN ou des empreintes. Pour toi et moi, cela va forcément générer de gros soucis. Nous ne pouvons pas prendre ce risque.

— Alors on fait quoi ? Patrick, on fait quoi ?

Justine est devenue hystérique et Jacques se sent plus que jamais prisonnier de son corps, il essaie à nouveau de bouger ses mains. Plus rien ne lui répond. Il n'est qu'un pur esprit coincé dans un corps inerte de 73 kilos, sans la moindre commande nerveuse en état de fonctionner.

— Il faut se débarrasser du cadavre. Des gens l'ont vu venir chez toi ?

— Les livreurs de pizza sont restés dans l'entrée. Non, à part toi, personne ne sait qu'il est là.

— OK, alors on n'a pas le choix, il faut faire le « nécessaire ».

— Tu penses à quoi ? L'acide ? La broyeuse ? On le brûle ?

— Non, il restera toujours les dents.

— Alors quoi ? Il faut faire quelque chose, Patrick ! Tu ne peux pas me laisser en plan ! Je ne veux plus de « ça » dans cette pièce.

— Attends, j'ai une idée pour nous débarrasser du corps en toute sécurité.

Jacques entend des bruits de meubles qu'on déplace. On l'attrape par les épaules et par les jambes et on le dépose sur un tapis. Qui est roulé. Puis hissé sur les épaules du dealer prof de philo. Jacques entend le bruit d'une porte qui s'ouvre.

— Ton ascenseur est trop petit, il faut le transporter par l'escalier. Aide-moi, prends-le par les pieds.

Jacques sent son corps qui s'incline et tressaute à chaque marche que les deux autres descendent. Une voix se fait entendre : un voisin vient de faire son apparition.

— Bonjour, mademoiselle.

— Bonjour, monsieur Khara.

— Alors, vous sortez votre vieux tapis pour le vendre à la brocante ?

— C'est cela.

— Il a l'air lourd, vous voulez que je vous aide ?

— Non, ça ira. Merci.

La descente reprend et, soudain, Justine lâche le tapis. Une douleur fulgurante envahit Jacques mais le signal nerveux ne part que du corps vers le cerveau et non l'inverse. Justine et Patrick réussissent, tant bien que mal, à faire entrer le corps inerte dans l'étroit coffre de voiture du dealer.

Jacques Klein commence à désespérer.

Je dois réussir à bouger.

Après une demi-heure de route, Jacques entend le coffre qui s'ouvre. Puis il est jeté à terre.

— Il faudrait trouver quelque chose pour le lester, annonce Patrick, en spécialiste.

— Ce gros caillou, ça pourrait aller ?

— Non, il faut quelque chose de plus lourd. Tiens ! Là, attrape la corde, attache-la à ses pieds et je vais y accrocher ces gros parpaings de béton : ça devrait le faire couler à pic.

Couler à pic ? Il a bien dit couler à pic ? Bon sang ! Ils sont en train de se débarrasser de mon corps en le jetant à l'eau !

161

– Je ne sais pas bien faire les nœuds, dit Justine, tu crois que c'est solide comme ça ?

– Non, serre plus fort, sinon il va remonter à la surface. Les noyés, ça remonte toujours.

Soudain, Justine se fige.

– J'ai cru entendre quelqu'un !

– Arrête d'avoir peur ! Ici, à cette heure, pas de risque que nous soyons dérangés. De toute façon, tu m'as dit que ton macchabée n'avait pas de famille et que sa mère avait disparu. Bon, allez Justine, prends-le par les pieds comme tout à l'heure et on va le balancer pour l'envoyer le plus loin possible dans le canal... Attends, repose-le, ça ne va pas.

– Qu'est-ce qui ne va pas ?

– Le lest, dit Patrick. Ce n'est pas assez lourd. Il faut trouver un troisième parpaing. Tiens ! Celui-là.

Comprenant qu'il n'y a plus qu'une seule chose à faire, Jacques décide de redescendre dans le monde du rêve. Utilisant sa maîtrise du jubjotage, il passe le second, le troisième, puis le quatrième stade et se retrouve vite en sommeil paradoxal sur l'île de Sable rose. Le vieux lui-même est là dans son rocking-chair, en train de siroter sa piña colada en chemise hawaïenne.

– JK48 ! Faites quelque chose !

– Tu voudrais que je fasse quelque chose pour agir en ta faveur ? C'est cela, ta requête, JK28 ?

– Vite, ils vont me noyer !

– Tu sais quelle est ma condition ?

– Non... enfin oui... enfin...

– Si je te sauve de cette situation délicate, tu dois abandonner Justine, la vie au lit, la drogue, et partir immédiatement en Malaisie chez les Sénoïs pour retrouver maman. Nous sommes bien d'accord ?

– Faites vite !

– Tu t'y engages ?

– Sauvez-moi d'abord, on en reparle ensuite. Sortez-moi de là, JK48 ! Je vous en supplie !

– Tu reconnais maintenant que je suis suffisamment réel pour avoir ce pouvoir ?

– FAITES VITE !

– De toute façon, si tu te défiles je te referai le coup de la paralysie du sommeil. Tu es prévenu.

– Assez discuté, tirez-moi de là, bon sang !

– C'est dommage qu'il faille en passer par la menace pour te faire obtempérer. J'aurais tant préféré que tu agisses avec enthousiasme et bonne volonté. Mais non ! C'est la peur qui te fait avancer dans la bonne direction.

Le « vieux Jacques » pose son verre de piña colada par terre et lui étreint les tempes des deux mains.

– Ferme les yeux et quand je dirai « zéro » tu pourras soulever tes paupières. Cinq : tu quittes le cinquième niveau ; quatre : tu te retrouves en sommeil profond mais tu continues de grimper vers le réel ; trois : tu remontes et t'approches du sommeil léger ; deux : tu es en sommeil léger ; un : l'éveil est bientôt là avec, cette fois-ci, la possibilité d'ouvrir les paupières et de voir le monde normal. Et à zéro tu ouvriras les yeux. Attention... ZÉRO !

La première chose que le jeune Jacques distingue est la lune. Juste après, il entend des cris. Et les quatre mains qui le tenaient le lâchent en même temps. Il a l'impression que son dos se brise.

Justine hurle de terreur :

– AAAHHH ! IL EST ENCORE VIVANT !

Patrick recule en tremblant.

Jacques Klein regarde autour de lui : une sorte de terrain vague face à un canal. Il délivre ses pieds de la longue corde reliée aux trois gros parpaings de béton posés sur la berge. Justine et Patrick sont déjà remontés dans la voiture et s'enfuient dans la nuit.

Jacques, seul et désemparé, fixe l'eau marron du canal de l'Ourcq. Un frisson désagréable le parcourt quand il repense à ce qu'il vient de vivre, et ce à quoi il a échappé.

La pluie se met à tomber, la marche lui fait peu à peu reprendre ses esprits : il a désormais l'espoir de retrouver sa mère.

ACTE II

Compagnon rêveur

35

Une mouche, deux mouches, trois mouches, cent mouches. Un bourdonnement assourdissant.

Jacques Klein est sur le marché central de Kuala Lumpur. À côté des immeubles ultramodernes comme les tours Petronas (longtemps considérées comme les plus hautes du monde), circule une population bigarrée, bruyante. Les voitures avancent au klaxon. Les plus sourds et les moins rapides à dégager devant les véhicules des riches étant perçus comme des êtres de toute façon condamnés par le destin. Des gens crient, pour s'insulter, pour essayer de vendre leur camelote. L'odeur des pots d'échappement des voitures diesel antédiluviennes se mélange à des odeurs de friture et d'ordures dont la décomposition est accélérée par la chaleur moite.

Arrivé le matin même dans la capitale malaisienne, Jacques découvre une ville schizophrène, où les influences modernes, médiévales, occidentales, extrême-orientales, musulmanes, voire animistes cohabitent bon an mal an. Des passants crachent des mollards verts et beiges épais comme des huîtres. Chaque pulvérisation de projectile est précédée de raclements de gorge avertisseurs. Il sait cependant que pour la population locale, cracher est considéré comme excellent pour la santé car cela permet d'évacuer les mauvaises humeurs internes.

Les femmes arborent pour la plupart des foulards dissimulant leurs cheveux et baissent les yeux dès qu'un homme apparaît dans leur champ de vision. Celles qui sont déjà mariées sont entourées de ribambelles d'enfants et la bouée que forme leur ventre les protège de toute approche intempestive. Seules les Chinoises et les femmes bouddhistes, minoritaires, exhibent leur visage, leurs cheveux ou leurs mains, mais elles marchent vite pour ne pas risquer d'être sifflées. Les jeunes hommes, par contre, se tiennent, tels des couples, par la main, puisqu'il leur est interdit de toucher une femme avant le mariage.

Au-dessus de cette masse humaine grouillante, des publicités apparaissent sur des écrans vidéo géants vantant de manière aléatoire le soda sans sucre, le retour à la prière à la mosquée la plus proche, des voitures allemandes et les valeurs familiales, des cigarettes américaines, des soap operas thaïlandais, de l'électro-ménager chinois, du parfum français, la sécurité routière et sur-tout le nouveau Premier ministre issu du parti Justice et liberté qui semble prôner un programme d'austérité et de morale reli-gieuse stricte. Une affiche du ministère du Tourisme vante le nouveau delphinarium géant, avec ses cétacés apprivoisés que les enfants peuvent d'autant plus facilement caresser que la rencontre s'opère dans des bassins minuscules où les animaux peuvent à peine bouger.

Des scooters électriques zigzaguent, chevauchés par deux à cinq personnes, parfois surmontés de paniers grillagés remplis de poules, parfois de sacs remplis d'enfants. Cependant, les visages sont joyeux et les gens sourient largement, exhibant leurs dents dorées, signe de réussite sociale.

Jacques Klein arrive enfin à l'ambassade de France, au 196 Jalan Ampang, passe une grille blanche, montre son passeport à un garde, sourit à plusieurs caméras de surveillance et franchit l'entrée d'un ancien hôtel colonial transformé en bunker puis plusieurs systèmes de sécurité, toujours en présentant ses papiers d'identité. Après une longue heure d'attente, il est enfin dirigé vers le service culturel de l'ambassade.

– Caroline Klein, dites-vous ?

L'homme répondant au nom de Michel de Villambreuse a une trentaine d'années. Il porte une perruque aux reflets plastique équilibrant une épaisse moustache bien cirée qui lui donne l'allure d'un homme du XIXe siècle. Il pianote sur son ordinateur puis annonce avec regret :

– Non, désolé, personne n'est venu se déclarer sous ce nom. Vous savez, il y a des milliers de touristes français qui viennent ici chaque année, et tous ne sont pas inscrits dans nos fichiers. On n'y trouve que les inquiets.

– Et les Sénoïs ? Ma mère était à leur recherche. C'était, enfin je voulais dire « c'est » une neurophysiologiste spécialiste du sommeil, et elle voulait à tout prix les rencontrer.

L'attaché culturel semble soudain très intéressé.

– Étonnant que vous me parliez des Sénoïs ! Figurez-vous que je les ai cherchés moi aussi. Ils me passionnent. J'ai voulu leur consacrer un mémoire, après en avoir entendu parler dans un roman.

– Où peut-on les trouver ?

– Actuellement, je l'ignore. C'est un peuple nomade. Ils migrent souvent, ils établissent un village pour une saison puis, selon la météo, ils bougent pour rejoindre la zone où ils trouveront le plus de gibier pour la chasse et de fruits pour leur cueillette. C'est vraiment un peuple très ancien.

Michel de Villambreuse se lève pour fouiller dans une armoire débordant de papiers.

– Il y a quelques mois, un journaliste est venu se signaler ici par précaution. Il…

L'attaché culturel se lisse la moustache à la manière du regretté USB, manifestement satisfait d'avoir mis la main sur le document qu'il cherchait.

– Ah, le voilà ! C'est un reporter free-lance. Venu il y a de cela six mois, il comptait aller dans la forêt centrale pour débusquer les Sénoïs. Mais il avait peur d'avoir des soucis avec eux ou avec les bûcherons, ou même les braconniers qui peuvent être un peu agressifs. Je n'ai plus entendu parler de lui. Donc, soit il a fait son reportage et est rentré en France, soit il y a renoncé. En tout cas, ce qui est certain, c'est qu'il connaissait très bien le sujet.

– Si par hasard ce journaliste est toujours à Kuala Lumpur, vous pourriez m'indiquer où le trouver ?

Le fonctionnaire se fait plus réservé :

– Normalement, c'est une information personnelle, je ne suis pas autorisé à vous la fournir.

Jacques Klein fixe l'homme à perruque et moustache et sait qu'il joue son va-tout. Sa mère lui a un jour conseillé de dire aux gens, non pas la vérité, mais ce qu'ils ont envie d'entendre, en lui précisant que « chaque serrure a une clef particulière ». Il se retient donc d'évoquer sa pratique spéciale du sommeil et les circonstances troublantes qui l'ont conduit à venir en Malaisie contre sa volonté. Une photographie de l'attaché d'ambassade entouré d'une grande famille est posée sur la table, mais le levier familial ne lui semble pas adéquat. Puis il avise la grande bibliothèque pleine de livres. Et constate qu'il y en a sur son bureau, certains encore entrouverts.

– C'est pour écrire mon roman.

L'homme change aussitôt de physionomie.

– Ah ? Vous êtes écrivain ?

– Je ne voulais pas en parler pour ne pas...

– J'adore les écrivains ! Vous savez, moi-même je taquine un peu la plume, de la poésie pour l'instant, mais bon... j'espère aussi un jour écrire un roman.

Jacques regarde la mappemonde accrochée au mur où tous les lieux de séjour de l'attaché culturel sont signalés par des punaises.

— Je suis persuadé que vous aurez de nombreuses anecdotes à raconter puisque vous voyagez souvent dans des pays exotiques.

Michel de Villambreuse devient beaucoup plus amène.

— Et donc, vous voulez écrire sur les Sénoïs, monsieur Klein ?

— Oui, un grand roman sur les Sénoïs, et sur les travaux de ma mère sur le sommeil, inspirés par ce peuple.

— Dans ce cas, en effet, il est normal que je vous aide, mais puis-je vous demander une faveur ? Mentionnez-moi dans les remerciements, pour montrer à mes supérieurs que je soutiens la culture française dans ce qu'elle a de plus noble.

— Alors, quel est le nom de ce journaliste qui connaît si bien les Sénoïs ?

Michel de Villambreuse se lisse la moustache.

— Là où vous avez le plus de chances de le trouver, là où je sais qu'il traînait souvent avant de disparaître, c'est au Paradis. C'est un tripot. Je vais vous noter son nom et vous donner l'adresse précise. Vous verrez, il y a beaucoup de journalistes et beaucoup de Français là-bas.

36

Des effluves d'eau croupie et d'urine flottent au-dessus de la surface du bras du fleuve Sungai Klang où des jonques aux coques de bois recouvertes d'algues jaunes côtoient des embarcations modernes de plastique blanc appartenant à des mafieux, amis du maire de la ville. Ceux-ci sortent de leurs bateaux accompagnés d'imposants gardes du corps équipés de lunettes noires et d'oreillettes, la main sur le cœur, où se trouve probablement une arme.

Des rats circulent entre les jonques en s'aidant de leur queue pour s'orienter et se propulser. Par moments, ils sont happés par une gueule de serpent aquatique qui les saisit à la gorge avant de les emporter au fond de l'eau trouble.

Les relents du fleuve laissent place à des odeurs de cuisine, mélange de caramel, de piment, de curcuma, de saumure de poisson et de clou de girofle.

Jacques approche de l'adresse.

Les rues grouillent de masseurs de pieds, de mendiants, de diseurs de bonne aventure. Les échoppes bondées de chalands et débordant de condiments bizarres et très odorants sont tassées les unes sur les autres. Des hommes accroupis manipulent des serpents vivants qui se débattent autour de bâtons. Des reptiles écorchés dont suinte un sang noirâtre sont suspendus à des cordes avec des pinces à linge. Plus loin, ce sont des chiens, le museau ficelé pour les empêcher d'aboyer, qui sont trempés vivants dans de l'eau bouillante pour donner un goût plus salé à leur chair lorsqu'ils seront utilisés comme viande à soupe. Beaucoup de gens mangent dans la rue, tandis que des enfants jouent dans les rigoles avec des détritus rougis de sang.

Des commerçants lui proposent des aliments frits difficiles à identifier. Des jeunes filles lui murmurent des prix à l'oreille. Un garçon d'une dizaine d'années l'invite à goûter à des blattes sautées dans une huile épaisse au fond d'un wok noir. Un autre, un peu efféminé, propose de lui faire visiter la ville, affirmant dans un anglais parfait : *I speak French, sir.*

Jacques Klein s'imprègne du décor et de l'ambiance, mais reste concentré sur son objectif.

Des mendiants s'accrochent à son pantalon. Il passe la main dans sa tignasse noire pour se donner une contenance et fait signe qu'il n'est pas intéressé. Mais déjà d'autres brandissent des reptiles écorchés agonisant lentement, lui tendent des oiseaux en cage et des verres pleins d'un liquide marron : du sang de serpent, à boire d'un trait pour reprendre des forces. Il passe son chemin. Plus loin, ce sont des lézards et des araignées qui sont exhibés comme autant de friandises à déguster, toujours trempés dans de l'huile à frire visqueuse et marronnasse.

Jacques Klein cherche un bon moment le numéro du Paradis dans la rue Jalan Petaling. Enfin, il distingue l'inscription sur un mur décrépit.

Vu de l'extérieur cela ressemble à un restaurant, si ce n'est qu'il n'y a pas de menu, seulement un rideau rouge avec un énorme dragon noir tenant dans ses serres une sphère de jade. Derrière le rideau, une large salle où s'alignent des lits semblables à ceux d'un hôpital. Les draps grenat sont tachetés de gris et d'ocre. Ici, le produit vendu n'est pas solide ou liquide, il est gazeux. La plupart des consommateurs tètent de longues pipes dont le foyer grésille de boulettes très odorantes.

Une opiumerie.

Plusieurs hommes torse nu, avachis ou gisant les yeux mi-clos, semblent dormir. Des filles jeunes et minces, enveloppées dans des sarongs de coton, circulent entre les lits et changent les boulettes brunes quand elles sont devenues cendres. Lorsque les bouches aspirent, les foyers des pipes s'éclairent d'une lueur orange qui révèle des visages ridés et des yeux pâles et éteints.

Jacques Klein a repéré sur Internet le faciès du journaliste mais comme la plupart des clients ont le visage caché dans leurs bras, il s'adresse à l'une des jeunes filles.

– Je cherche un certain monsieur Charras, Franckie Charras.

En anglais, elle lui dit qu'ici on ne connaît ni les noms ni les prénoms des clients. Il ne lui reste plus qu'à arpenter les rangées de lits à la recherche du journaliste.

– Monsieur Charras ? Franckie Charras ? chuchote-t-il près des silhouettes qui lui semblent occidentales.

Rares sont ceux qui se donnent la peine d'ouvrir les yeux. Beaucoup se contentent de râler ou tousser.

Une vieille femme s'approche de Jacques et lui fait comprendre que son petit manège commence à déranger son commerce. Mais Jacques continue, imperturbable, à chercher l'homme. Les clients se mettent à râler franchement. La patronne appelle un gros bras menaçant qui se plante devant Jacques et lui hurle ce mot universel :

– Out !

Mais Jacques ne veut pas renoncer. Il avance dans les travées répétant inlassablement la phrase : « Charras ? Franckie Charras ? » Ni une ni deux, le gros bras malaisien l'attrape et le jette sur le trottoir.

Entêté, Jacques décide de rester posté à l'entrée du Paradis. Enfin, au bout d'une heure, il repère un client qui en sort en titubant. Même visage boursouflé, mêmes menton hirsute et grands yeux bleus que sur la photo repérée sur la Toile. Jacques hésite à l'aborder tout de suite et préfère le suivre. Le journaliste marche lentement, difficilement. Il trébuche souvent, s'arrête parfois comme pour reprendre des forces. Soudain, alors qu'il traverse une avenue, il s'y effondre en plein milieu. Une première voiture l'évite de justesse. Une autre fait de même et klaxonne, mais l'homme ne se relève pas. Un jeune garçon qui a repéré la scène se penche sur le corps et, faisant mine de vouloir l'aider, lui fait les poches. Jacques le chasse et aide le journaliste à se redresser. Ils rejoignent le trottoir tandis que des voitures klaxonnent nerveusement sur leur passage. Une fois son fardeau déposé sur le trottoir, celui-ci se met aussitôt à ronfler. Jacques hésite à le réveiller et, dans le doute, préfère rester à ses côtés, pour le protéger d'éventuelles récidives de pickpockets. Au bout de dix minutes, Charras se réveille en sursaut.

– Un type a essayé de vous faire les poches. Je l'ai dégagé, dit Jacques en guise de bonjour.

– Hum… merci. Vous êtes un touriste français ?

– Je suis venu au Paradis pour vous trouver. Pouvons-nous parler ? Il paraît que vous connaissez les Sénoïs.

L'homme vérifie quand même en se palpant qu'il n'a rien perdu, sent la présence de son portefeuille, et se détend.

– Qui vous a dit ça ?

– L'attaché culturel de l'ambassade, Michel de Villambreuse.

– Désolé, je n'ai finalement jamais fait ce reportage sur eux, je ne vais pas pouvoir vous aider.

– J'aimerais quand même en discuter avec vous, c'est possible ?

– Dans ce cas, commencez par m'inviter au restaurant. J'ai faim. La nourriture me remet les idées en place.

– Avec plaisir, vous avez une préférence ?

– Chez Ling, c'est le restaurant le plus « typique » de la ville. Si vous ne connaissez pas la nourriture malaisienne, c'est le lieu pour la découvrir.

Sur la devanture du restaurant on peut lire cette inscription en anglais : « ICI ON VOUS SERT LA VRAIE GASTRONOMIE MALAISIENNE. »

Ils s'assoient à une table à côté d'un aquarium.

– Vous me faites confiance sur le menu ?

Franckie Charras passe la commande en malaisien et se met à raconter sa vie en attendant les plats.

– J'étais militaire dans la Légion étrangère. Lors d'une mission en Afrique, dans une zone à risque, on nous a vaccinés contre la grippe H1N1. J'ai mal réagi au produit.

– Je crois comprendre. Je suis médecin et je me souviens que vingt pour cent des gens qui ont reçu ce vaccin ont ensuite fait des crises de narcolepsie.

– Je ne pouvais pas attaquer juridiquement l'entreprise pharmaceutique car les risques étaient stipulés sur la notice. Je ne pouvais pas non plus me retourner contre l'armée qui nous avait imposé ce vaccin.

– Et cette maladie n'est pas considérée comme grave, mais « d'inconfort »...

– En revanche, l'armée ne pouvait pas garder un type risquant de s'endormir en plein milieu d'une opération.

Un serveur leur apporte du vin de palme, qu'ils boivent à petites gorgées.

– Le problème, avec cette maladie, c'est qu'elle fait sourire. Soit on passe pour des fainéants, soit on passe pour des drogués. C'est difficile de susciter l'empathie. Quand vous racontez que vous tombez endormi partout à n'importe quel moment, les gens trouvent d'abord cela « intrigant » puis « comique » et enfin « déplorable ».

– Vous ayant vu vous effondrer au milieu d'une avenue bondée de voitures roulant à toute vitesse, sous les yeux des pickpockets qui vous guettent comme des hyènes, je compatis. C'est carrément dangereux.

– Vous ne pouvez pas comprendre ce que c'est que d'être narcoleptique : vous ne pouvez plus conduire (j'ai déjà eu plusieurs accidents, avant qu'on me supprime le permis), vous vous endormez en parlant au téléphone et vous vous réveillez sans savoir qui est au bout du fil. J'ai dû chercher un métier adapté au sommeil aléatoire et j'ai fini par le trouver.

– Reporter ?

– C'est un peu comme la vie des militaires : on voyage, on vise non pas avec un fusil mais avec un objectif, on appuie sur la détente et on est payé. Comme mon passé de militaire m'avait donné la capacité d'avancer sans peur sous les balles, je me suis rapidement fait un nom dans la profession. Il faut aussi reconnaître que c'est un métier où il y a beaucoup d'accidents du travail, donc beaucoup de places qui se libèrent...

Charras fait un geste de la main.

– J'étais le seul à ne pas avoir peur d'approcher des zones où ça pète à tout-va. Les autres journaleux se contentent en général des versions officielles recueillies aux bars des palaces. Ils espèrent qu'en payant des coups aux militaires, ils finiront par obtenir des scoops... Ah ! zut, le service est lent... lent. Pourquoi ils ne nous amènent pas nos plats ?

Franckie Charras commande une autre bouteille de vin de palme et continue son histoire.

– Je me suis spécialisé dans les peuples qui disparaissent. Je suis allé au Brésil, en Amazonie, auprès des dernières tribus yanomamis, au Liban auprès des milices chrétiennes maronites qui tentaient de résister à la montée du Hezbollah, chez les Papous de Nouvelle-Guinée qui luttent contre les Indonésiens, en Birmanie auprès de l'ethnie discriminée des Karens. C'est là-bas que je me suis endormi en faisant l'amour à une fille (j'avais basculé dans les rêves alors que j'étais encore en elle !) et, au lieu de se vexer, elle m'a parlé des Sénoïs. Elle pensait qu'eux seuls pouvaient me soigner de ma narcolepsie. Je suis donc venu en Malaisie pour faire un reportage, en espérant que cette tribu bizarre trouve une solution à ma maladie si particulière. J'ai contacté un journal parisien qui se disait prêt à acheter mon article, puis j'ai commencé mes investigations. J'ai fini par les localiser dans les forêts centrales du pays. Mais juste avant mon départ, le journal s'est déballonné. Aucun autre journal ou chaîne de télévision n'a voulu s'engager. Ils me disaient de travailler d'abord et qu'ils jugeraient sur pièces ensuite. J'ai passé l'âge de bosser pour rien. J'ai obtenu quelques engagements verbaux mais, comme dit le proverbe : « Promesses orales, douleurs anales. »

Il rit de sa propre blague.

– Et en attendant qu'un support quelconque s'engage, pour tromper l'ennui, j'ai utilisé un remède local.

– L'opium ?

– Ça ne soigne pas la narcolepsie mais ça vous fait oublier que vous êtes malade. Et au moins, là-bas, quand vous vous endormez, cela n'a aucune conséquence et personne ne vous juge.

– Ça détruit le cerveau.

– Oui, mais un cerveau qui déraille ne mérite-t-il pas d'être détruit ? Pour moi, je dirais plutôt que c'est une substance enthéogène.

– Ce qui veut dire ?

– « Qui te connecte à la partie divine de toi-même. »

Ce qui ressemble à des cris d'enfants se fait entendre dans le restaurant.

— J'aurais cru que les plats dans ce restaurant étaient plutôt réservés aux adultes, s'étonne Jacques.

— Ce ne sont pas des enfants.

Franckie Charras l'invite à le suivre dans une pièce voisine. Là, des cuisiniers s'affairent sur des bébés macaques dont la tête est emprisonnée dans des étaux de bois. Ils leur décalottent le crâne avant de les servir à des Malaisiens obèses, qui semblent s'amuser des piaillements émis par leur plat vivant. Tandis que les singes hurlent de panique, les clients en dégustent la cervelle rose à la petite cuillère comme des œufs coques.

— C'est la spécialité de chez Ling, explique Charras. Dès que le bébé singe arrête de crier, on considère que ce n'est plus frais et on leur décalotte un nouveau pensionnaire.

Il désigne du doigt un ensemble de cages où les pauvres animaux sont entassés dans l'attente d'être « servis ».

— Mais celui-là, c'est un orang-outan ! Ils sont en voie de disparition et protégés, il me semble.

— Dans ces cas-là, ils filent un bakchich aux gardes forestiers, alors le plat est un peu plus cher, mais les Malaisiens ne sont pas près de renoncer à les consommer.

— Pour leur cervelle ?

— On mange aussi leur foie qui est bourré de vitamines, et leur pénis qui est considéré comme aphrodisiaque.

Une fois qu'ils sont revenus à leur table, le journaliste demande au serveur d'annuler la commande car ils vont prendre autre chose.

Sans doute avait-il commandé du singe...

— Ici, ils servent des durians. Je vous conseille d'y goûter. C'est un simple fruit mais c'est aussi la grande spécialité locale.

— Du moment que ce n'est pas du serpent écorché ou de la cervelle de bébé orang-outan...

Le serveur leur rapporte du vin de palme pour les faire patienter.

— Qu'est-ce que vous leur voulez, aux Sénoïs, monsieur...

— Klein, Jacques Klein.

— Klein ? Vous êtes de la famille du physicien Étienne Klein ?

— Non. Je suis le fils de Caroline Klein, la neurophysiologiste. En fait, c'est elle que je recherche. Ma mère est partie à la recherche des Sénoïs et je n'ai plus de nouvelles.

— Depuis combien de temps ?

— Beaucoup trop longtemps.

À ce moment, le serveur dépose le durian devant eux. À peine le plat en forme de melon hérissé de pointes beiges est-il posé sur la table que s'en dégage une odeur épouvantable.

— Mais qu'est-ce que c'est que cette puanteur !

— Il ne faut pas se fier à l'odeur, le goût est délicieux. Ici, c'est le roi des fruits, il y a un marché tout entier consacré à la vente de durians, et tout le monde adore ça.

— On dirait que... On dirait qu'on a pris une poubelle pleine de rats crevés mélangés aux ordures et qu'on en a récupéré le jus pour le faire fermenter ! C'est une infection, déclare Jacques en se bouchant les narines.

— Je reconnais que certains établissements interdisent l'entrée aux individus en possession de ce fruit ! Mais vraiment, faites abstraction de l'odeur et goûtez, pour ne pas mourir idiot.

— Impossible, j'aurais l'impression de manger du vomi !

— C'est végétal, et les Malaisiens ne sont pas fous, ils le mangent et s'en régalent. Allez-y. Pour la cervelle de singe, je n'ai pas insisté, mais là, ça vaut le coup.

Le journaliste lui tend des quartiers de pulpe jaune, sans jus, à la texture molle. Jacques en prend un petit bout et l'avale. À son grand étonnement, le fruit qui pue révèle une saveur de fromage aux amandes, accompagnée d'un relent d'oignon doux et sucré. Sa bouche est envahie d'un goût puissant que le vin ou le thé n'arrivent pas à éliminer. Toute sa langue et son palais semblent définitivement imprégnés par cette colle.

– C'est gras.

– C'est très calorique et rempli de soufre. Vous en pensez quoi ?

– C'est bizarre.

– Contrairement au fromage dont les saveurs ne démentent pas l'odeur, là, ça pue mais c'est douçâtre, reconnaissez-le.

– Le durian ? Je n'en avais même jamais entendu parler.

– Non seulement ça joue sur le foie et l'intestin, et pas toujours pour le meilleur, mais ça a aussi des propriétés aphrodisiaques. Et son odeur imprègne tout. C'est une pure figure de l'Asie, maléfique et fascinante, qui change à jamais ceux qui y goûtent.

Jacques, intrigué par le lyrisme de son collègue, reprend un quartier du fruit nauséabond.

– Moi, j'ai appris à l'apprécier, se félicite le journaliste en lâchant un petit rot. Ah oui, j'ai oublié de vous préciser qu'il se digère difficilement.

– Vous savez où sont les Sénoïs ?

– Moi, je suis un professionnel et je ne me mets pas au travail pour résoudre des problèmes familiaux, vous comprenez ?

– Et pour soigner votre maladie ?

– Je n'y crois plus.

– Alors que faire pour relancer votre intérêt pour les Sénoïs ?

Franckie Charras commande deux cafés. Quand la boisson pourtant familière arrive devant lui, Jacques reste sceptique, n'osant pas approcher ses lèvres de la tasse.

– Si vous voulez que je vous aide, il faudra me payer.

– Combien ?

– Trois mille euros. Et je garde les droits exclusifs sur les ventes du reportage ou d'un bouquin que je pourrais en tirer. Vous paierez les frais de transport.

Les cris des bébés singes redoublent : d'autres clients malaisiens viennent de commander leur plat vivant et hurlant favori. Jacques n'a plus tellement envie de s'attarder dans le restaurant. Avant de partir, il propose un rendez-vous de travail au journaliste le lendemain.

— Vous verrez, la Malaisie est un pays rempli de surprises, le salue Franckie Charras en grattant son menton hirsute.

37

Ils ont pris un train rouillé, bondé et sans climatisation jusqu'à la ville de Gombak. À la gare, Franckie Charras a loué deux éléphants comme on loue des scooters. Ils ont attaché leurs sacs sur le dos des pachydermes et se sont mis en route. Ils progressent lentement.

— Vous êtes sûr que c'est le meilleur moyen de locomotion ?

— Pour aller dans la jungle ? Évidemment.

— Mais pour l'instant, il n'y a pas la moindre once de jungle à l'horizon ! Nous sommes sur une autoroute !

Les voitures les contournent et les doublent en les insultant.

— Quand nous serons en terrain accidenté, nous serons bien contents de ne pas risquer les pneus de notre voiture sur des chemins escarpés. L'éléphant peut grimper toutes les pentes, traverser les marécages et les lacs, déplacer les tronçons d'arbre qui obstruent le passage. Aucun véhicule moderne ne sait accomplir de tels exploits. Et en plus, il n'a pas besoin d'essence, il mange de l'herbe.

Jacques Klein trouve surtout cet animal très lent et très inconfortable. L'odeur est épouvantable et, à chaque pas, il craint de chuter de toute la hauteur de l'éléphant.

– Avancez davantage vos genoux vers les oreilles et mettez vos pieds comme ça, vous verrez, c'est plus stable.

– Vous utilisez souvent ce genre de transport ?

– Le plus souvent possible, dit Franckie Charras très à l'aise sur son gros bestiau, car même si je m'endors il n'y a pas de risque d'accident. C'est le seul véhicule qui peut avancer tout seul sans percuter le décor. Cela n'a pas l'air de vous plaire, monsieur Klein ?

– Le mien n'arrête pas de péter !

– Ne soyez pas négatif ! En dehors du côté exotique, c'est tout-terrain, ça protège des tigres, et même des mouches grâce à leur queue qui fouette l'air.

– Il y a des tigres par ici ?

– Très peu.

Un camion les klaxonne mais cela ne semble pas affecter les deux pachydermes qui, totalement désabusés par la race humaine, lâchent une bouse en signe de mépris.

Franckie Charras, voyant que son compagnon n'apprécie guère l'originalité de la situation, se rapproche de lui.

– Il n'y a pas d'autoradio mais je peux vous faire la conversation.

– Dites-moi de ce que vous savez des Sénoïs.

– Il y a dix-neuf groupes ethniques connus en Malaisie : les Orang Asli, ce qui signifie en malaisien « les hommes des origines ».

– Comme « orang-outan » ?

– « Orang », c'est « homme ». Orang-outan veut dire « homme de la forêt ». Les peuples Orang Asli étaient là bien avant les invasions musulmanes et la création de la Malaisie, ils sont en général animistes et, au dernier recensement, on en comptait cent treize mille. Ils sont persécutés, maltraités, utilisés comme sous-main-d'œuvre, violés sans qu'aucune association ou groupe de pression ne s'en préoccupe.

– Et les Sénoïs ?

– C'est l'Américain Kilton Stewart qui les a fait connaître au grand public. Il les a rencontrés une première fois en 1936.

– C'était un anthropologue ?

– Surtout un écrivain raté et un hypnotiseur maladroit. Il avait étudié la psychanalyse à la Sorbonne, il était ruiné et cherchait une manière de se renflouer. Les Sénoïs venaient d'être découverts par l'ethnologue anglais H. D. « Pat » Noone. Stewart est parti avec lui à leur recherche, exactement comme nous, c'est-à-dire à dos d'éléphant.

Un grand coup de klaxon agacé ponctue sa phrase. Ils quittent bientôt l'autoroute pour prendre une sente étroite menant à une piste qui longe un fleuve.

– Et voici le « fleuve Temiar ». En le remontant, comme nous allons le faire, les deux bonshommes ont fini par trouver les Sénoïs.

Il n'y a toujours pas de forêt autour d'eux, seulement des champs de palmiers dont on tire de l'huile à perte de vue sur les bords du fleuve.

– Lors de cette première rencontre, Stewart évoque le choc d'une cérémonie particulière nommée « Chinchem », qui consiste à mettre toute la tribu en transe à partir du thème du plus beau rêve effectué par l'un de ses membres. Une sorte de catharsis autour d'un rêve partagé.

– Un peu comme un sommeil paradoxal collectif ? ne peut s'empêcher de demander Jacques Klein, intrigué.

– Pat Noone savait parler les dialectes des tribus. Il traduisait pour Kilton Stewart, qui a couché par écrit tous ces rêves de Chinchem et tenté de les interpréter sous un angle freudien. Suite à cette expérience, il a publié *Dream Experience and Spirit Guides in the Religion of the Temiar Senoi of Malaya*. Dans ce texte, que j'ai parcouru, il décrit des palabres matinales interminables durant lesquelles les Sénoïs Temiar parlent de leurs rêves.

– Vous croyez qu'il peut exister une société dont la culture est fondée sur le sommeil et non sur l'éveil ?

— Stewart signale tout d'abord que les parents encouragent les adolescents à avoir des rêves de plaisir. Il écrit dans son premier livre : « Les Sénoïs pensent que n'importe quel humain, avec l'aide de ses amis, peut faire face, maîtriser et utiliser les êtres et les forces apparus dans l'univers de leurs propres rêves. »

Jacques est ravi d'en apprendre autant de la bouche de ce journaliste.

— Pour les Sénoïs, tout ce qui se passe en rêve a un sens qui peut vous échapper au réveil, mais que vous devez décrypter par la suite. Le rêve de l'acte sexuel doit faire atteindre l'orgasme. Le rêve de combat, la victoire. Si le rêve ne comporte pas de « réussite de vie », il est considéré comme raté. Le rêve de la chute doit être contrebalancé le lendemain par un rêve d'envol. Si un homme couche avec la femme d'un autre en songe, il doit lui offrir un cadeau, si quelqu'un manque de respect à quelqu'un d'autre dans un rêve, ou est agressif, il doit s'en excuser en vrai.

— Je comprends que ma mère ait été fascinée.

— La société sénoï est, selon Stewart et Noone, pacifique, stable et joyeuse. Il n'y a ni vols, ni crimes, ni fous, ni suicides. La notion de respect est essentielle. Les enfants sont éduqués dans le respect de leur famille, des autres et de la nature.

— Cela ressemble à une société idéale.

— Les Sénoïs n'ont pas peur du futur car ils l'entrevoient en rêve, ils n'ont pas peur de la nature car ils se réconcilient avec elle en rêve.

Les deux Français continuent d'avancer sur leurs éléphants, longeant le placide fleuve Temiar d'où émergent parfois des crocodiles.

— Les Sénoïs sont restés longtemps déconnectés du monde moderne ? questionne Jacques.

— Durant la guerre contre les Japonais, les Sénoïs ont été obligés de participer à la résistance. Une brigade de soldats sénoïs a même été créée.

— Je croyais qu'ils étaient non violents ?

— Le contact avec les Japonais les a probablement un peu ramenés aux réalités de ce monde. Ils ont subi des atrocités et ont décidé de lutter contre les envahisseurs.

— Ils ont participé à la guerre ?

— Ils l'ont payé cher. Selon Kilton Stewart, son collègue Pat Noone avait épousé une Sénoï. Il est mort en voulant la protéger des Japonais. À la fin de la Seconde Guerre mondiale, les Sénoïs ont aussi été utilisés pour lutter contre la guérilla des communistes malaisiens.

— Et après ?

— Plusieurs années plus tard, bien après la guerre, en 1985, un autre scientifique américain, William Domhoff, est revenu sur place pour voir où en étaient les Sénoïs. Il a constaté qu'ils vivaient normalement, comme les autres tribus aborigènes Orang Asli, et en a conclu que Kilton Stewart était un mythomane qui avait inventé cette histoire du « peuple du rêve » pour vendre son livre.

— Et vous, vous en pensez quoi, Franckie ?

— Stewart fournit trop de détails précis pour que cela ne soit que le délire d'un homme souhaitant vendre son livre. Pour moi...

Subitement, Charras ferme les yeux, bascule en avant, mais son corps reste maintenu sur son éléphant grâce à ses sangles. Les deux hommes continuent d'avancer sur la piste longeant le fleuve. Autour d'eux, les champs de palmiers se succèdent, irrigués par l'eau du fleuve. Jacques attend tranquillement que Franckie se réveille, ce qui survient dix minutes plus tard, pour pouvoir poursuivre la conversation. Comme si cette parenthèse n'avait même pas existé, le journaliste reprend :

— Ah ! Je crois qu'il y a une exploitation par là, nous allons pouvoir demander des informations.

Des hommes sont en train de travailler sur des tracteurs. Un agronome occidental les supervise. Jacques et Franckie s'adressent à lui en anglais. Celui-ci finit par reconnaître :

– Il y avait un peuple nomade d'Orang Asli jusqu'à l'année dernière ici. Ils ont été chassés de leur terre, mais pas sans résister. Des types payés par les industriels du bois détruisaient leurs barricades la nuit, alors ils ont reculé au fur et à mesure que les bûcherons rasaient la forêt et que nous replantions derrière.

L'homme ne semble pas ému par ce problème : un simple aménagement technique. Il a répondu aux questions des deux voyageurs comme s'il indiquait le nom d'une rue à un touriste égaré.

– Les Orang Asli sont partis par où ? lui demande Jacques.

– Vers l'est. Il n'y a que là-bas qu'il reste encore des zones de forêt, répond l'homme.

– Je savais que la Malaisie était la championne du monde de la déforestation, mais je ne m'attendais pas à ce que cela aille si vite, dit Franckie en regardant les champs de palmiers qui s'étendent à l'infini autour d'eux.

Au-dessus de leurs têtes passe un avion qui répand un insecticide pour protéger les plantations.

– Officiellement, c'est ici que se trouve la plus ancienne forêt du monde, âgée de 135 millions d'années. En comparaison, l'Amazonie n'a « que » 45 millions d'années.

– Et on constate qu'« officiellement » ce n'est pas pareil que « réellement », dit Jacques qui ne distingue toujours pas la moindre trace de jungle à l'horizon. Votre forêt a dû être transformée en cure-dents ou en mouchoirs jetables. On dirait qu'ici la terre ne fait désormais pousser que des végétaux qui serviront d'huile alimentaire pour les friandises et les plats préparés en vente dans les supermarchés.

Franckie ne peut cacher son agacement.

– Je sais que des associations de défense des forêts ont essayé de ralentir la destruction des arbres, mais il y a eu collusion entre les politiques et les entreprises de déboisement. Le gouvernement finance des organismes de propagande qui vantent la qualité de l'huile de palme et du caoutchouc « made in Malaysia » et font croire lors des congrès internationaux qu'ils sont respectueux de la nature et des aborigènes.

Les deux compères repartent sur leurs éléphants. Sur la route de plus en plus large, ils repèrent un panneau publicitaire qui montre des Malaisiens hilares sur fond de monde moderne avec télévision et voiture.

— Ça, c'est une affiche pour le parti politique au pouvoir, Barisan Nasional.

— Et l'opposition ? Ils se préoccupent des droits des Orang Asli ?

— L'opposition, c'est le Pakatan Rakyat, elle est tout aussi corrompue.

Les kilomètres défilent, et la jungle se fait toujours désirer. Jacques s'impatiente :

— Il a dit que les Sénoïs avaient fui l'avancée des bûcherons vers l'est. Allons vers l'est, nous finirons bien par retrouver la forêt et... ses habitants.

Après quelques kilomètres, ils tombent sur une vieille station-essence. Des vélos sont abandonnés dans l'herbe.

— Je vous propose qu'on abandonne nos éléphants et que nous prenions ces vélos, cela ira quand même plus vite, dit Jacques.

Franckie crache par terre en guise d'assentiment.

38

Ils pédalent plusieurs heures durant. La nuit tombant, ils font une courte pause pour récupérer, puis reprennent la route à l'aurore. Enfin, à force d'obstination, la côte orientale malaisienne, face à la mer, finit par s'offrir à eux.

Le journaliste fixe l'horizon, atterré :

– Oh non ! Ils n'ont pas fait ça ! Ils ont détruit toute la forêt ! La plus ancienne forêt du monde !

Les plantations d'arbres à palme et d'hévéas surplombant la plage ont laissé place à un *no man's land* de souches d'arbres.

Franckie les examine de plus près.

– Cet arbre a été coupé il y a quelques mois. Ils n'ont pas encore eu le temps de dessoucher.

– Eh bien, c'est fichu ! Les Sénoïs ont disparu avec leur forêt. Comme les orangs-outans, constate Jacques.

– Je... je ne m'attendais pas à ce qu'ils aient tout rasé aussi vite.

Au loin, ils distinguent une cabane de pêcheur vers laquelle ils se dirigent. Il y a là un vieil homme avec sa famille, des jeunes gens qui se balancent dans des hamacs de nylon. Au mur, des posters à la gloire de Jésus-Christ indiquent qu'ils font partie de la minorité chrétienne malaisienne. Tous ont le regard rivé vers la télévision où se déroule un combat de coqs.

– Bonjour, lance Franckie en anglais.

Personne ne lui prête attention. Lorsqu'il se risque à parler malaisien, le vieil édenté consent à lui répondre. Le dialogue qui suit ressemble à une partie de ping-pong où chaque phrase lancée entraîne force clappements de bouche, ricanements, et « heee ».

– Qu'est-ce qu'il dit ? demande Jacques.

– Il y a un an, un groupe d'aborigènes est arrivé depuis l'ouest avec tous ses bagages, traduit Franckie. Ils étaient peut-être trois cents. C'étaient des Orang Asli chassés de la forêt. Ils étaient épuisés. Ils sont restés dormir quelques jours dans un bivouac de fortune sur la plage.

– Ça pourrait être eux ! Que sont-ils devenus ?

– Le vieil homme dit qu'un grand bateau est arrivé le troisième jour et qu'ils sont tous montés à bord.

– Et ?

– À la tête de leur groupe, il y avait une femme grosse et blonde, occidentale, qui pourrait être votre mère.

Franckie reprend ses palabres avec le Malaisien qui semble de plus en plus contrarié, puis celui-ci engueule sa propre femme qui se met également à crier tandis que les plus jeunes leur hurlent de se taire car ils n'entendent plus les commentaires du combat de coqs à la télé. Finalement, un des jeunes adolescents dit quelque chose qui semble ravir tout le monde. Un mot est répété. Le jeune homme revient avec une boîte de collection de mégots. Il en sélectionne un qu'il tend au vieux en répétant le même mot. L'édenté brandit le mégot comme un trophée et félicite le jeune. Puis se remet à parler, vite.

Franckie commente :

– Il dit que c'était la grosse Européenne blonde qui fumait ces cigarillos. Ça vous parle ?

Avec émotion, Jacques reconnaît le bout doré de la marque préférée de sa mère.

– Je veux savoir ce qu'il s'est passé exactement, dit-il.

Le vieil homme sort alors une bible et désigne une image de Moïse en débitant un flot de paroles que Franckie traduit avec difficulté :

– Il dit que la « grosse Occidentale blonde qui fumait les cigarillos à bout doré » semblait être le chef du groupe d'Orang Asli. Elle a fait venir un bateau pour qu'ils traversent la mer. Il compare ça à l'Exode et parle de « Terre promise ».

En exhibant son plus beau sourire, l'édenté désigne de nouveau l'image de Moïse.

– Il dit que la différence, c'est que c'était une femme et non un homme, et qu'au lieu d'être six cent mille esclaves ils n'étaient que quelques centaines et...

Le Malaisien parle longtemps et mime en rigolant la femme blonde et les gens montant sur le bateau.

– ... que la traversée des eaux n'était pas un miracle vu qu'elle a été effectuée grâce à un gros bateau moderne.

– Dans quelle direction sont-ils partis ?

À nouveau le dialogue reprend entre Franckie et le vieux. Puis la réponse tombe :

– Encore plus à l'est.

Le Malaisien répète une phrase qui le rend hilare.

– Il dit qu'on ne les trouvera jamais.

– Pourquoi ?

– Parce qu'ils sont tous morts dans la tempête qui a suivi leur départ.

Il a de nouveau un petit rire, exhibant ses chicots noirs et ses dents dorées, puis il reprend sa logorrhée.

– Il dit que nous pouvons rester manger et dormir chez eux. Cela fait partie de leur sens de l'hospitalité.

Le vieil homme leur tend un bol rempli d'aliments suspects. Alors que Franckie se régale de blattes croustillantes qui croquent sous les dents en lâchant un jus verdâtre, Jacques préfère se contenter de boire de l'eau chaude puis s'installe dans un coin.

Il ne sait s'il doit se réjouir d'avoir enfin retrouvé la trace de sa mère ou se désespérer de l'annonce de cette tempête fatale, alors il décide de jubjoter pour en avoir le cœur net.

39

Endormissement. Sommeil léger. Sommeil profond. Activation de la glande pinéale. Sommeil paradoxal. Jubjotage. Apparition de l'île de Sable rose. JK48 est dans son rocking-chair, toujours en chemise hawaïenne à fleurs, en short et tongs, avec sa piña colada agrémentée d'une tranche d'ananas et d'un petit parasol rouge. Le Jacques Klein aux cheveux noirs se place face au Jacques Klein aux cheveux gris.

– Bonjour « jeune moi-même », dit JK48 sans le regarder et en observant l'horizon. Je préfère te voir dans ces conditions plus sereines. La dernière fois, tu étais un peu stressé.

– Répondez-moi : maman a-t-elle coulé avec le bateau dans la tempête ?

L'autre hésite à délivrer l'information, puis articule dans une moue :

– Non.

JK28, soulagé, s'assoit sur le transat posé à côté de son futur lui-même.

– C'est elle qui a commandé le bateau des Sénoïs ?

– Oui.

– Elle a vraiment réussi à les sauver en leur faisant quitter le continent et prendre la mer ?

– C'est tout maman, tu la connais ! Elle a pris le problème à bras le corps. Entre parenthèses, cela lui a coûté un peu d'argent et tu auras ça en moins sur ton héritage. Mais bon, au point où on en est, on ne va pas s'inquiéter pour ce genre de détail.

– Où est-elle allée ? Elle est forcément arrivée quelque part avec ces trois cents personnes !

– Devine.

– Une île ?

– Bravo !

– Elle est partie vers l'est avec un bateau et ses réfugiés, sur une île pour qu'ils soient enfin protégés des attaques des industriels du bois et de leurs bûcherons, c'est ça ?

– Tu vois, tu sais déjà tout ! Tu n'as pas besoin de moi.

Le vieux propose un cocktail que le jeune refuse.

– Où se trouve l'île où ils ont accosté ? Où est leur Terre promise ?

L'autre sourit sans répondre.

– Mon cher JK48, puis-je vous rappeler que c'est vous qui avez insisté pour que je vienne ici ? Il serait paradoxal que vous fassiez le cachotier maintenant.

191

– Si tu joues le jeu, je suis obligé de te suivre. Donc voilà l'information : maman est là, dit-il en désignant un point sur une carte qu'il vient de faire apparaître.

Il fait une pause et poursuit :

– Sur cette île (en malaisien, « île » se dit *pulau*), à cette latitude et cette longitude. Mémorise bien les nombres.

– Une petite île dans un archipel. Pourquoi celle-là précisément ?

– Elle est très sauvage. Il n'y a pas la moindre plage donc les touristes ne l'ont pas encore envahie. Il y a une petite colline au centre d'où jaillit une source d'eau douce. En fait, avant l'arrivée de maman et des Sénoïs, l'île était complètement vierge. Elle n'avait même pas de dénomination officielle.

– Une île à la Robinson Crusoé ?

– Maman a passé des coups de fil auprès d'agences immobilières locales. Elle l'a achetée, pour pas cher d'ailleurs, et ils ont aménagé une sorte de village pour tous les Sénoïs, trois cent soixante exactement. C'est là qu'elle vit. Ça comble ta curiosité ?

– Merci pour ces informations, monsieur JK48.

– Souviens-toi surtout bien de la latitude et de la longitude.

– Quoi d'autre ?

– Il n'y a pas d'essence là-bas, le seul moyen de locomotion est le voilier. Tu n'as qu'à acheter un petit catamaran. Tu trouveras ça dans la ville voisine sur la côte.

Les deux hommes se regardent.

– Comment sais-tu tout cela ? Qui es-tu vraiment ? s'énerve le jeune Jacques.

– Je te l'ai dit ! Je suis ton coach de vie qui communique avec toi dans tes rêves. Qu'est-ce qu'il te faut de plus comme information ?

– Et si j'étais fou, en pleine crise de schizophrénie, et que j'avais inventé un personnage imaginaire ?

– … C'est possible. Mais admets une chose : jusqu'ici, tu as pu vérifier la véracité de tous mes dires. Alors pourquoi veux-tu à tout prix me comprendre, me juger, me trouver réel ou imaginaire, raisonnable ou fou ? Profite de mes informations et arrête de te poser des questions.

– Mais tout de même ! Cette explication que vous m'avez donnée sur l'Aton, l'Ascenseur temporel onirique…

– … naturel. Parce qu'il n'y a aucune machinerie ni électronique dans ce moyen de voyager dans le temps.

– Oui… naturel. C'est un peu délirant !

– Et voilà ! Tu as encore besoin de juger. C'est délirant pour l'homme que j'ai été à ton époque, c'est admissible pour celui que tu deviendras dans vingt ans. Est-ce que l'électricité pouvait sembler raisonnable à l'homme du Moyen Âge ? Est-ce que la bombe nucléaire pouvait sembler envisageable pour l'homme de l'Antiquité ? Est-ce que mettre les pieds sur la Lune était imaginable pour l'homme préhistorique ? Tout est une question d'ouverture de portes de la perception. Comme le chien Pompon. Il y a un monde qu'on ne voit pas et puis soudain on soulève un voile, et tout s'éclaire. Tu te souviens du poème de William Blake ? « Si les portes de la perception étaient nettoyées, toute chose apparaîtrait à l'homme telle qu'elle est, infinie. »

– Celui qui a inspiré les Doors ?

– Oui, et Aldous Huxley. Mais nous ne sommes pas là pour discourir de culture au milieu de tes rêves ! Je crois que, pour demain, tu as de quoi t'occuper. Accepte l'idée qu'à ton âge, à ton époque et avec l'étroitesse d'esprit de tes contemporains, on ne peut pas encore envisager le monde tel qu'il sera dans vingt ans. L'histoire s'accélère. Les technologies actuelles vont être remplacées par des outils tellement modernes qu'ils ne seront même plus faits de matière. Jacques, aie confiance en moi, laisse-toi porter par le souffle du temps qui t'amène jusqu'à moi et prépare-toi à être surpris.

40

Le catamaran file sous le vent de la mer de Chine en direction du sud-est.

Les îles touristiques apparaissent au large : Pulau Seri Buat, Pulau Tioman (la plus grande île de cette zone maritime) et, plus au sud, Pulau Pemanggil. Pour parer à une éventuelle crise de narcolepsie, Franckie Charras apprend rapidement à Jacques Klein les rudiments de l'art de la navigation à la voile.

– Il faut tenir le cap et surveiller les voiles. Le foc doit être tendu et la grand-voile gonflée. Tu surveilles aussi la direction et la puissance du vent avec la girouette en haut du mât. Si j'ai une crise de narco et qu'il y a un problème, tu affales les voiles, cela devrait ralentir voire arrêter le bateau, d'accord ? Et puis surtout, ce qu'il ne faut pas oublier, c'est de…

Et Franckie Charras s'endort comme une masse. Jacques, qui commence à s'habituer à la situation, le retient avant qu'il ne s'ouvre le crâne sur le pont. Après l'avoir installé en position latérale de sécurité afin qu'il ne s'étouffe pas avec sa langue, il met un linge sous sa tête pour que sa colonne vertébrale soit alignée. Puis il se place face au gouvernail et essaie de se souvenir de toutes les recommandations de son compagnon de voyage.

Jacques ressent aussitôt un plaisir qui semble provenir du fin fond de ses cellules. Il inspire longuement et ferme les yeux.

Je fais comme papa. Il me l'avait appris en rêve, j'agis désormais dans le réel. Pour rejoindre l'île où se trouvent les réponses à toutes mes questions.

Le catamaran vibre en brisant les vagues. Jacques savoure l'instant.

J'ai échappé à la déchéance et à la mort auxquelles me destinait Justine. J'ai échappé à la vie banale à laquelle me préparait Charlotte. Je vis ! Je vis et j'agis dans le monde avec le soutien de JK48 – mon inconscient personnifié ? Mon ange gardien ? Un homme du futur qui a inventé une machine à remonter le temps dans ses rêves ?

Franckie ronfle, plongé dans un profond sommeil. En général, ses crises narcoleptiques ne dépassent pas cinq à dix minutes. Jacques voit des dauphins bondir autour du bateau, comme pour l'accompagner.

Des dauphins, pas des requins myopes ni des orques mangeurs d'homme.

Il distingue bientôt un ensemble de récifs affleurants, trop étendu et proche pour pouvoir être contourné. Le voilier file tout droit dessus. Jacques commence à paniquer, mais Franckie se réveille à point nommé. Il considère le problème et choque aussitôt la grand-voile pour ralentir le catamaran et réussit à se faufiler entre les rochers menaçants.

— C'est comme en voiture, on ralentit quand il y a des obstacles, dit Franckie.

— Maintenant je le saurai, dit Jacques, soulagé qu'il ait accompli la manœuvre à sa place.

— Vous vous souvenez de vos rêves ? demande Jacques tout en fixant l'horizon.

— Moi ? Jamais.

— Et vous avez envie de vous en souvenir ?

— Je n'en vois pas l'intérêt.

— Les Sénoïs sont le peuple du rêve et nous sommes censés aller à leur rencontre.

— Ce qui m'importe, c'est qu'ils m'apprennent à soigner ma narcolepsie, le reste...

— Et le rêve lucide, ça ne vous intéresse pas ?

— Ah non. Il n'y a qu'un seul moment où j'échappe aux tensions de la vie : c'est quand je dors. Ce que j'apprécie dans ces instants, c'est précisément d'arrêter de vouloir tout contrôler, alors ce n'est pas pour me retrouver à devoir prendre des décisions dans mes rêves.

Cette remarque inattendue et sensée amuse Jacques.

– Si vous pouviez discuter en rêve avec votre futur vous-même qui sait déjà tout ce qui va vous arriver et qui peut vous donner des conseils, vous lui demanderiez quoi ?

– Quelle drôle de question !

– Répondez, s'il vous plaît.

– Eh bien, je lui demanderais… rien. Alors là, vraiment rien ! Ce serait comme si j'avais un père qui continue à vouloir toujours tout faire à ma place. Moi, mon père, je l'ai quitté à 18 ans pour m'engager dans l'armée, voyager et gagner ma vie. S'il était resté à côté de moi, je n'aurais pas pu mûrir.

– Et s'il insiste pour vous aider malgré tout ?

– Je lui dirais que je préfère effectuer tranquillement mes erreurs tout seul. Si quelqu'un vous souffle toutes les bonnes réponses, quel intérêt y a-t-il à passer l'examen ? Quel intérêt de réussir, si on ne prend pas le risque d'échouer ? Quel intérêt de vivre, sans la peur de la mort ?

Il hausse les épaules.

– Pourquoi vous posez-vous ces questions étranges ?

– C'est en rêve que mon futur moi-même m'a expliqué qu'il fallait venir en Malaisie, et c'est en rêve qu'il m'a dit que ma mère était sur cette île orientale. Celle où nous allons précisément maintenant.

– Vous plaisantez ?

– Pour l'instant, le futur moi-même qui m'apparaît en rêve ne m'a donné que des bons conseils, alors je les suis. C'est comme un coach de vie intérieure.

– Vous m'auriez dit ça plus tôt je n'aurais jamais accepté de vous accompagner ! Bon sang ! Vous avez vu ça en rêve et c'est pour ça que nous sommes là ! C'est vraiment le comble !

– De toute façon, je vous paye, donc qu'est-ce que ça peut vous faire, la raison pour laquelle nous sommes là ?

– Cela me fait perdre mon temps.

– Vous passiez vos journées à fumer de l'opium et à vous liquéfier le cerveau !

Franckie Charras n'en finit plus de pester, puis semble peu à peu se résigner à cette étrange situation.

– Allez ! Maintenant que vous savez tenir un cap, prenez le gouvernail, je vais préparer le repas. Que cela nous fasse au moins une chouette balade en bateau avec des grillades.

Il tend davantage les voiles pour accélérer.

– … Si je voyais apparaître en rêve le type que je devrais devenir dans vingt ans, non seulement je ne lui demanderais aucun conseil, non seulement je… Enfin, je le tiendrais à l'écart de ma vie. Mais en plus, je ne pense pas que je supporterais de le voir abîmé par l'alcool, la drogue et les femmes. Je lui dirais : « Mon vieux, dans quel état tu te retrouves » ? Et me sentirais contraint d'ajouter : « Pardon de t'avoir obligé à devenir comme cela. »

Jacques trouve la conversation amusante.

– Et si vous vous retrouviez face à l'être que vous étiez il y a vingt ans ?

– Il y a vingt ans, j'avais 10 ans. Je dirais à ce gosse : « Poursuis tes études au lieu de faire le con. » Et puis je lui expliquerais qu'on est bien en France, qu'il n'a pas besoin de voyager autant. Vous savez que j'étais plutôt doué à l'école ? En fait, j'aurais pu aller loin, mais j'avais envie de fuir la vie que menait mon fonctionnaire de père, vivre plus fort… et puis… avoir des aventures extraordinaires loin du monde banal.

Ils mettent le cap vers Pulau Aur, l'île la plus au sud-est de l'archipel. Le catamaran fend les flots à bonne vitesse mais le ciel commence à prendre une teinte anthracite.

– Finalement, Franckie, vous auriez plus de choses à dire à l'enfant que vous étiez qu'au quinquagénaire que vous allez devenir.

– OK ! Vous m'avez bien eu avec votre petit jeu. Mais de toute façon, j'oublie mes rêves, alors…

– Les rêves, par contre, ne vous oublient peut-être pas.

À quelques encablures de Pulau Aur, Jacques identifie les coordonnées données par JK48.

– C'est sûrement cette île, annonce-t-il. Elle n'a pas de nom, elle n'est pas indiquée sur les cartes, elle est simplement visible depuis les satellites.

Franckie observe avec les jumelles l'endroit qui semble inhospitalier. Il repère des récifs affleurants.

– Je crois que « votre futur vous-même » qui vous a guidé ici... se fout franchement de votre gueule.

41

Les mouettes hurlent comme si elles voulaient les avertir d'un danger. Une odeur de varech se mélange aux embruns. Les vagues se déchirent sur le mur de rochers qui borde l'île. Jacques et Franckie l'abordent par la zone orientale, qui semble la moins abrupte. Ils amarrent le catamaran à un récif et sont obligés de faire un peu de varappe pour atteindre le sommet de la falaise qui les surplombe. Autour d'eux, des centaines de crabes s'enfuient en faisant claquer leurs pattes sur le roc. Ils grimpent jusqu'au sommet et distinguent, depuis les hauteurs, une clairière au centre de l'île avec des habitations qui forment un cercle complet au centre duquel se trouve un foyer.

– On dirait qu'il y a des gens installés là, on touche peut-être au but..., murmure Jacques.

– Le seul moyen de le savoir, c'est d'y aller.

Franckie sort sa caméra et commence à filmer.

Arrivés près du village, alors que Franckie avance en esquissant un geste de paix, toutes les femmes et les enfants courent se cacher. Les deux Français se retrouvent entourés d'individus qui les tiennent en joue avec des sarbacanes. Franckie essaye d'expliquer en plusieurs langues qu'ils ne sont pas des ennemis.

Après un instant de flottement, quelques hommes vigoureux les attrapent et leur attachent les poignets derrière le dos, puis lient leurs chevilles. Ils sont ensuite ficelés à deux poteaux.

— Vous êtes sûrs qu'ils sont pacifiques ? demande Jacques.

— Évidemment, si nous sommes tombés sur des Dayaks, ce sera plus compliqué.

— Ah, pourquoi ?

— Les Dayaks sont aussi des Orang Asli mais à la différence des Sénoïs, ils sont « un peu » cannibales.

Un homme jeune s'approche et, tout en les maintenant en joue avec sa sarbacane, fouille leurs poches. Il trouve le portefeuille de Jacques, le feuillette puis les indigènes semblent hésiter sur la conduite à tenir. Le portefeuille passe de main en main et pour finir un jeune homme part avec et disparaît dans une habitation.

— Hé ! Attendez, ce sont nos passeports ! s'écrie Jacques.

— Ça va s'arranger, prophétise Franckie, juste avant de piquer du nez.

Jacques observe le village. C'est en effet une suite de maisons de bois sur pilotis, toutes reliées par une coursive qui forme un anneau parfaitement circulaire. Les toits sont recouverts de feuilles séchées et les murs protégés par plusieurs épaisseurs de bambous. Au centre, un foyer avec des aliments qui cuisent dans la braise. Sur le côté, des cadres où sèchent des peaux, et des métiers à tisser. Quelques chats errants circulent dans le village. Des hommes fabriquent des fléchettes à sarbacane, d'autres taillent des bambous pour en faire des piques. Progressivement, les enfants et les femmes reviennent dans leur champ de vision et s'approchent, toujours sur leurs gardes.

— Nous sommes venus en paix..., tente à nouveau Jacques alors que son comparse ronfle, affalé dans les cordes qui le maintiennent au poteau.

42

Jacques Klein, qui a fini par s'endormir lui aussi, est réveillé par un contact sur son visage. Craignant une araignée, il ouvre les yeux. Mais les pattes sont des doigts fins. Au bout des doigts, une main, au bout de la main, un bras, au bout du bras, un visage. Il a un premier mouvement de terreur en s'apercevant que la personne qui lui touche le visage a les prunelles et les yeux parfaitement blancs. Il se demande si c'est un cauchemar, mais les sensations dans son corps sont suffisamment claires pour l'informer qu'il ne dort pas. Le soleil est déjà haut dans le ciel et il se dit qu'il a dû dormir accroché au poteau pendant une dizaine d'heures. La main lui touche les cheveux, le menton, la bouche, les yeux. La femme aveugle prononce quelques mots dans sa langue et l'homme qui lui avait pris le portefeuille revient, un couteau à la main. Jacques ferme les yeux. Mais l'homme lui rend la liberté en coupant ses liens.

– Merci, dit Jacques, soulagé.

La femme continue de lui palper le visage, semblant s'amuser de certaines rides et renflements. Elle semble particulièrement intriguée par sa cicatrice en forme de Y. Jacques n'est pas à l'aise avec cette exploration tactile mais, par respect, reste figé en attendant qu'elle ait terminé. Elle lui palpe les yeux, le forçant à les fermer. Elle appuie un peu et c'en est presque douloureux, mais il n'ose toujours pas la repousser.

Et si elle me palpait comme un boucher palpe un veau avant de l'égorger ?

Il chasse cette idée, se répétant des pensées qu'il aimerait télépathiques :

Je ne suis pas comestible. Je suis filandreux. Je donne du cholestérol. Je suis toxique. Ne me mangez pas, je n'ai même pas bon goût.

Autour d'eux, les hommes et les femmes du village les scrutent de loin comme des animaux sauvages.

Maintenant, la femme aveugle dessine avec le doigt une ligne imaginaire autour de ses lèvres.

— Vous avez sa bouche, articule-t-elle enfin.

— Qui êtes-vous ? Vous parlez français ?

— Votre mère nous a appris à parler votre langue.

— Ma mère ? Vous savez qui je suis ?

L'aveugle est toute menue, avec de longs cheveux noirs. Elle a les yeux légèrement bridés, uniformément blancs, le front haut, la bouche épaisse et la peau dorée. Ses mains sont particulièrement graciles et ses doigts fins sont terminés par des ongles longs. Elle porte un sarong rose fuchsia et de nombreux bijoux.

— Oui, monsieur Klein. C'est écrit dans votre portefeuille.

Elle a prononcé la phrase avec tant de naturel qu'il hésite à éclater de rire.

— Où est ma mère ? Je veux lui parler.

— Ce n'est pas possible, monsieur Klein.

Franckie se réveille à son tour. L'aveugle lui palpe le visage puis s'entretient avec les autres qui lui répondent d'un ton sec. Ils n'ont pas l'air d'accord.

— Êtes-vous les Sénoïs ? questionne Franckie.

— Nous nous appelons en effet ainsi.

— Pourquoi êtes-vous ici ?

— Madame Klein est arrivée et elle nous a fait comprendre qu'il fallait partir loin, très loin, beaucoup plus loin que tous nos voyages précédents. Elle nous y a aidés. Ensuite, il n'y avait plus nulle part où aller, alors elle nous a fait monter sur le bateau et nous a guidés jusqu'ici. Nous n'avions pour la plupart d'entre nous jamais vu la mer.

— Où est ma mère ? Où est-elle ? Parlez !

La femme prend alors la main du Français et le guide vers une tombe fraîche au-dessus de laquelle est planté un gros rocher ovale avec une inscription gravée : « KLEIN ».

– Nous l'avons enterrée ici.

Jacques tombe à genoux et se met à psalmodier :

– Oh non ! Oh non ! Oh non !

Personne n'ose intervenir.

La femme revient vers Jacques et, à nouveau, lui touche le visage, laissant sa main sur son menton.

– C'est arrivé il y a quelques jours.

– Que s'est-il passé ?

– Les hommes armés sont venus. Ils voulaient nous faire peur. Ils avaient des fusils, c'étaient des soldats professionnels.

– Des mercenaires à la solde des Malaisiens ? suggère Franckie.

– Quand ils viennent avec leurs bateaux à moteur, ils tuent quelques-uns d'entre nous puis repartent. Ils veulent que nous quittions l'île, c'est tout.

J'aurais pu arriver ici à temps si j'avais écouté JK48 plus tôt ! Pourquoi ai-je été si têtu ? J'aurais pu la sauver !

La femme aveugle, respectant sa douleur, recule et parle aux siens dans sa langue. Eux aussi commentent la réaction de l'homme. Le mot « Klein » est prononcé plusieurs fois.

Jacques ne bouge plus, les yeux ouverts, essayant de sentir ce qu'il peut encore y avoir de sa mère sous cette terre meuble.

– Maman... Ô maman... Pourquoi ? Pourquoi ? murmure-t-il.

Les indigènes retournent vaquer à leurs occupations, qui consistent principalement à reconstruire ce qui a été détruit par les soldats. Franckie finit par les rejoindre, pendant que Jacques reste prostré sur la tombe.

Après plusieurs heures de lamentations, il rejoint les autres pour le dîner.

Les deux Français s'installent à table avec les Sénoïs.

– Qui sont ces soldats qui ont assassiné ma mère ?

– Des gens qui veulent récupérer l'île nous les ont envoyés, répond la femme aveugle.

– Je veux savoir ce qu'il s'est passé ! Je suis venu pour ça. Puisque vous parlez français, racontez-moi tout !

– Je me nomme Shambaya. Je suis la fille du chef du village et j'ai une fonction précise au sein de notre tribu : je suis la « Maîtresse en rêves ». Je dispose de quelques éléments pour répondre à votre question, mais je ne sais pas tout.

– Et lui, c'est qui ? demande Franckie en montrant l'indigène qui les a détachés des poteaux.

– Mon frère Shuki. Il parle lui aussi français. Votre mère a été notre professeur.

– Je veux savoir la vérité ! s'énerve Jacques.

Shambaya prend un bâton et dessine des motifs circulaires dans le sable.

– Votre mère est venue l'année dernière étudier notre mode de vie et notre culture. Elle nous a appris le français et nous lui avons appris notre connaissance du monde du sommeil. Cependant, nous avons des problèmes.

Elle lâche un petit soupir.

– Quand nous étions dans la forêt, sur le bord du fleuve Temiar, nous avons vu venir les bûcherons. C'étaient des Malaisiens. Nous leur avons parlé, nous leur avons dit que c'étaient des arbres sacrés dans lesquels se trouvaient nos divinités. Ils ont répondu que leur dieu était meilleur que nos dieux car il était dans le ciel et qu'ainsi personne ne pouvait le voir ni lui faire du mal. Et ils ont commencé à couper les arbres pour montrer que nos dieux étaient faibles et que le leur était invincible. Nous avons installé une barricade. Mais ils sont venus dans la nuit tuer des hommes et violer des femmes. C'était nouveau pour nous. Un tel niveau d'inconscience nous a pris de court. Couper des arbres, assassiner des gens dans la nuit, nous avons compris qu'il ne servait à rien de parler. Il fallait partir. Les bûcherons avaient gagné. Ensuite les terres sans arbres ont été transformées en zones agricoles.

– Nous l'avons constaté, dit Franckie Charras tout en enclenchant sa caméra pour enregistrer le récit.

– Les destructeurs de forêt avançaient et nous reculions, avec tous les animaux sauvages. Quand nous sommes arrivés à la mer, cette vaste étendue bleue dénuée de lignes verticales pour couper l'horizon nous a donné le vertige. Pour nous, c'était la fin du monde. Aucun d'entre nous n'avait jamais vu la mer. Nous étions désespérés, loin de nos arbres sacrés. Votre mère cherchait une manière de nous sauver. Elle a pris une décision, passé des coups de fil à des banquiers et des agences immobilières, et a mis sa fortune dans l'achat de l'île la plus éloignée et la plus sauvage.

– Probablement ses indemnités de licenciement, murmure Jacques.

– Puis elle a loué un bateau. Nous sommes tous montés à bord, les trois cent soixante, et nous sommes arrivés ici. Votre mère avait choisi cette île car elle était déserte et n'intéressait pas les promoteurs immobiliers du fait de son absence de plage de sable fin.

– Toute l'île est en effet bordée de falaises abruptes, nous l'avons vu, approuve Franckie Charras.

– Donc votre mère a financé notre fuite et notre installation ici. Nous étions enfin hors de portée des bûcherons et des destructeurs de forêt. Mais un jour est apparu un bateau avec des plongeurs qui exploraient les fonds marins à la recherche de coins pour faire de la spéléologie. Et ils ont découvert le « trou bleu ».

– Le « trou bleu » ?

– C'est une sorte de puits naturel au large de l'île. Il est très profond et son eau est d'une grande pureté. Ce type d'endroit est très recherché par les apnéistes. Ce joyau de la nature est devenu notre malédiction. Dès que cela s'est su, les agences touristiques, qui jusque-là dédaignaient notre île, s'y sont intéressées. Elles voulaient évidemment créer un centre de plongée avec des hôtels pour héberger les amateurs d'exploration sous-marine. Une de ces agences est allée jusqu'à proposer à votre mère de racheter l'île le double du prix. Mais elle a refusé. Alors, après les propositions d'argent sont arrivées les menaces. Elle a tenu bon. Un jour a débarqué un bateau beaucoup plus grand qui s'est ancré au large. Nous pensions au début que ce n'était qu'un navire de tourisme comme les autres. Et puis il y a eu la première attaque de nuit. Le bateau contenait en fait une vingtaine de mercenaires payés pour nous faire partir d'ici.

— Je vois, dit Franckie, j'ai connu des situations similaires en Afrique.

— Au début, ils se contentaient de mettre le feu à nos maisons, la nuit. Puis nous nous sommes défendus avec les sarbacanes. Il y a un mois est survenue la première attaque mortelle. Ils ont utilisé des fusils-mitrailleurs et tué une personne. En partant, ils ont laissé derrière eux une inscription en malaisien sur une cabane qui signifiait « Premier avertissement : partez ou mourez ». Votre mère nous a dit qu'il ne fallait pas céder. Nous avons donc organisé notre défense armée.

— Sarbacanes contre fusils-mitrailleurs ?

— Nous avons l'avantage du terrain. Nous savons monter dans les arbres et nous cacher. Nous avons réussi à les repousser plusieurs fois. Mais ils sont revenus il y a trois jours et c'est durant cette attaque sauvage que votre mère a été assassinée.

Jacques serre les poings.

— Nous avons néanmoins réussi à les repousser.

— Ils sont où, à cette heure ?

— Leur bateau est ancré au large de la côte ouest, dit Shuki. La mode de la plongée sous-marine en mer de Malaisie est notre malédiction. Sur toutes les îles alentour, on trouve aujourd'hui des hôtels dotés de centres de plongée. Le trou marin est notre condamnation. Surtout que l'eau y est si claire que les dauphins viennent s'y reproduire. C'est idéal pour les touristes.

— Et la police ?

– Après la première attaque (qui a fait un mort), votre mère a appelé le commissariat le plus proche, sur l'île voisine, explique Shambaya.

– Mais elle ne connaissait pas « notre police », surenchérit Shuki.

– Ils sont venus. Ils ont pris des photos des dégâts, ils ont fait semblant d'examiner les lieux. Leur conclusion a été que c'était l'œuvre de pirates et que cela faisait partie des aléas de la vie, comme les ouragans ou les tempêtes. Ils n'ont pas voulu nous croire lorsque nous avons évoqué la présence de mercenaires. Votre mère a fini par comprendre que les autorités officielles sont complices des agences touristiques et des promoteurs immobiliers. Tout comme lorsque nous avons construit des barrages pour empêcher les bûcherons d'avancer, les policiers venaient les soutenir au prétexte du « maintien de l'ordre ».

– En fait, les ministres ont des parts dans les sociétés qui font des profits sur la vente du bois ou la vente des terrains pour les hôtels, complète Franckie Charras qui, en tant que journaliste, connaît le sujet. Tout le système politique malaisien est pourri depuis longtemps. Les types que vous avez tués sont peut-être même des policiers qui font des extras.

– Qu'allez-vous faire ? demande Jacques Klein.

– Maintenant que votre mère n'est plus là pour agir officiellement en notre nom, cela va être plus difficile. Nous ne connaissons pas les moyens d'action juridiques modernes. Nous allons juste tenter de tenir le plus longtemps possible.

– Alors on dirait qu'on arrive au bon moment ! s'exclame Franckie. Je suis militaire. Je vais vous aider à vous protéger, mais il va falloir construire des systèmes défensifs. Nous aurons besoin de tout le monde. Nous allons commencer par transformer ce village en camp retranché. Il faut construire un mur d'enceinte et un fossé devant lequel on va mettre des pièges. J'ai appris à en fabriquer quand je combattais aux côtés des Karens en Birmanie.

Shuki traduit les propos de Franckie aux autres Sénoïs et on sent soudain un regain d'entrain parcourir les rangs.

Jacques, jusque-là, n'avait pas vraiment prêté attention à ce qu'il mangeait – du poulet ? – quand il se rend compte que ce n'est probablement pas de la volaille. Discrètement, il délaisse son assiette et se contente du manioc bouilli.

Après le repas, on leur attribue chacun une cabane, incluse dans l'anneau qui forme le village. Ils s'y installent après avoir rapporté leurs bagages du catamaran.

Le reste de la journée se déroule sereinement et ils découvrent la vie des Sénoïs. Shuki, dans un français correct, leur propose de leur faire faire le tour du propriétaire.

– Actuellement, notre communauté comprend trois cent cinquante-huit personnes, commence-t-il. Nous vivons tous dans cette structure circulaire dans laquelle logent les quatre-vingt-trois familles.

Aux alentours du village, à l'extérieur de l'anneau d'habitations, les Sénoïs ont un peu défriché pour planter du manioc, du maïs, un potager, un verger. Un peu plus loin, sur un plateau, est installée une petite rizière.

Mais les Sénoïs ne semblent pas très intéressés par l'agriculture et les hommes passent plus de temps à tailler des fléchettes pour leurs sarbacanes et à chasser qu'à labourer ou planter le riz.

Comme source de protéines, ils attrapent des écureuils, des chauves-souris, des singes mais aussi des petits cochons sauvages attirés aux abords du village par les ordures ménagères.

En tant que nouveaux venus sur l'île, les Sénoïs n'osent pas encore pêcher en mer, et n'ont pas de pirogues ou de voiliers.

Les femmes pilent le manioc pour en faire du tapioca qu'ils consomment en soupe ou en farine. Elles tressent des paniers, fabriquent des voilages sur des métiers à tisser.

La plupart des objets – vaisselle, meubles, armes, instruments, et même décoration – sont issus du travail du bambou. Les mères passent beaucoup de temps à soigner leurs bébés et à jouer avec eux. Elles portent des robes amples. De ce que les deux Français comprennent, il n'y a pas de division du travail, chacun fait ce qui l'inspire au moment où cela l'inspire. Le chef du village, le père de Shambaya, est un vieil homme qui ne donne aucun ordre et se contente de prodiguer des conseils. Il agit comme « sage » de référence, gardien du souvenir de l'histoire des ancêtres.

Shambaya a une fonction proche de celle de prêtresse mais cela ne lui confère aucun pouvoir magique. Elle ne fait qu'aider les rêveurs à mieux rêver, et elle aide à interpréter les songes.

— Vous savez, explique Shuki, nos nuits sont plus importantes que vos jours.

— Je commence en effet à intégrer ce concept. Vous êtes comme les hiboux, les chauves-souris, les chouettes, les loirs…

— Non, nous sommes comme vous. C'est notre culture qui diffère, c'est tout. Comment trouvez-vous nos femmes ? demande-t-il.

— Étrange question, s'étonne Jacques.

— Nous nous intéressons beaucoup à la sexualité, cela fait partie des activités du soir. C'est aussi ce qui énervait les bûcherons malaisiens. Ils savaient que nos femmes étaient très « bien éduquées » sur les choses du sexe, au contraire des leurs. Ce soir, comme toutes les habitations sont mitoyennes, vous pourrez facilement entendre les couples faire l'amour.

Le Sénoï a l'air d'y voir la preuve de la bonne santé mentale de sa communauté.

— Nous sommes une société très tolérante et très permissive. Il n'y a pas vraiment de tabous et la sexualité est encouragée. Les comportements un peu fantaisistes amusent et sont bien vus par nous tous. C'est l'absence de rapports sexuels qui nous inquiète, voyez-vous. Même si le couple et le mariage existent ici, ça reste très informel. Les Sénoïs peuvent être volages du moment que les parents éduquent ensemble les enfants, que l'homme subvient aux besoins matériels de sa compagne de référence et que celle-ci s'occupe du foyer. L'éducation des enfants, elle non plus, n'est pas rigide, mais fonctionne plutôt sur un mode « plus vous en savez, plus la vie sera facile pour vous ». Du coup, les jeunes sont très demandeurs d'informations auprès des plus âgés.

— Vous avez une religion ?

— Ce que nous pratiquons n'est pas à proprement parler une religion, c'est plutôt une manière de se connecter, entre nous d'abord, puis avec la nature. D'ailleurs, nous n'avons pas de prêtres. Toute notre éducation est fondée sur deux notions : tolérance et respect. Les conflits sont désamorcés par des discussions collectives où le chef du village encourage à négocier. Les enfants sont invités à reconnaître leurs torts pour être pardonnés, à dire la vérité même si le prix à payer est lourd, à avouer leurs peurs et à demander de l'aide pour les surmonter.

— Personne ne se met en colère ?

— Si, mais seulement dans le cadre des palabres, et cela ne monte jamais très haut. Nous adorons discuter, explique Shuki. Tout peut se discuter. Lors de certaines joutes oratoires, des Sénoïs à court d'arguments appellent des amis en renfort. Et dans l'ensemble, on encourage l'humilité. Ce n'est pas rare d'entendre un Sénoï dire : « Finalement, je me suis trompé, j'avais tort et c'est toi qui as raison. »

— Les Occidentaux devraient en prendre de la graine ! s'exclame Franckie. J'imagine un débat politique où ce genre de phrase serait prononcée !

Les trois hommes circulent dans le village et les enfants se cachent sur leur passage.

— La plupart de nos jeunes sont encore craintifs à votre égard, mais ça passera quand ils auront compris que vous êtes différents des mercenaires.

Bientôt, Franckie se met au travail et, avec les hommes du village, entreprend d'organiser la défense de l'île. On enduit des fléchettes de curare. Ce même poison est déposé sur des bambous taillés en biseau, placés au fond des fosses recouvertes d'un tapis d'herbes tressées censé céder sous le poids des mercenaires imprudents. Le chantier s'avère long et fatigant. Franckie pense que plusieurs jours seront nécessaires pour parvenir à achever le fossé d'enceinte.

— J'espère que d'ici là, les mercenaires vont se tenir tranquilles et que...

Le journaliste pique soudain du nez et Jacques a juste le temps de l'empoigner avant qu'il ne bascule dans le fossé et s'empale sur un piège. Deux Sénoïs le ramènent à sa cabane en le tenant par les jambes et les bras.

— Allons rejoindre les autres, c'est l'heure de manger, propose Shuki.

Des femmes préparent de la nourriture selon une technique sénoï. La viande et les légumes sont cuits à l'étouffée sur des morceaux de bambous posés sur les braises du foyer central. Ainsi les légumes cuisent dans le jus de viande et s'imprègnent du goût du bambou. Elles ajoutent des piments et des petits segments gris poilus à chair blanche qui ressemblent fort à des pattes d'araignées, mais Jacques préfère ne pas demander confirmation. Il se pose sur un tronc d'arbre faisant office de banc pour manger, et est bientôt rejoint par Franckie qui n'a pas tardé à se réveiller. Shambaya vient à son tour s'asseoir près d'eux et entame une discussion :

— Votre mère nous a appris votre langue mais elle nous a aussi instruits du monde extérieur. Votre village, comment il s'appelle déjà ?

— Paris ?

— Oui, Paris. J'aimerais y aller un jour. Cela a l'air très joli.

L'aveugle se penche en avant, récupère deux bambous chauds pleins de ragoût : un pour elle et un pour Franckie. Ils se mettent à manger.

— La nourriture vous plaît ?

Ils acquiescent en silence.

– Parlez-moi encore de ma mère, dit Jacques, comment était-elle ici ?

– Nous avions un rapport privilégié. Comme j'apprenais sa langue plus facilement que les autres, nous discutions beaucoup.

– Elle vous a parlé de... moi ?

– Elle m'a parlé de vous et de Francis, votre père.

– Pourquoi n'a-t-elle jamais essayé de me contacter ?

– J'avais l'impression qu'elle avait peur que vous découvriez quelque chose qu'elle tenait à garder secret. Quelque chose qui lui faisait honte et l'effrayait.

Jacques hoche la tête.

– Maman avait un projet secret, une vie secrète, une personnalité secrète et un comportement parfois... incompréhensible. Son départ s'est fait sans la moindre lettre d'explication ou d'adieux. Je crois que je lui en veux et que j'aurais aimé lui demander des comptes. Je me sens frustré de ne pas pouvoir lui parler en face.

– Vous pouvez la voir en rêve, non ? Vous n'avez qu'à la questionner durant votre sommeil.

– Ma mère n'est jamais apparue dans mes rêves. Même là, elle reste muette.

Shambaya sourit.

– Elle m'a dit qu'elle vous avait enseigné à dormir et à rêver.

– Oui, mais j'ai l'impression que vos connaissances dépassent de loin ce qu'elle m'a appris. C'est comme si un professeur de yoga français débarquait au Tibet et se voyait enseigner le bouddhisme par le dalaï-lama. C'est quand même une autre dimension.

– Je ne connais pas ces mots « yoga », « Tibet ». Vous savez, je sais parler votre langue mais je manque de culture, historique ou géographique. J'ai beaucoup de retard à rattraper.

– Vous m'avez dit que vous étiez Maîtresse en rêves, cela consiste en quoi ?

– Votre mère me définissait comme une « onironaute ». Elle disait que je pratiquais du « rêve lucide ».

– En effet, ma mère souhaitait vous rencontrer pour en apprendre davantage sur le sujet.

Shambaya mastique longtemps.

– Comment nous avez-vous retrouvés, ici, sur cette île perdue ? demande-t-elle.

– C'est un futur moi-même qui m'est apparu en rêve pour me donner l'information. Vous n'avez jamais rêvé de vous plus âgée ou plus jeune ? questionne Jacques, satisfait de voir la mine surprise de la spécialiste.

– Et ce serait ce « futur vous-même » qui vous a dit de venir ici, précisément sur cette île ?

Shuki arrive et leur distribue à chacun un morceau de durian.

Jacques mange en se bouchant le nez. Derrière le goût d'ordure fermentée, il retrouve celui des oignons et du fromage aux amandes.

– Peut-être qu'à la longue, je finirai par aimer ça, reconnaît-il. Quand j'étais petit, la première fois qu'on m'a présenté un morceau de camembert, j'ai failli vomir, mais maintenant j'adore ça

– J'aimerais tester un jour votre camembert, dit Shambaya. Les hommes qui ont fini de manger reprennent le travail.

– Nous construisons sur pilotis pour nous protéger des serpents, des rats et des grosses araignées, explique-t-elle. Nous relions toutes les maisons en un seul cercle pour nous rappeler que nous sommes tous unis, et nous mettons le grand feu au milieu pour ne pas oublier que l'univers tourne autour d'un axe. Nous allons vous faire découvrir notre culture, monsieur Klein. En échange, je veux que vous nous fassiez découvrir la vôtre. Ainsi je continuerai avec vous ce que j'ai commencé avec votre mère.

– Je souhaiterais apprendre à maîtriser le rêve lucide.

Elle fait un geste ample en direction de la mer.

– Pour l'instant, l'heure est à la protection, à la construction, à la guerre peut-être. Ensuite seulement viendra le moment de votre apprentissage.

Elle lui prend la main.

– Cependant, j'ai quand même un cadeau pour vous, monsieur Klein. C'est une chanson. Retenez bien sa mélodie et ses paroles. Elles vous seront utiles pour repousser les moustiques. Il y en a beaucoup ici. Sans ça, demain vous serez couvert de piqûres.

Elle inspire longuement, puis se met à chantonner. Jacques répète l'air et les paroles et l'aveugle le corrige au fur et à mesure.

Ensuite viennent la sieste, le travail au fossé et le dîner suivi de chants et de danses autour du feu.

L'instrument principal de la musique sénoï est une sorte de tube en bois, évidé naturellement par des termites, duquel les musiciens tirent un son grave qui fait vibrer les cages thoraciques. L'embout est en cire d'abeille. Ce « mooloo » est semblable aux didgeridoos des aborigènes d'Australie ou aux dungchen tibétains. Pour obtenir un son continu, il faut souffler et aspirer successivement. Quand cinq ou six de ces mooloos jouent ensemble, l'ambiance devient quasi hypnotique. Des percussions sur souches creuses et des chants gutturaux les accompagnent. Les deux Français mettent un temps avant de s'habituer à cette musique étrange et exotique. Mais bien vite, ils sont captivés par la mélodie.

Jacques, de retour dans sa cabane après cette journée chez les Sénoïs, se couche fourbu sur un matelas à peine plus épais que sa main. Il essaie de se remémorer la chanson apprise plus tôt et commence à chanter alors que la nuit avance, accompagnée de son cortège de moustiques.

43

Endormissement. Sommeil léger. Sommeil profond. Sommeil paradoxal. Jubjotage. Île de Sable rose.

JK48 est debout, le rocking-chair et la piña colada ont disparu. Ses cheveux gris sont en pagaille et il semble très nerveux.

— Bonsoir JK48.

— Tu m'énerves.

— Qu'est-ce qui ne va pas ?

— TOI !

— J'ai fait tout ce que vous m'avez ordonné, j'ai écouté vos conseils et je suis arrivé au but. Maintenant, nous sommes en train de fortifier le village sénoï pour le protéger de...

— Tu ne comprends rien, JK28 ! Tu es par moments d'une naïveté qui me... navre. Quand je pense que j'étais comme ça à ton âge. Bon sang ! J'avais oublié à quel point j'étais inconscient de la réalité de mon monde.

— Il y a quelque chose que je devrais savoir ?

— Bien sûr ! Quelque chose que tu dois comprendre, et vite ! Tu es en grand danger.

— Quoi ? Moi ?

— C'est le problème de ce mode de communication : je peux te faire prendre conscience de ton présent, je peux te donner quelques informations qui te manquent, mais je ne peux pas t'avertir du futur qui t'arrive... en pleine poire. Et là, il arrive bien ! Crois-moi !

— Vous commencez à m'inquiéter.

— Bien sûr, c'est le but ! Et je m'inquiète aussi. Car si ton futur dévie, ne serait-ce que d'un iota, mon existence et la réussite du projet Aton sont remises en question. Il suffirait que tu... enfin, que tu trébuches sur la route de ton destin pour que tout s'effondre. Et moi, je ne peux rien y faire ! Je suis comme un fantôme, spectateur impuissant. Ah ! comme c'est frustrant ! Comme j'aurais aimé qu'une vraie machine à remonter le temps existe pour pouvoir être à tes côtés avec des muscles de chair et de sang, et non pas avec des biceps de rêve. Ah ! qui osera parler de l'angoisse de ne pas exister complètement ? Qui osera un jour évoquer le thème si épineux de ne pas être matérialisé, de n'être qu'une idée... de surcroît dans l'imagination... d'un... enfin... d'un... humain sans conscience !

JK28 hésite à se vexer, mais décide de ne pas faire de vagues.

— Que va-t-il m'arriver ? demande-t-il, conciliant.

— Le pire. Le pire qui puisse arriver à un humain, déclare JK48, en frissonnant au souvenir de ce qui lui est arrivé il y a vingt ans.

— Dites-moi au moins de quoi il s'agit !

L'homme aux cheveux gris commence à faire les cent pas sur la plage et s'exclame rageusement :

— Que faire ? Même si je te le disais, cela ne changerait rien.

— Alors pourquoi vous m'en parlez ?

JK48 semble hésiter entre plusieurs réponses :

— De toute façon, à quoi ça sert ? À ce stade de ta vie, il n'y a rien à faire, assène-t-il, exaspéré.

— Dites-moi de quoi il s'agit !

— Je ne peux pas te le dire.

— Aidez-moi au moins à me préparer à ce soi-disant grand danger qui me menace.

— Très bien. Il faut donc que tu saches que tu es beaucoup plus fort que tu ne le penses.

— Bon, si vous voulez, et ça change quoi ?

— Tu peux supporter des épreuves beaucoup plus pénibles que tu ne l'imagines.

JK28 s'assoit pour mieux écouter ce qui va suivre. L'autre continue de pester pour lui-même :

— J'avais tout fait pour l'oublier, et voilà que ça me revient, c'est maintenant que cela m'est arrivé, c'est maintenant que cela va t'arriver. Quelle guigne ! J'aurais tellement aimé oublier, et c'est l'Aton qui m'oblige à me souvenir.

Il est à nouveau parcouru par une série de frissons d'horreur.

– Vous...

– Et tu peux me tutoyer, ça commence à devenir ridicule.

– Non, je préfère vous vouvoyer. Voilà où j'en suis de mes propres réflexions (drôle de mot d'ailleurs, « réflexions ») : vous êtes toujours face à moi, donc quoi qu'il m'arrive je survivrai jusqu'à mes 48 ans.

– En théorie oui. En pratique c'est plus compliqué. Car tu peux échouer là où j'ai su tenir.

– Expliquez-moi.

– Je te l'ai déjà expliqué cent fois ! À cause de ton maudit libre arbitre. Rappelle-toi maman qui s'était coupé les lignes de la main pour te montrer qu'à chaque instant on peut influer sur son destin.

– Et ce pourrait être cela qui l'a tuée ?

– Ce n'est pas le sujet. Le sujet est que, à l'heure actuelle, l'autoroute qui mène de toi (dans ton espace-temps) à moi (dans mon espace-temps) est la plus directe, la plus simple, la plus normale qui puisse être. Mais avec ton libre arbitre, tu peux très bien décider de prendre un chemin transversal, de t'arrêter ou de faire demi-tour.

– Je me sens en sécurité grâce à vous.

– Tu n'as donc pas compris ce que j'essaie de t'expliquer ? Là, très vite, très bientôt, tu vas avoir un problème terrible, le pire, et je ne pourrai rien faire pour toi ! RIEN ! Il te faudra être fort, très fort ! Ne craque pas, je t'en supplie. Quoi qu'il arrive, tiens bon.

JK48 semble au bord de la crise de nerfs.

– Ça y est, j'ai trouvé ! hurle-t-il soudain. Pour ne pas craquer, pour ne pas devenir fou, j'ai un conseil à te donner : quand tu seras face au pire, reviens, même par tout petits bonds, sur notre île de Sable rose. Même un dixième de seconde, tu m'entends ? Mais fuis dans ton imaginaire. Tu m'entends ? Il n'y a qu'ici que tu trouveras la force de résister. Allez... et surtout... comment dire ? Bon courage !

Jacques se réveille en sursaut. Il revient dans le réel, en sueur. Par-dessus le bruit des moustiques, il en perçoit un autre, très proche, qu'il n'arrive pas à identifier. Fouillant sa chambre du regard, il avise un serpent qui rampe sur le sol. Étonnamment, il est rassuré que cela ne soit qu'un reptile.

JK48 finirait presque par me faire peur, se dit Jacques. *Je crois qu'il abuse de son ascendant sur moi.*

Depuis la coursive, le jeune homme contemple le village circulaire assoupi, son foyer de braises mourantes, et au-dessus le superbe ciel étoilé violet. Des soupirs d'extase s'échappent des habitations voisines, preuve que tous ne dorment pas. *Shuki n'avait rien exagéré.*

Des chauves-souris s'ébattent à la cime d'un arbre. Jacques Klein se passe une main fraîche sur son visage en sueur. Il songe que la langue française est propice aux circonvolutions : « Je te souhaite bon courage » qui semble sous-entendre « Je sens qu'il va t'arriver des malheurs », ou bien « J'espère qu'il ne t'arrivera rien » quand il faudrait plutôt dire « J'espère qu'il t'arrivera quelque chose de formidable ».

Jacques repense à Shambaya, qu'il trouve impressionnante de grâce et de subtilité malgré son handicap. Il se demande si elle a déjà un mari, la Maîtresse en rêves devant évidemment être très courtisée.

Alors qu'il pénètre dans sa chambre pour se recoucher, une silhouette s'engouffre à petits pas derrière lui et appose sur son nez et sa bouche un mouchoir imbibé de chloroforme. À peine en a-t-il respiré une bouffée que Jacques sent ses jambes se dérober sous lui. Deux bras solides le récupèrent avant qu'il ne touche le sol.

44

Une odeur âcre de cigare lui irrite les narines. Dans son sommeil, il entend un mot qu'il reconnaîtrait à travers n'importe quel brouhaha : « Klein ». Son cerveau sait détecter cette syllabe au milieu de n'importe quel vacarme.

Un seau d'eau glacée lui est jeté au visage : jamais il n'a connu un réveil aussi brusque.

– Monsieur Klein ? l'interpelle en anglais une voix aiguë et mielleuse.

En ouvrant les yeux, il distingue autour de lui une pièce qui ressemble à une cale de bateau, avec des tuyaux au plafond. La lumière d'un néon lui brûle les rétines.

– Bonjour monsieur Klein. Êtes-vous de la famille du célèbre Klein ? Je veux dire Calvin Klein, celui qui fait les jeans et les parfums ?

Jacques fait le point sur la silhouette penchée sur lui : un vieil homme qui semble avoir 80 ans, visage ridé et bronzé, costume strict avec chemise et cravate.

– Je me nomme Abdullah Kiambang et je suis directeur d'une société de biens immobiliers et de voyages touristiques. Notre slogan est : « Kiambang Tour, les voyages que vous n'oublierez jamais. » Nous essayons d'innover dans un domaine où il y a malheureusement beaucoup trop de concurrence. La société des loisirs est là, mais aussi l'excès d'offre, vous ne trouvez pas ? Désormais on vous propose des voyages de moindre qualité pour casser les prix. Mais Kiambang Tour tient à maintenir l'excellence et l'originalité pour la satisfaction du consommateur. Savez-vous que nous avons été classés douzième dans le plus important journal spécialisé en « loisirs et détente » ? Douzième en rapport qualité-prix. Évidemment, je n'attends pas de votre part des félicitations, mais sachez que dans l'industrie du tourisme, nous comptons. C'est l'aboutissement d'années d'efforts.

Jacques Klein est sur une chaise, il tenterait bien une sortie mais deux sbires en treillis flanquant le dénommé Kiambang l'en dissuadent. Le vieil homme lui souffle la fumée de son cigare au visage.

— Je sais que vous allez me demander pourquoi je suis venu vous chercher. De même que vous pourriez vous demander ce que vous faites ici, vous qui êtes peut-être de la famille de Calvin Klein ? Eh bien, à ces questions j'ai des débuts de réponses. Vous êtes ici parce que je souhaitais vous rencontrer et que je pense que si je vous avais envoyé une invitation officielle vous ne seriez pas venu.

L'homme ricane de sa blague, tandis que ses sbires marquent leur approbation devant l'humour de leur patron. Kiambang aspire la fumée.

— Je vais vous dire ce que je sais, monsieur Klein. Je sais, grâce à votre passeport et à mes amis de la police, que vous êtes le fils de Caroline Klein, propriétaire de l'île Pulau Harang. Je pense que vous êtes venu ici pour profiter de son héritage, ce qui m'arrange et me complique la vie en même temps. Cela m'arrange parce que j'avais contacté votre mère pour acheter l'île et qu'elle m'avait dit non. Je lui avais pourtant proposé le double de la somme qu'elle l'avait payée. Une affaire. Je m'étais permis d'insister, mais elle était très butée.

— C'est vous qui l'avez assassinée !

Jacques bondit vers le vieil homme mais les sbires le replaquent sur sa chaise aussitôt.

— Du calme. Nous ne sommes pas responsables de sa mort. C'est une simple coïncidence. Elle a peut-être été piquée par un serpent ou une araignée venimeuse. Vous savez, ici la nature ne fait pas de cadeau.

Il ricane de nouveau.

– Monsieur Klein, vous n'êtes pas en position de me compliquer la vie, mais moi je suis en position de compliquer la vôtre. Donc reprenons. Votre mère possédait Pulau Harang. Elle est morte. Vous arrivez. Nous venons vous chercher et vous êtes là.

Il souffle par les narines la fumée opaque de son cigare.

– Je sais également que vous êtes étudiant en médecine spécialisée dans l'étude du sommeil, comme votre mère. Personnellement, je souffre d'apnée du sommeil mais ce n'est pas le moment de vous demander une consultation, je sens que le cœur n'y est pas.

Jacques Klein est aveuglé par la lumière du néon et n'arrive pas à bien distinguer son ravisseur.

– Je pense que vous n'avez pas l'intention de vous installer ici durablement. Trop de moustiques, pas assez de restaurants ou de fast-foods pour un Occidental. J'en déduis donc que vous êtes venu pour vendre à mes concurrents. Je suis sûr que vous avez déjà été contacté et peut-être avez-vous même déjà un début d'accord de vente avec une agence ou une chaîne d'hôtels. Hilton ? Accor ? Sheraton ? Le Club Med ? Barrière ? Best Western ? Marriott ? Les Américains, les Chinois, les Allemands ?

Jacques respire fortement, contenant sa colère.

– Comprenez-moi bien, monsieur Klein. Je suis le directeur de Kiambang Tour mais j'ai aussi des associés et des actionnaires. Nous avons commis l'erreur de négliger cet îlot parce que nous ne l'avons jugé que sur son aspect extérieur : pas de plage, une côte de rochers, cela nous semblait trop « inconfortable » pour nos futurs clients. C'était oublier les fonds marins. Or nous savons maintenant qu'ils sont exceptionnels. Évidemment, nous voulons réparer cette méprise et nous comptons sur vous pour nous aider à être meilleurs. Vous comprenez, ce n'est que du business. Rien que cela. Mais mes collègues actionnaires, parmi lesquels figurent des membres du gouvernement, ne souhaitent pas voir ce bout de territoire malaisien entre les mains de capitalistes étrangers intéressés uniquement par les profits à court terme, vous pouvez le comprendre. Mettez ma motivation sur le compte d'une forme de nationalisme, ou de sens de l'intégrité territoriale, si vous voulez. Vous le savez sûrement, on a récemment découvert, accolé à l'île, ce que l'on appelle le « trou bleu », une particularité bien rare et très prisée des dauphins. Ce serait dommage qu'il n'y ait que les étrangers pour en profiter, vous êtes d'accord ? Vous n'aimeriez pas que votre tour Eiffel appartienne à des Chinois, je présume ? Nous, c'est pareil.

Il claque des doigts et un de ses hommes lui apporte une liasse de feuilles jaunes dactylographiées et un stylo.

— Signez là ! Nous vous achetons Pulau Harang pour trois fois sa valeur et vous rentrez chez vous. Nous construirons un hôtel pour amateurs de plongée sous-marine dans lequel vous bénéficierez de tarifs réduits pour vos séjours en demi-pension, et tout ira bien.

— Et les Sénoïs ?

— Ces Orang Asli ? Eh bien, ceux qui sont suffisamment éduqués seront intégrés au personnel des hôtels comme serveurs, femmes de ménage ou manutentionnaires. Pour les réfractaires au monde moderne, nous procéderons à une évacuation sécurisée vers le continent et leur proposerons de s'installer dans les grandes villes où ils pourront enfin recevoir une éducation malaisienne. Ils disposeront dès lors d'un passeport et entreront dans le monde civilisé.

— Ils vont terminer dans les bidonvilles à se saouler ou à se droguer, ou ils serviront d'esclaves dans vos usines, c'est cela ?

— Tout le monde a sa chance pour réussir, mais s'ils restent sur l'île, ils ne dépasseront jamais le stade de la Préhistoire.

Il part d'un grand rire, bientôt imité par ses deux sbires.

— Signez, monsieur Klein, dans l'intérêt de tous.

— Jamais.

– OK ! Je vois que vous êtes coriace en affaires. J'aime ça. Si vous signez, je quadruple la somme. Vous êtes un malin, vous. Bravo ! À votre place, j'aurais fait pareil, un peu de résistance et on améliore les conditions des contrats.

Le vieux lui tend la feuille, que Jacques déchire.

– Vous n'avez pas le droit de me détenir ici, ramenez-moi tout de suite sur l'île.

Le Malaisien hoche la tête, et un nouveau contrat lui est apporté.

– Qu'est-ce que vous pouvez être maladroit, monsieur Klein ! Mais je suis prévoyant. Voici une autre copie du contrat. Signez !

– Je veux être mis en relation avec mon ambassade.

– D'après mes informations, vous avez certes fait un passage par l'ambassade, mais vous avez oublié de signaler la raison de votre présence et votre lieu de résidence. Officiellement, vous êtes juste (vous et votre collègue Franckie Charras) des touristes partis dans le centre du pays. Il faudra beaucoup de temps avant qu'on s'inquiète de votre disparition. Signez !

Jacques Klein affiche un air buté.

– Bon, puisque c'est comme ça, nous allons passer à des méthodes que, personnellement, je réprouve. Sachez qu'avant d'être promoteur immobilier, je travaillais dans les services secrets malaisiens. J'ai eu mon heure de gloire en juillet 2011 lors de la répression de la manifestation de la Bersih, la Coalition malaisienne pour des élections libres et équitables… Je me doute que tout ça ne vous dit rien…

L'homme éteint son cigare d'un geste vif.

– J'ai passé cinquante ans dans les services secrets. Cinquante ans, monsieur Klein ! Toute une vie consacrée au renseignement et voilà, à l'heure de prendre ma retraite, je me suis transformé en promoteur immobilier. Mais j'ai gardé des « trucs » de ma vie de fonctionnaire du renseignement.

Sur ordre de Kiambang, les sbires forcent Jacques à s'asseoir par terre.

– J'ai torturé beaucoup d'étudiants. L'étudiant a la tête dure. Surtout chez les Malaisiens... À chaque génération, ils veulent jouer aux héros... probablement pour épater les filles J'en ai donc torturé beaucoup pour obtenir les noms des meneurs. Je vais vous surprendre mais nous, les tortionnaires, nous sommes comme vous, les médecins, nous avons nos congrès annuels où nous échangeons nos expériences. C'est peut-être le seul moment où nous ne tenons pas compte de la politique. Un instant de vraie complicité internationale entre experts. Chacun son « style ». Et je peux vous dire qu'il y a de vrais virtuoses qui mériteraient d'être connus (à quand la téléréalité avec concours de supplices ?). Moi, ce qui me plaît, c'est d'inventer des tortures sur mesure : vous êtes spécialisé dans le sommeil, je vais donc en tenir compte.

Jacques Klein fronce les sourcils. L'autre se rallume un cigare.

– Je vais vous dire le plus drôle : j'ai torturé des étudiants malaisiens communistes et c'est précisément de tortionnaires communistes russes que j'ai appris les meilleurs trucs. Ces gens se sont vraiment interrogés sur la manière de ne pas trop abîmer le sujet tout en ne lui laissant aucune chance de résister. Donc c'est un Soviétique qui m'a inspiré la torture à laquelle je vais vous soumettre.

Jacques Klein tente de se relever mais l'un des hommes en uniforme l'en empêche.

– C'est un supplice qui a été inventé durant les purges staliniennes des années 1936 à 1938. Les communistes se sont donné du mal pour trouver ce qui pouvait le plus faire souffrir un humain. Le feu ? L'électricité ? La noyade ? Les amputations ? Le corps finit toujours par déclarer forfait – l'évanouissement – pour couper court à la douleur. Et puis cela passe. Mais la privation de sommeil, voilà l'ultime torture. Il a fallu le génie de Staline pour la promouvoir.

Le vieil homme tend à nouveau vers Jacques le contrat de vente de l'île.

– En moyenne, on sait que la limite de résistance à la privation de sommeil se situe à six jours, même si le *Guinness* a enregistré un record de onze jours attribué à une personne qui, a priori, souffrait d'un dérèglement hormonal. On considère qu'après six jours, le manque de sommeil provoque des lésions cérébrales irrémédiables. Signez et vous pourrez dormir.

Kiambang et ses hommes l'abandonnent dans la cabine verrouillée, éclairée par un seul néon. Dès que la porte se referme derrière eux, un haut-parleur placé au-dessus de Jacques se met à diffuser de la musique à plein volume. C'est une chanson enfantine : « Frère Jacques, frère Jacques, dormez-vous ? Dormez-vous ? Sonnez les matines, sonnez les matines, ding ding dong, ding ding dong. »

Des cloches assourdissantes résonnent dans la pièce. Puis la comptine reprend.

À la cinquantième boucle, Jacques se réfugie dans un coin, se recroqueville par terre en position fœtale, et plaque ses mains sur ses oreilles pour ne plus entendre les cloches.

45

Après deux jours à ce régime, Jacques n'a pas fermé l'œil. Quand Kiambang pénètre dans la cabine, il trouve son prisonnier prostré dans un coin.

– Bravo ! Vous êtes plus coriace que je ne le pensais. Mais il ne tient qu'à vous que cela s'arrête : signez le contrat.

– Laissez-moi dormir, murmure Jacques en trouvant la force de repousser les feuilles que le vieux lui tend. Dormir. Je veux dormir.

– Vous savez, monsieur Klein, la pénibilité de ce supplice ne réside pas seulement dans la fatigue ou l'usure des organes qu'il provoque mais aussi dans le contact prolongé avec le réel qu'il impose. Aucun animal, aucun insecte, aucune plante, aucun être vivant doté d'un minimum d'intelligence ou de conscience ne peut supporter un contact permanent avec la réalité. Cela peut rendre fou. Et c'est en train de vous rendre fou. Le réel à forte dose est intolérable. Signez et vous serez autorisé à revenir dans le monde des rêves.

46

Quand, au troisième jour sans sommeil, la porte s'ouvre sur Abdullah Kiambang suivi d'un de ses hommes de main, Jacques Klein est amorphe, parcouru de spasmes et de tics incontrôlables. Le vieil homme se penche vers son prisonnier et approche son visage du sien. Jacques Klein part alors d'un énorme rire et tente de cogner le Malaisien. Son sbire attrape aussitôt le bras de Jacques, qui, yeux révulsés, réussit à le griffer jusqu'au sang, en partant dans de grands éclats de rire.

Kiambang recule.

– Vous me comprenez, monsieur Klein ?

En réponse il rit.

– Vous êtes devenu fou, c'est cela ?

Jacques grogne comme un animal puis éclate de rire.

– Vous êtes fou !

Abdullah Kiambang s'adresse à l'autre homme en malaisien. Il l'engueule probablement pour avoir mal géré le supplice : leur prisonnier n'était pas censé être déjà hors service. Le ton est très dur, l'autre ne cesse de s'excuser. Les ordres claquent.

Soudain, la comptine s'arrête et le néon s'éteint. Le silence qui suit est formidable. Jacques, toujours pris de rires incontrôlés, ferme les yeux.

Il sent qu'on le soulève à bout de bras. On l'emmène ailleurs. Jacques est content. Il a l'espoir de rejoindre un lit. Et à nouveau, il sent ce rire irrépressible monter dans sa gorge, telle une quinte de toux.

Jacques Klein s'endort très vite. Il franchit les stades 1 et 2 du sommeil léger. Son corps se détend. Arrive le stade 3. Sérotonine. Glande pinéale. Giclée de mélatonine. Il fonce pour quitter le continent insupportable de la réalité.

Il apprécie sa propre capacité à guider son esprit vers les territoires imaginaires.

Il se souvient d'une phrase de sa mère : « Ceux qui ne peuvent pas utiliser leur imagination devront se contenter du réel. » Le réel, à cet instant, il n'en veut plus. Il ne veut que du pur imaginaire. En film, en jeu, en rêve, en livre, en récit conté, en fable, en poésie, n'importe quoi pour s'accrocher à des images irréelles et quitter cet espace-temps.

Stade 4, stade 5. Il est loin du bateau. Il est loin de l'horrible comptine. Il est loin de ses yeux dont la cornée le brûle. Il est loin du Jacques Klein qui souffre à en devenir fou.

Son esprit s'enfuit de son corps.

Jubjotage. Il se réfugie sur l'île de Sable rose. Il rejoint la plage et s'étend sur la grève comme un naufragé. Il regarde les cocotiers, le soleil, les oiseaux, les papillons. Jamais il n'aurait cru que cela puisse être aussi bon de retrouver le vieux décor de ses rêves de jeunesse. Jamais il n'aurait cru que d'être si loin du réel soit aussi délicieux. Il reste étendu sur le rivage, des vaguelettes lui lèchent les pieds.

Je ne veux plus jamais me réveiller, se dit Jacques, *je veux rester ici pour le reste de ma vie. Kiambang a raison, aucun être vivant ne peut supporter le réel en continu. Nous avons besoin de relâcher la pression dans l'imaginaire.*

Il sourit, inspire à pleins poumons, a envie de rire.

Un sentiment de liberté l'envahit tandis qu'il marche sur un chemin au milieu des herbes bordant la rive, respire la fraîcheur de la brise venue de l'océan.

Il court, danse au milieu des plantes de « son » île.

Mais alors qu'il a le nez dans un bosquet de fleurs mauves et roses, JK48 apparaît, fébrile.

— Ah ! Enfin vous voilà ! s'exclame JK28. Vous ne pouvez pas savoir comme cela me fait du bien de vous revoir ! J'ai réussi, j'ai supporté l'épreuve et je n'ai pas craqué. Je n'ai pas signé ! Vous êtes fier de moi ?

Mais l'autre ne l'écoute même pas.

— Pas le temps de discuter. Réveille-toi tout de suite, JK28.

— Revenir dans le réel ? Ah ça, pas question !

— Tu n'as pas le choix. Il le faut.

— Après trois jours de torture, j'ai quand même droit à un peu de repos.

— Réveille-toi tout de suite, JK28 !

— Pas question de rouvrir les yeux. Et si je suis là, c'est quand même un peu de votre faute. Alors maintenant, vous allez me ficher la paix et me laisser dormir. J'y ai droit.

— Debout !

— Finalement, vous êtes un type que je qualifierais d'« agaçant ». Jamais un mot gentil. Jamais un petit bravo. Vous avez bien fait de ne pas m'avertir de la nature de cette terrible épreuve, j'aurais paniqué. Mais maintenant que je l'ai franchie sans craquer, le minimum serait un peu de reconnaissance. Je n'ose espérer des félicitations, mais quand même…

— Réveille-toi, bourrique ! Debout, tout de suite ! Tu ne comprends donc pas que ta vie est encore en danger ?

— Je veux dormir.

— Ah, quel borné… j'ai été ! Nous perdons un temps précieux. Enfin, surtout toi. Parce que là, on joue serré. Je t'assure que nous n'avons vraiment pas le temps de faire des mondanités. C'est une question de secondes.

— Avec vous, c'est toujours grave et important. J'ai droit à une pause. J'ai sommeil.

— Tu auras toute la vie pour te reposer. Dans l'immédiat, tu cours un danger terrible.

— Je croyais que dans le monde des rêves, la perception du temps était compressée. Comme ce type qui, réveillé par une tringle de son lit à baldaquin lui tombant sur la tête, raconte avoir eu le temps de rêver qu'il avait été arrêté par la police et qu'il marchait vers la guillotine.

— Ce sont des conneries de psy. Pour ce que j'en sais, le temps s'écoule à l'extérieur à la même vitesse qu'à l'intérieur. En tout cas, je peux te garantir que si tu traînes ici, il risque d'être trop tard pour sauver ta propre vie dans le réel. Fais-moi encore confiance, réveille-toi. Et plus tu attends, plus ça devient périlleux.

— Mais enfin, qu'est-ce qu'il se passe à l'extérieur ? Préparez-moi avant que j'ouvre les yeux. Périscope dans le réel, svp.

— Désolé, si je te le dis, tu n'auras plus jamais envie d'ouvrir les yeux. Rappelle-toi la phrase de papa : « Celui qui n'a pas voulu quand il le pouvait… ne pourra pas quand il le voudra. »

47

Jacques Klein soulève avec difficulté ses paupières, lourdes comme des rideaux de fer rouillé. Il fait encore nuit, mais le quart de lune éclaire faiblement le décor. Deux mercenaires en treillis équipés de lampes frontales sont devant lui. Le sol tangue, il est ligoté sur un canot à moteur de type Zodiac. Au large, loin du bateau de Kiambang. Un des deux hommes s'approche de lui, un poignard à la main. D'un geste sec, le mercenaire lui entaille une cuisse, la plaie se met à saigner abondamment.

Jacques se démène dans ses liens.

Le deuxième sbire le regarde d'un air narquois, semblant se dire : « Tiens, l'étranger, ça aurait mieux valu pour toi que tu continues à dormir. » Il est en train de balancer à la mer des morceaux de poisson saignants. Déjà, rôdent autour du Zodiac quelques triangles de nageoires dorsales reconnaissables. Ce qui semble beaucoup amuser les deux mercenaires.

Jacques convoque les paroles de son père, qui affirmait : « Il n'y a pas de requin méchant. Il n'y a que deux sortes de requins, ceux qui ont déjà mangé et ceux qui n'ont pas encore mangé. » Il disait aussi : « Le requin n'aime pas l'homme, il l'attaque parce qu'il le confond avec un gros poisson ou avec une otarie. D'ailleurs, il n'en aime pas le goût, en général il le recrache après la première bouchée. Le seul danger c'est l'orque, qui est un vrai mangeur d'hommes. Sur cinq cents espèces de requins, seules cinq sont dangereuses. Il y a plus de risques d'être tué par une chute de noix de coco... »

Les hommes continuent de commenter en malaisien la multiplication des nageoires dorsales autour du bateau. Ils semblent très satisfaits de leur travail.

Jacques Klein ressent une grande solitude. Cette fois-ci, il ne voit pas bien comment l'accès qui mène à JK48, l'inventeur de l'Aton, va pouvoir continuer à exister.

Pourquoi m'a-t-il averti si tard ? Il savait que cela allait se passer. Pourquoi n'a-t-il rien fait au préalable pour empêcher ça ?

Il frissonne à l'idée d'être dévoré par ces grandes mâchoires, sans même pouvoir se débattre ou se défendre avec ses mains liées dans le dos.

De toute façon, je ne sais même pas nager. La totale. Le plus tôt on en finira, le mieux ce sera, songe-t-il, résigné.

Les hommes se lèvent et s'emparent de Jacques. Ils commencent un décompte en malaisien pour être sûrs de lâcher de manière synchrone, mais avant qu'ils aient eu le temps de le balancer à la mer, deux fléchettes viennent se planter dans leur cou. Sous l'effet du poison, ils lâchent leur fardeau, qui choit douloureusement au fond du Zodiac.

Nouvelle volée de fléchettes et les deux mercenaires en treillis basculent dans l'eau. Les requins les dévorent aussitôt, malgré toutes les théories sur leur myopie et leur manque d'appétence pour la chair humaine émises par feu Francis Klein.

– Pardonne le retard, Jack ! dit la voix reconnaissable de Franckie Charras. Ils ont coulé notre catamaran et il m'a fallu plusieurs jours avant d'arriver à construire une pirogue et commencer à fouiller la mer à ta recherche. J'étais sûr que tu étais vers l'ouest, mais le bateau a été déplacé complètement au nord. On ne pouvait pas savoir, hein ? C'est Shambaya qui a rêvé de l'emplacement.

Le journaliste est accompagné de trois Sénoïs et de leurs sarbacanes. Jacques est libéré de ses liens.

Tous regardent en frissonnant les restes des deux mercenaires flottant dans l'eau rougie et encore bouillonnante éclairée par la lune. Francis récupère les fusils-mitrailleurs.

– Désormais, nous avons des armes à feu.

Prostré, Jacques regarde le spectacle des requins et s'accroche au bateau par peur de tomber à l'eau.

– Nous deux, nous allons prendre le Zodiac, et les trois Sénoïs qui m'accompagnent continueront en pirogue. Même s'ils n'aiment pas la mer, ils ont appris à naviguer.

La hantise de se faire dévorer par les squales tétanise encore Jacques qui demeure en état de choc jusqu'à avoir rejoint la terre ferme. C'est seulement alors qu'il se détend.

Et la première chose qu'il fait est de foncer dans sa chambre avec l'intention de s'endormir et de quitter ce réel effrayant.

48

Jacques fait une descente en stade 4, remonte en sommeil paradoxal et, comme s'il était sur un grand huit, monte et descend cinq fois. Puis il se lance pour un sixième cycle et cède à la tentation de jubjoter pour rejoindre son futur lui-même.

L'île de Sable rose est tranquille. JK48 se balance dans un hamac accroché entre deux cocotiers en dégustant sa piña colada avec tranche d'ananas et cerise confite.

– Ne commence pas à me faire des reproches. J'étais sûr que tu t'en tirerais et tu t'en es parfaitement sorti...

Il n'a pas le temps de terminer sa phrase que Jacques lui décoche un uppercut au menton.

JK48 tombe du hamac et éclate de rire face à un JK28 prêt à repartir à l'attaque. Le plus âgé ne se donne même pas la peine de se défendre. Il se relève et s'ébroue pour enlever le sable rose qui colle à sa chemise hawaïenne.

– Tu m'en veux, c'est ca ? Tu m'en veux de ce qu'il t'est arrivé ? Hé ! Ce n'est pas moi qui t'ai torturé ! Ne te trompe pas d'ennemi ! Moi, je suis le type qui, à chaque fois, te conseille d'agir pour retrouver ta mère, te sauver avant qu'on te jette à l'eau, avec un parpaing de béton aux pieds ou au milieu des requins. Normalement, tu devrais plutôt me remercier.

Mais JK28 ne décolère pas. Il fonce tête baissée dans le ventre de l'autre et le bourre de coups de poing, ce qui déclenche un surcroît d'hilarité chez son compagnon.

– Arrête, nous sommes dans un rêve, JK28, tu ne peux pas me faire de mal. Je n'ai pas de chair !

Le Jacques Klein aux cheveux noirs décoche un coup de pied dans le menton de celui aux cheveux gris, ce qui le projette plusieurs mètres en arrière. Nouveau fou rire de l'homme étalé par terre, qui saigne de la lèvre.

– Tu m'en veux donc vraiment ?

– Bats-toi !

– Me battre ici, en rêve, contre le jeune homme que j'ai été ? Cela n'a pas de sens, je ne viens ici que pour t'aider, pas pour me bagarrer avec toi.

Il se relève et sa blessure cicatrise aussitôt.

– Ça y est ? Tu t'es défoulé ? Nous pouvons discuter ?

– C'est à cause de vous que je me retrouve dans toutes ces situations d'horreur.

– Non, ça c'est ta vie, ton destin, ton parcours normal sur ton sillon principal de vie. C'est comme aux cartes : tu as une main, il faut la jouer.

– Je ne veux plus jouer. Maman est morte, je veux juste rentrer en France, dormir, être tranquille.

– Prendre ta retraite à 28 ans ? Ce n'est pas un peu jeune ? J'ai plus d'ambition pour toi.

– J'ai vu où me mènent vos ambitions.

– Les épreuves de la vie stimulent. Tu t'attendais à quoi ? Une existence de bonheur, de satisfaction, de gloire et de richesse sur un plateau ? Cela n'existe pas. Tu le sais. En plus cela manquerait de… suspense.

– Mais qui êtes-vous pour décider que ma vie a besoin de suspense ?

– Je suis ton futur toi-même, j'ai donc un peu de perspective et pas le nez dans le guidon. Pas comme toi, juste à vivre partagé entre la peur et l'envie. Je te perçois comme un enfant capricieux et peureux. Tu devrais me dire merci, car non seulement je t'offre une vision plus large, mais en plus je t'ai désormais donné un objectif : l'Aton.

Le jeune Jacques retient sa colère et finit par s'asseoir à côté de JK48.

– Alors maintenant, on fait quoi Monsieur Je-sais-tout ?

– Eh bien après ce petit « virage difficile », heureusement franchi, on va bénéficier d'une période d'apprentissage et de répit. Si je me souviens bien, c'était plutôt sympa « après ». Apprête-toi donc à vivre des moments tranquilles. Tu sauras apprécier ça ?

JK48 lui tend un verre de piña colada.

— Regarde, on est pas bien, là, tous les deux, dans ce rêve ?

En guise de réponse, le plus jeune se contente de boire le cocktail imaginaire.

— Mais au fait, pourquoi vous faites ça pour moi ? Juste pour tester votre Aton ?

— Peut-être pour le plaisir de me reconnecter avec mon ancien moi-même. Tu te rappelles l'adage, « Ah ! si jeunesse savait. Ah ! si vieillesse pouvait » ?

— C'est un proverbe ancien. Maintenant, grâce à Internet, la jeunesse « sait », et grâce à l'argent la vieillesse « peut ».

— Je ne te parle pas de matérialité, je te parle de sentiments, de prise de conscience, d'émotions. Cela, ni l'argent ni la santé ne peuvent le garantir. C'est pour cela que je suis là. Et pas seulement pour t'informer ou pour te guider. Je suis là pour te faire prendre conscience de ton présent et des possibilités de ton futur. Prise de conscience et perspective. Voilà les mots qui me portent vers toi.

JK28 ne semble pas convaincu. Les deux hommes observent le lever de soleil qui n'en finit pas de se dérouler sur l'horizon.

— Ah ! Encore une chose : que penses-tu de Shambaya ?

49

Une main fraîche passe sur son visage. Jacques reconnaît ce contact.

— Vous êtes réveillé, monsieur Klein ?

Shambaya lui pose les doigts sur les paupières.

– Cela fait maintenant deux jours que vous dormez sans interruption et nous commencions à nous faire du souci. Vous allez bien ?

Il s'aperçoit qu'il est en sueur. L'air est très chaud, des particules flottent et des mouches bourdonnent.

– Votre corps avait besoin de se reconstruire après toutes ces épreuves. Nous avons attendu. J'espère que je ne vous ai pas réveillé.

– Que s'est-il passé ?

– Après vous avoir kidnappé, les Malaisiens ont coulé votre catamaran, et Franckie a ensuite pris la direction des opérations. Il est très fort. Il vous a ramené sur l'île. Vous avez été privé de sommeil. Cela a dû être insupportable.

– J'ai cru que je devenais fou.

– Vous savez, si nous, les Sénoïs, privilégions le sommeil à l'éveil, c'est qu'il est plus important. On peut rester longtemps à dormir, on ne peut pas rester longtemps éveillé. Le manque de sommeil tue. Se retirer du réel ne pose aucun problème.

– Je commence en effet à intégrer dans toutes mes cellules ces informations primordiales.

Elle lui tend un verre d'eau qu'il boit avec délice.

– Tout dans le monde est une question d'équilibre. Nous allons vous révéler nos secrets et vous nous révélerez les vôtres. Votre mère était un peu avare en informations sur votre village, Paris, et sur ses mœurs. Elle semblait dire qu'ici tout était bien et que là-bas tout était mal. Je sais que c'est faux. Je veux tout savoir sur votre langage, vos chansons, vos projets, les objets de votre vie quotidienne.

Jacques Klein se lève pour aller observer le village où Franckie finalise la construction de la palissade de protection.

– Votre ami pense que les mercenaires ne vont pas en rester là et qu'ils vont à nouveau nous attaquer de nuit, ne serait-ce que pour faire disparaître toutes leurs traces. Franckie dit que la meilleure défense, c'est l'attaque. Le plus rapide gagnera.

Votre ami est un homme d'action. Nous avons besoin de cela. La culture du sommeil et du rêve que nous avons développée nous rend paradoxalement assez inadaptés... aux violences de la réalité.

– Puisque vous voulez connaître notre culture, je peux vous parler d'un poème de Charles Baudelaire, « L'Albatros ». C'est un grand oiseau, majestueux dans les airs, qui a des difficultés une fois sur le sol :

> « Le Poète est semblable au prince des nuées
> Qui hante la tempête et se rit de l'archer ;
> Exilé sur le sol au milieu des huées,
> Ses ailes de géant l'empêchent de marcher. »

– « Ses ailes de géant l'empêchent de marcher... » Cela veut dire qu'il sait voler dans le ciel mais qu'il ne sait pas marcher sur terre ?

– Ce qui l'avantage dans une dimension est un handicap dans une autre, oui. Vous, vous savez rêver et vous ne savez pas combattre des hommes armés et agressifs.

L'aveugle hoche la tête, compréhensive.

– C'est ça que je veux apprendre de votre culture : vos chansons, dit-elle.

– Ce ne sont pas des chansons mais des poésies.

– Je veux dire les textes qui vous connectent, vous réunissent et vous permettent de débloquer les nœuds. Vous n'appelez pas cela des « chansons » ?

Franckie surgit sur la coursive.

– Alors, le « Bel au bois dormant », tu as été réveillé par le baiser de la princesse Shambaya ? J'allais venir te secouer. Nous allons les attaquer ce soir, mais j'aurai besoin de toi au cas où je m'endorme durant l'action. Même si ici j'ai beaucoup progressé, je ne suis toujours pas à l'abri d'une crise de narcolepsie.

– Mais je ne suis pas un militaire ! Et l'idée de revenir sur ce bateau ne me tente pas trop...

– Alors je ne pourrai pas attaquer et ils risquent de revenir te prendre dans la nuit, Jacques. Tu as le choix entre agir maintenant, prendre l'initiative, ou attendre dans l'inquiétude et subir.

– Je crois que je préférerais dormir. Franchement, je suis encore fatigué et...

Shambaya s'interpose :

– Je vais te préparer en rêve à devenir un grand guerrier dans le réel, Jacques. Viens.

Elle le conduit jusqu'à une pièce pleine de tentures peintes représentant des fleurs, des papillons et des oiseaux aux couleurs vives. Elle lui fait signe de se coucher pour se détendre. La main sur ses paupières, elle entame une séance assez semblable au rêve accompagné de sa mère. Elle lui fait visualiser un combat contre un chien, puis contre un tigre, puis contre un requin. À chaque fois, il prend peur et veut fuir, mais elle le force à rester et à faire front. Une fois qu'il a vaincu les animaux, elle lui fait combattre des hommes au fusil, au couteau, à la sarbacane... Et à chaque fois, il se bagarre jusqu'à terrasser son adversaire. Il arrive bientôt à vaincre tous les ennemis que lui présente Shambaya.

La séance dure trois heures, toute la matinée. Vers midi, il se lave et part déjeuner avec la tribu pour prendre des forces.

– Nous allons attaquer de nuit, dit Franckie. Il te faudra donc faire une longue sieste pour être en forme.

– Nous avons des fusils ?

– Je souhaiterais que tu apprennes d'abord à utiliser l'arme locale : la sarbacane. Son atout principal étant qu'elle est silencieuse. Contrairement à nos armes modernes.

Jacques passe ainsi l'après-midi à apprendre à tirer à la sarbacane traditionnelle sénoï. C'est Franckie qui l'initie.

– Sa portée est de quarante mètres. Tu ne peux pas viser comme au fusil, car le tube n'est pas dans la prolongation de l'œil. Par contre, tu bénéficies du coup d'une vision stéréoscopique car on vise avec les deux yeux. Les fléchettes sont enduites de curare, alors fais gaffe à ne pas les aspirer.

– En effet, en visant je vois deux sarbacanes ! Tu es sûr que je ne dois pas fermer un œil ?

– Surtout pas, il faut que tu t'habitues à faire le point malgré ces deux sarbacanes. Allez, je te laisse avec Shuki, c'est le meilleur tireur. Il sera avec nous ce soir.

Le jeune Sénoï prend le relais.

– Tu dois d'abord percevoir ta propre position dans l'espace entre ta cible et toi, puis tu imagines un fil imaginaire qui vous relie. C'est ce fil qui va guider la flèche.

– Je trouve ces sarbacanes très longues.

– C'est nécessaire, plus c'est long, plus c'est puissant et précis.

Jacques se met en position.

– Il faut que tu te tiennes penché en avant, les mains réunies devant toi comme si tu allais prier, d'accord ?

L'apprenti tireur obéit.

– Vas-y !

La flèche part trop haut.

– Tu souffles trop fort. Il ne faut pas souffler n'importe comment, explique Shuki, mais bien en fonction de la cible.

Jacques comprend que tous ces conseils peuvent se résumer en un seul : intégrer la cible dans sa pensée, ensuite l'œil et la bouche se débrouillent pour que la fléchette fasse le chemin dans la bonne direction et à la bonne vitesse.

Le soir, la tribu et ses deux hôtes mangent beaucoup de féculents remplis de sucres lents pour avoir des forces, puis vont se coucher tôt.

Jacques hésite à faire appel à son ami imaginaire. Mais il en a assez de JK48 et de ses prédictions effrayantes. Il se laisse désormais porter par les paroles de Shambaya, de Shuki, et surtout celle de Franckie qui lui souffle des conseils pratiques pour l'attaque du soir.

Pour le rassurer, la Maîtresse en rêves se couche à côté de lui. Il n'ose prononcer un mot. Sa présence est comme un doudou et lui rappelle celle de son chat USB. Une sorte de protection ronronnante.

Jacques passe les cinq stades, ne jubjote pas pour aller sur l'île de Sable rose mais visualise la future attaque du bateau.

Il se voit arriver de nuit, grimper en commando sur l'échelle et tirer avec sa sarbacane pour paralyser les sentinelles. Mais il rate sa cible et l'ennemi le fait prisonnier. Ensuite les mercenaires tuent Franckie et Shuki, et jettent leurs corps à la mer.

Puis le chef des mercenaires, Kiambang, le force à avancer sur une planche suspendue au-dessus de l'eau, à la manière des pirates. Des requins tournoient sous lui et Kiambang le met en garde : s'il s'endort, il chutera. *Frère Jacques* résonne sur le bateau. Le Malaisien éclate de rire.

Jacques Klein se réveille en sursaut, sur le qui-vive. Shambaya se redresse elle aussi, il lui raconte son cauchemar.

– Le cerveau teste les scénarios négatifs pour que le corps y soit préparé. C'est normal. Avant une épreuve, moi aussi je rêve toujours que j'échoue, explique-t-elle.

– C'était épouvantable.

– Mais au moins, si cela arrive, tu y seras préparé et ton cerveau aura pu étudier un autre scénario.

– J'ai peur. Je ne veux plus y aller.

– Nous allons utiliser ton cauchemar autrement. Nous allons le poursuivre ensemble. Tu sais revenir dans tes songes ?

– Oui, ma mère me l'a appris. J'appelle ça « jubjoter ».

– Bien ! Alors, « jubjote ».

Jacques inspire profondément, puis trouve le courage de fermer les yeux et, suivant les indications de Shambaya, il revient sur le lieu de ce cauchemar. Il est à nouveau sur la planche, avec Kiambang qui le surveille en rigolant. La comptine résonne, insupportable. Mais il réussit à remonter la planche et à assommer facilement les sentinelles. Face à Kiambang, il le combat et jette par-dessus bord son corps, qui est dévoré par les requins.

Ça y est, il peut se réveiller. Il est prêt à affronter tous les scénarios possibles.

– La victoire est toujours une possibilité. Il suffit que tu le saches, annonce Shambaya en guise de conclusion.

Un peu plus tard, Jacques Klein rejoint le petit commando qui est en train de se préparer pour la mission.

Comme il souhaite arriver le plus silencieusement possible, Franckie a décidé d'utiliser la pirogue plutôt que le Zodiac. Ils seront douze pour l'attaque. Les meilleurs tireurs à la sarbacane et ceux qui n'ont pas peur de l'eau.

La lune est encore haute lorsque les dix Sénoïs et les deux Français prennent la mer. L'inquiétude des Sénoïs est palpable. Pour ces gens des forêts montagneuses, la mer est remplie de monstres plus ou moins imaginaires, et l'instabilité de la pirogue secouée par les vagues les rend malades. Plusieurs vomissent, mais Franckie ne le remarque pas, trop préoccupé par le déroulement de sa mission.

Enfin, le bateau de Kiambang est face à eux, Franckie s'amarre à ses flancs et on lance des grappins. Les Sénoïs, habitués à grimper aux arbres, n'ont guère de difficultés à rejoindre le pont.

Quand vient le tour de Jacques, la peur le paralyse.

– Non, je ne peux pas remonter sur ce navire.

Franckie lui fait comprendre que ce n'est plus le moment de tergiverser et lui tend sa sarbacane. Toujours éclairé par la lune, Jacques se hisse le long de la coque et arrive à son tour sur le pont. Deux sentinelles gisent déjà au sol.

Jacques, peu assuré, percute le bastingage avec sa longue sarbacane qu'il porte en bandoulière, émettant un bruit sec qui se répercute dans la nuit.

Franckie, qui a grimpé à sa suite, lui fait signe de faire plus attention. À pas de loup, il progresse dans les cabines et, profitant du fait que les mercenaires sont encore endormis, en neutralise une dizaine, mais l'un deux se réveille et commence à tirer des coups de feu, réveillant ses derniers collègues. Maintenant ça mitraille dans tous les sens. Les Sénoïs, dissimulés derrière des caisses, ripostent sur le pont avec des fléchettes empoisonnées. Il y a des morts des deux côtés.

Jacques, qui jusqu'ici n'a fait que se cacher, est resté prudemment à l'arrière durant toute l'attaque. Il cherche des yeux son ami et finit par le trouver… endormi derrière une caisse.

– Oh non ! Pas une crise de narcolepsie maintenant !

Franckie est plongé dans un sommeil profond. Jacques le secoue, mais rien n'y fait.

Alors que plusieurs des leurs se sont fait faucher par les rafales d'armes automatiques, les Sénoïs sont toujours d'attaque et attendent ses ordres. La bataille, qui avait pourtant bien démarré, tourne à leur désavantage. Un nouveau Sénoï s'écroule, fauché par les balles ennemies. Ses frères commencent à perdre de leur assurance, visent moins bien et ratent leurs cibles. Très rapidement, le scénario du cauchemar de Jacques semble se matérialiser. Après une profonde inspiration, il essaie de trouver un comportement adapté à la situation. Il fait signe aux Sénoïs de grimper sur le mât.

Jacques Klein vise et tire avec sa propre sarbacane, parvenant à toucher un mercenaire. Cette petite victoire lui donne un regain d'énergie. Mais un adversaire surgit par-derrière et un combat au corps à corps s'engage. Quand l'autre lève son poignard, Jacques pense sa dernière heure arrivée.

Durant l'instant où il ferme les yeux, il lui semble voir JK48 l'encourager à se battre. Et lorsqu'il rouvre les yeux, il n'a pas reçu de coup de couteau : son adversaire a une fléchette fichée dans le cou.

C'est Shuki qui l'a sauvé. Jacques le remercie de la tête et se sent ragaillardi. Comme Franckie dort toujours au milieu de la bataille, Jacques doit prendre la situation en main : ses ordres fusent et, progressivement, les détonations sont remplacées par les sifflements des fléchettes et le bruit des corps qui s'affalent.

Puis le silence règne sur le pont.

Les deux derniers mercenaires se rendent d'eux-mêmes et sont faits prisonniers. Les Sénoïs les regroupent avec les blessés et les morts malaisiens.

C'est ce moment que choisit Franckie pour se réveiller. Il s'ébroue comme au sortir du lit.

– Ils sont tous là ? demande-t-il.

– Non, il manque Kiambang.

– C'est qui ?

– Leur chef.

Toutes les cabines sont fouillées, en vain. Les prisonniers finissent par avouer que leur chef se trouve en ce moment sur Pulau Dayang. Franckie prend rapidement des décisions. Il confisque les passeports et autres effets personnels des deux mercenaires et leur ordonne de rejoindre Kiambang sur son île et de l'avertir du renversement de rapport de force qui vient d'avoir lieu.

Les mercenaires indemnes, avec leurs blessés et leurs cadavres, s'éloignent sur un canot, Franckie et Jacques ayant réquisitionné leur navire.

Le militaire s'installe au gouvernail et fait rentrer à bon port les survivants, qui sont accueillis avec allégresse. Le bateau est mis au mouillage dans une zone rocheuse où il y a moins de récifs. On évacue blessés et morts, et on récupère les appareils à bord.

– Finalement, c'est une aubaine, se réjouit Franckie, on va enfin avoir du matériel moderne : des armes et surtout des ordinateurs et un émetteur-récepteur satellite.

Jacques ne partage pas son enthousiasme.

– Il faudra trouver une solution juridique, sinon ils reviendront.

– Juridique ? s'étonne Franckie.

Jacques lui explique que Kiambang est de mèche avec les gens du gouvernement, et qu'il a derrière lui tout l'appareil judiciaire et économique malaisien. Ils peuvent peut-être lutter contre une dizaine de mercenaires, mais pas contre la police, l'armée, les juges malaisiens. Ils doivent trouver une solution à long terme.

– Laisse-moi y réfléchir cette nuit. Pour l'instant, j'ai juste envie d'aller dormir, déclare Jacques en guise de conclusion.

Une fois au lit, et après s'être remémoré tous les événements de la nuit, s'être rappelé chaque dialogue, il ferme les yeux et lance son inconscient sur la voie d'une solution durable pour les Sénoïs. Il ne perçoit même plus le bourdonnement des moustiques ou les cris des animaux de la forêt toute proche. Il ne perçoit pas non plus le ressac de la mer. Les ressources de son cerveau sont mobilisées dans un seul but : résoudre ce problème épineux.

50

Jacques s'endort et atterrit sur l'île de Sable rose.

JK48 est toujours dans son rocking-chair, pratiquement dans la position où il l'avait quitté la veille.

– J'ai besoin de vos lumières, « futur moi-même ».

– Récapitulons : nous avons une île qui est une propriété privée achetée par maman avec ses économies. Elle l'a payée un prix faible parce qu'à l'époque, ce bout de terre n'intéressait pas les sociétés touristiques. Cependant, maintenant que des plongeurs ont découvert qu'une des anses de notre île contient ce trou bleu très profond, qui plus est lieu privilégié de reproduction des dauphins, elle est l'objet de toutes les convoitises.

– Pas de chance.

– Une entreprise touristique locale un peu plus vive que les autres découvre que c'est une Française qui la possède. Ils débarquent... et découvrent que maman n'est pas seule, mais que toute une tribu sénoï habite avec elle. Ils lui font une proposition de rachat, qu'elle refuse. Ils augmentent leur prix, elle ne veut rien savoir, ils passent aux menaces. Puis aux actes : un bateau rempli de mercenaires est envoyé sur l'île pour l'effrayer et la forcer à vendre. Lors de la dernière expédition, ils la tuent et trois jours plus tard... tu arrives.

Les deux Jacques marchent un moment en silence sur la plage de sable rose.

– Posons la question : qu'est-ce qui motive Kiambang ? demande JK48.

– L'argent ? Mais on ne pourra pas l'acheter.

– On peut vaincre le mal par le mal. Qu'est-ce qui inquiétait le plus Kiambang ?

– Que nous vendions à une société immobilière étrangère et que les profits lui échappent.

– Donc il ne s'agit que de luttes d'intérêts entre sociétés immobilières en vue de l'exploitation touristique de cette île, nous sommes bien d'accord ?

– Où voulez-vous en venir, JK48 ?

– Dans les arts martiaux, on dit que plutôt que de bloquer le coup de l'adversaire, mieux vaut l'accompagner et retourner son élan contre lui. Il faut contacter une société immobilière étrangère pour leur vendre l'île, ainsi ils vous protégeront de leur concurrent malaisien !

– Mais s'ils s'y installent et saccagent ce lieu ? S'ils évacuent les Sénoïs ?

– Précisément, ce sera ça, l'enjeu. Tu vas proposer l'île à une société « vertueuse ». Cela existe.

– Un nom ?

– Pas d'info directe. Juste de la prise de conscience. Tu n'as qu'à chercher, fainéant. N'oublie pas que vous avez récupéré un ordinateur dans le bateau de Kiambang. Il est temps de penser à communiquer avec l'extérieur.

— Mais c'est la discrétion des Sénoïs qui fait leur force.

— Plus maintenant. Ce qui, à un moment, leur était bénéfique peut, à un autre, les condamner. Désormais, il faut vous adapter aux événements. Quand le monde entier saura que vous existez, il sera plus difficile pour des mercenaires de débarquer et de tout détruire. A fortiori si vous avez la possibilité de diffuser des images. Les autorités malaisiennes ne pourront plus dissimuler leurs tentatives d'intimidation au public.

— Ce que vous me conseillez de faire est l'exact contraire de ce que préconisait maman. Discrétion, éloignement, confidentialité.

— Et on a vu le résultat : pillages, assassinats commis en toute impunité, kidnapping, torture… Dois-je te rappeler l'épisode de ton enlèvement ?

JK28 s'assoit sur le rocking-chair de JK48 et se balance lentement.

— Donc vous me conseillez de construire un hôtel, de sélectionner les clients…

— En fixant des tarifs élevés et des quotas : ce que vous perdrez en quantité, vous le gagnerez en qualité.

JK28 sirote sa piña colada.

— Et moi, je fais quoi, à part ça ?

— Toi ? Eh bien tu apprends et tu profites de la vie.

— C'est quoi, la prochaine tuile qui va arriver ?

L'homme aux cheveux gris se contente de sourire, mystérieux, puis prend un cocktail à son tour.

JK28 regarde son futur lui-même différemment. Passé les premières impressions de méfiance, voire d'agacement, il éprouve maintenant un sentiment nouveau, presque de la sympathie, envers l'homme qu'il va peut-être devenir dans vingt ans. Cela n'échappe pas à son aîné, qui lui fait un clin d'œil complice.

– Tu sais, JK28, je crois que tu n'y as jamais songé jusqu'à présent, mais nous pouvons être « amis ». Veux-tu être ami avec l'homme que tu vas devenir, comme j'ai envie d'être ami avec l'homme que j'ai été ?

Et il lui tend une main ouverte.

51

Les vagues noires se fracassent haut sur les rochers dans un bruit de cristal brisé. Les crabes suivent le flux et le reflux, come s'ils dansaient la valse. Des aras bleu et jaune survolent la jungle de l'île Pulau Harang. Plus bas sous la canopée, des singes nasiques avec leurs longs nez en boule ridicules observent les alentours. Un oiseau calao, avec son double bec jaune, pousse un piaillement. Des écureuils, des serpents, des araignées, des grenouilles, des lézards, des papillons grouillent. Ici la biodiversité est encore intacte et tous ces animaux vivent en harmonie avec l'environnement.

Le soleil se lève tandis qu'un paon traverse le cercle du village sénoï encore assoupi. Il déploie ses plumes, pousse un petit cri, « Léon ! », qui a pour effet de réveiller le coq qui, à son tour, pousse un « Cocorico ! » tonitruant qui lui vrille les cordes vocales. Le ciel tourne au rose, puis à l'orange.

Le cocorico est repris à l'envi par le gallinacé, ce qui finit par déclencher des giclées de cortisol, l'hormone du réveil, dans le cerveau des habitants du village. Tout le monde remonte en surface. Stades 5, 4, 3, 2, 1. Les paupières se décollent. Les bouches émettent de petits clappements, les poings viennent frotter les yeux. Des bébés pleurent. Maintenant c'est un festival de cris d'oiseaux et de bruissements dans les arbres, des singes sautant de branche en branche.

Jacques Klein a dormi avec des bouchons d'oreilles. Pendant que tout le village se réveille, lui continue de dormir. Jusqu'à ce qu'un moustique se pose sur son front et qu'un rayon de soleil frappe exactement son œil en filtrant à travers un trou dans le mur de bambou de sa cabane.

Des ondes delta du sommeil, il passe à l'émission de thêta de la relaxation profonde, à l'onde alpha de la relaxation légère, puis à l'onde bêta de l'activité normale.

Premier geste de la journée, il s'empare de son smartphone (rechargé grâce au panneau solaire récupéré dans le bateau des mercenaires) et observe son hypnogramme : quatre cycles complets avec de belles plongées en sommeil paradoxal. Plus de vingt minutes de rêve. Note : quatre-vingt-sept pour cent. Une nuit réussie.

Sur son calepin, il consigne ses songes en essayant de se souvenir du plus de détails possible et en respectant les incohérences. Puis il va se rafraîchir dans le bassin d'eau tiède, s'habille, se lave les dents et sort de la chambre.

Tout le village est déjà autour du feu en train de parler avec excitation. Shambaya lui désigne une place libre à ses côtés sur le tronc d'arbre qui sert de banc collectif.

— C'est la première fois depuis plusieurs jours qu'on se réunit pour la cérémonie de commentaire des rêves de la nuit. Ces derniers temps, le réel nous accaparait. Cela nous épuisait. Maintenant, nous reprenons nos habitudes, explique-t-elle.

Jacques s'assoit et avise deux hommes qui discutent, l'air sombre.

— Celui de droite explique qu'il a rêvé qu'il couchait avec la femme de celui de gauche et il s'excuse avec une offrande, commente Shambaya.

— Une offrande ?

— Une chanson. Cette chanson le branchera sur un esprit qui viendra l'aider.

En effet, le premier se met à psalmodier un air que les spectateurs apprécient et chantonnent eux aussi, en soutien manifestement. Puis l'homme au songe coupable transmet au mari un papier sur lequel sont inscrites les paroles.

– Chez nous, offrir une chanson c'est comme offrir la clef d'un coffre avec un pouvoir magique à l'intérieur, explique l'aveugle.

La chanson est terminée. Problème résolu. Un nouveau personnage se manifeste.

– Celui-là a rêvé qu'il blessait un compagnon au combat. Il doit s'excuser et faire un cadeau.

– Encore une chanson ?

– Une sarbacane sculptée.

L'homme est en train de montrer tous les endroits façonnés par ses soins sur le long tube, pour être sûr que son don soit apprécié à sa juste valeur. À nouveau, un hochement de tête signifie que l'affaire est close.

Un jeune homme se lève, commence à parler mais se fait huer.

– Lui, c'est un adolescent. Pour qu'il devienne un homme il faut qu'il rêve qu'il met un tigre à mort, mais là, le jeune a rêvé qu'il fuyait devant le félin. C'est pour cela que les autres le réprimandent.

– Je comprends qu'au premier contact, même en rêve, cela puisse faire peur, reconnaît Jacques.

Un grand maigre au visage allongé prend la parole à son tour et, à la fin de son discours, tous l'applaudissent.

– Celui-ci a rêvé qu'il rencontrait le chef des mercenaires, celui que vous nommez Kiambang, et qu'il réussissait à le convaincre de renoncer à son entreprise.

– C'est un peu naïf.

– Non, je plaisantais, il a rêvé qu'il le tuait, bien sûr !

Un nouveau protagoniste s'exprime en agitant les bras à la manière d'un oiseau.

– Il a rêvé qu'il volait ?

– Exact, mais les autres ne sont pas impressionnés, ils le font souvent. Voler comme les oiseaux, c'est la base d'un rêve correct.

Un autre Sénoï raconte une longue histoire, qui semble compliquée, et tous éclatent de rire.

– Il prétend qu'il est allé nager avec les dauphins dans le trou bleu, or il ne sait même pas nager. Tous pensent que, même en rêve, il est trop maladroit pour réussir à approcher un dauphin.

L'homme semble vexé et assure qu'il n'a pas menti, ce qui ne fait que redoubler les quolibets.

La cérémonie finie, les convives se régalent de bambous fourrés de viande et de sorgho chaud. Puis le chef du village, d'une voix forte, s'adresse à l'ensemble de la tribu. Shambaya continue de traduire pour Jacques :

– Il a rêvé que les mercenaires revenaient et les tuaient tous.

Cela paraît inquiéter l'assistance, alors la femme aveugle prend à son tour la parole. La discussion devient vite générale et agitée, les deux Français sont montrés du doigt. La conversation semble de plus en plus centrée sur Jacques. Les Sénoïs, visiblement en désaccord, entament un vote à main levée. Nouvelles palabres. Shambaya finit par revenir près de Jacques.

– Et là, vous vous êtes dit quoi, au juste ?

– Rien.

– Si, ça avait l'air important. Vous avez voté.

– Non, ce n'était rien.

– Pourquoi vous me cachez des choses, Shambaya ?

– Très bien. Vous voulez savoir ? Je leur ai dit que je souhaitais vous épouser, mais ils considèrent que vous n'êtes pas de ma classe et que ce serait une indignité si une femme comme moi s'alliait avec quelqu'un comme vous. Je leur ai rappelé que vous étiez le fils de celle qui nous avait sauvés, et ils ont rétorqué que ce qu'il se passe dans la réalité est moins important que ce qu'il se passe en rêve. Et pour l'heure, pour ce qui est du monde des rêves vous êtes… seulement un étranger ignorant.

– OK, OK. Dites-leur que je voudrais leur parler, à tous.

Jacques Klein se lève et entame son discours en français, pendant que Shambaya traduit pour l'assemblée :

– Vous croyez que je suis un mauvais rêveur ? Je vais vous donner la preuve que je rêve bien ! J'ai vu en rêve la solution pour vous sauver et pour faire de cet endroit un lieu de rayonnement de votre culture dans le monde entier.

Jacques Klein expose son idée : contacter les concurrents de Kiambang pour leur suggérer de bâtir ici un centre hôtelier pas comme les autres. On y proposerait, à des tarifs élevés, des stages de rêves lucides qui seraient limités à douze personnes par semaine. Ainsi, le mélange des cultures se ferait progressivement, sans que l'une prenne l'ascendant sur l'autre.

Les Sénoïs sont attentifs mais sceptiques. Seul Franckie Charras semble très impressionné par la stratégie de son collègue. Au fur et à mesure que Jacques parle, il gagne en assurance et donne d'autres détails.

– Nous allons créer un deuxième village « spécial étrangers », à côté du village sénoï. Il sera en dur avec un système d'hôtellerie moderne et un port pour l'amarrage des bateaux.

Des Sénoïs commencent à chuchoter entre eux.

– Écoutez-moi. C'est la seule solution à long terme. Les mercenaires ne pourront plus revenir.

Mais les visages restent fermés. Jacques explique que le village des étrangers financera une consolidation des maisons sénoïs, une amélioration du confort, la création d'une clinique pour soigner les malades...

Un homme demande la parole et signale que, si on accède à cette proposition, le village va être envahi par les étrangers.

– Les Sénoïs seront toujours largement majoritaires, contrecarre Jacques. Dans mon système, je prévois un aménagement avec douze administratifs (cuisiniers, jardiniers, vigiles, serveurs, réparateurs en tout genre) et douze touristes qui seront sélectionnés avec soin. Vingt-quatre étrangers face à trois cent soixante Sénoïs.

Un autre homme demande comment se dérouleront les périodes d'éveil, rappelant que les étrangers ne devront pas perturber leurs matinées.

– J'y ai pensé. Les touristes seront instruits des techniques de rêve lucide dans l'après-midi par les maîtres en rêves sénoïs. Le matin restera consacré aux rituels traditionnels.

Jacques Klein continue d'argumenter : il a prévu l'installation de larges panneaux solaires, bien plus puissants que ceux qu'ils ont déjà récupérés sur le navire. L'île étant très bien exposée à la lumière naturelle, ils devraient ainsi pouvoir se servir de machines électriques et électroniques toute l'année. Jacques pense aussi à des diffusions de cours par Internet, afin de sensibiliser le monde entier à l'enseignement authentique des Sénoïs de Malaisie.

Tous écoutent les mots de Jacques qui sortent de la bouche de Shambaya :

– Il faut que la planète entière sache que vous existez, qu'elle découvre votre culture unique. Même les Tibétains qui vivaient reclus dans les montagnes avec leurs techniques de méditation ont fini par diffuser leur savoir de cette façon. Cela ne sert à rien d'avoir découvert une nouvelle manière de vivre si elle ne profite qu'à vous. Il faut à tout prix la transmettre, et vous trouverez ainsi votre place au sein de la collectivité humaine. Si les mercenaires vous avaient tous tués, imaginez que tout votre savoir aurait disparu avec vous !

Ses paroles font mouche sur l'assemblée, les Sénoïs s'agitent. Jacques poursuit :

– Et puis je pense qu'il est nécessaire de rebaptiser cette île, personne n'en connaît le nom de toute façon, alors j'ai pensé que nous pourrions simplement l'appeler Pulau Sénoï. L'île des Sénoïs. C'est ainsi que les choses existent : lorsqu'on les nomme.

Cette idée semble les séduire et plusieurs individus approuvent en répétant « Pulau Sénoï ». Mais soudain un homme prend la parole, véhément. Shambaya traduit.

— Il dit que laisser les étrangers venir c'est introduire le poison dans l'organisme.

— On dit chez nous que « tout poison peut être un médicament et tout médicament peut être un poison, ce n'est qu'une question de dosage », répond Jacques.

Les réactions sont mitigées.

— Mes frères et sœurs ont peur de perdre leur culture, commente Shambaya.

— Ils vont devoir choisir entre leurs peurs et leurs espoirs, dit Jacques. Qu'est-ce qui les inquiète le plus, perdre leur culture ou perdre la vie ?

La phrase provoque le rire chez une partie des Sénoïs et des rumeurs hostiles courent chez l'autre. Franckie demande alors à intervenir. Shambaya traduit toujours.

— Je vais épouser l'une des vôtres, annonce-t-il. Je vais épouser Mugita parce que je crois que mon avenir est ici et que nos deux mondes peuvent se mélanger. Je suis un étranger, je veux apprendre votre culture et je veux vous aider à vous protéger.

Un silence général accueille ses propos.

— Les rêves, c'est bien, poursuit-il. Mais les actes, c'est mieux. Vous croyez que le monde de la nuit est plus important que le monde du jour ? Vous croyez que le monde des rêves est plus important que le réel ? Eh bien moi, je dis que ce n'est qu'une fuite, de la lâcheté. Je subis le sommeil. À cause de ma maladie, je dors malgré moi et je peux vous garantir que c'est insupportable !

— « On peut mourir d'un excès de réel, on ne peut pas mourir d'un excès de rêve », répond un homme en citant l'un de leurs proverbes.

— S'il n'y avait pas de réel, il n'y aurait pas de rêves. Vous rêvez de quoi ? D'oiseaux ? D'arbres ? De fleurs ? De votre famille ? De vos amis ? De vos ennemis ? Que je sache, tout cela c'est du réel.

– En êtes-vous sûr ? questionne l'homme qui a l'air d'avoir déjà connu ce genre de joute oratoire. Et si tout n'était qu'un rêve et que seul le sommeil nous donnait accès au monde véritable ?

– De toute façon, les deux étrangers ne vont pas rester, alors c'est facile pour eux de nous dire ce qu'il faut faire ! lance un autre.

À ce moment, Jacques se lève et réclame encore une fois la parole.

– Pour vous montrer mon implication dans ce projet, je resterai ici pour suivre les travaux d'installation de l'hôtel. Et pour montrer mon degré d'engagement je... serais honoré d'accepter la demande en mariage de Shambaya, si vous autorisez cette union.

Cette fois-ci, tous éclatent de rire.

– Pourquoi rient-ils ?

– Parce que vous avez dit que vous acceptiez de vous marier avec moi. Chez nous, on ne demande pas l'avis des hommes. Ils sont « choisis » par les femmes. C'est un peu comme si on demandait à un chien s'il veut un propriétaire ou s'il préfère rester un animal errant.

L'aveugle s'adresse à son peuple dans leur langue.

– Et là, vous leur avez dit quoi ?

– Je leur ai dit que je me marierai avec vous mais que je ne ferai pas l'amour tout de suite. Car ils ont peur que la perte de ma virginité entraîne la perte de mes pouvoirs de grande Maîtresse en rêves. Comme disait votre mère : « La superstition est inhérente à toute culture primitive. »

C'est le moment que choisit le père de Shambaya, qui jusque-là était resté silencieux, pour se lever et se mettre à chanter. Aussitôt ceux du village l'imitent et tous commencent à danser en reprenant la chanson. Même le coq les accompagne.

Jacques lance un regard interrogateur vers Franckie Charras, qui amorce un geste d'approbation puis s'écroule sur le côté et s'endort.

52

À l'heure la plus chaude, le paon « Léon » retraverse en poussant son glapissement le cercle désert du village. Les deux Français ne participent pas à la sieste collective. Autour d'une table, ils commencent à s'organiser pour rendre le projet de Jacques opérationnel. Franckie branche l'ordinateur récupéré dans le bateau de Kiambang sur les panneaux solaires et l'antenne satellite.

Grâce à ces trois outils, ils peuvent enfin se connecter au reste du monde et agir à distance. Ils contactent un avocat malaisien, qu'ils payent avec un numéro de carte de crédit et demandent à ce dernier d'officialiser la mort de Caroline Klein pour que son héritage, l'île, puisse revenir à son fils unique, Jacques Klein. Franckie enregistre ensuite officiellement le nouveau nom de l'île, rebaptisée Pulau Sénoï.

Une fois que ce socle juridique est mis en place avec l'avocat, Franckie se met à la recherche d'une société de tourisme adéquate. Il finit par sélectionner celle qui lui semble la plus sérieuse et la plus expérimentée : Sereinitis Associated. C'est une entreprise québécoise fondée par un ancien membre du Cirque du Soleil, qui a déjà installé des hôtels-spa à orientation spirituelle dans la forêt amazonienne (pour consommer l'ayahuasca), dans la toundra sibérienne (initiation au chamanisme et aux champignons), dans les montagnes sud-coréennes (initiation au bouddhisme et au ginseng rouge) et aux Seychelles (initiation au yoga et à la gastronomie ayurvédique).

Franckie propose de vendre à Sereinitis le lopin de terre qui lui semble le plus approprié pour aménager un port malgré la côte escarpée. Jacques aurait préféré louer, mais Franckie l'a convaincu que les investissements nécessaires à la création du port et à la construction de l'hôtel sont tels que seule la vente peut motiver les investisseurs.

– Ils ne lanceront pas de gros travaux sur un terrain qui ne leur appartient pas. Ils auront trop peur d'être délogés ensuite et de voir tout leur travail récupéré par d'autres.

Jacques reconnaît que son ami semble mieux au fait de l'économie que lui et tous deux conviennent que ce sera désormais le militaire qui gérera les biens immobiliers de Jacques.

Après avoir réglé ces problèmes administratifs, les deux hommes s'attaquent à l'aspect communication. Ainsi, avec un simple ordinateur qui fonctionne à l'énergie solaire et une antenne satellite, ils parviennent à désenclaver les Sénoïs et leur ouvrir une fenêtre sur le monde.

Ils créent une association visant à diffuser l'enseignement du « Peuple du rêve » et la présentent avec un petit texte et quelques photos prises avec leur smartphone : l'histoire de cette tribu, son environnement et sa localisation... Des vidéos fournissant des rudiments d'enseignement de l'art du rêve lucide à la manière du peuple sénoï sont bientôt mises en ligne. Un lien permet aux curieux de s'inscrire par avance aux stages de rêve lucide à l'hôtel spa et initiation de Sereinitis Associated.

Le fait que ces stages soient limités à douze participants par semaine augmente leur intérêt et, à peine une heure après que le site a été lancé, la première semaine est complète et les acomptes de 10 000 euros pour l'option versés. Deux heures plus tard, les places sont déjà proposées à la revente sur des sites d'enchères, comme pour des réservations de vol dans l'espace.

Sur les réseaux sociaux, le bouche à oreille fonctionne à merveille et les Sénoïs attisent rapidement la curiosité.

Tandis que Jacques et Franckie se démènent sur le Web, les Sénoïs s'affairent eux aussi : il faut préparer les mariages de Shambaya et de Mugita.

Le soir même, tout est prêt. Le son grave des mooloos annonce que la cérémonie peut commencer.

Jacques et Franckie stoppent leur activité. Ils s'attendaient à une grande fête, mais ils sont un peu déçus, car ici les mariages ressemblent aux fêtes de tous les jours sur l'île. La seule différence est que les chansons varient.

Pour l'occasion, Shambaya porte une robe en toile blanche. Elle fait signe à Jacques de venir s'asseoir à côté d'elle pour le dîner.

– C'est votre tradition sénoï, la robe blanche ?

– Non, c'est la vôtre. Je l'ai mise par respect pour vous, car mon frère Shuki a demandé à Franckie de lui montrer sur l'ordinateur une cérémonie de mariage chez les Français. Nous avons aussi préparé une pièce montée. Il paraît que c'est le dessert obligatoire pour des noces.

Une pyramide de durians trône en effet sur la table. Les choux à la crème ont été remplacés par le fruit local.

– Il va y avoir des cadeaux ? demande Jacques.

– Oui. Tout le monde vous fait le même. Pour l'occasion, c'est un cadeau typiquement sénoï.

– Ah ? C'est quoi ?

– Notre nuit.

Jacques ne comprend pas.

– Ce soir, pour célébrer notre union, aucun Sénoï, pas un seul, ne va dormir ! Nous allons faire une nuit blanche.

C'est logique : pour le peuple qui sacralise le sommeil, le plus grand présent qu'il puisse faire est de sacrifier une nuit en hommage aux mariés.

– J'aurais aimé que ma mère soit là pour cette cérémonie.

– Caroline m'a beaucoup parlé de vous, répond Shambaya. Elle m'a raconté que vous faisiez pipi au lit.

Jacques toussote.

– Elle vous a relaté des détails vraiment très intimes. Désolé. Quoi d'autre ?

Les femmes se sont mises à danser devant eux au rythme de troncs creux que les hommes frappent avec des baguettes.

– Elle m'a dit que vous étiez peureux et, qu'une fois, vous vous êtes fait frapper par un autre enfant et que vous étiez désemparé.

Elle lui touche la cicatrice en Y au front pour lui montrer qu'elle connaît l'histoire dans les moindres détails. Il la laisse faire.

– C'est la marque de la peur, n'est-ce pas ? Mais depuis, vous avez montré que vous étiez capable de combattre, vous avez vaincu des adversaires plus nombreux et mieux armés. Il n'y a plus de peur en vous. C'est pour cela que ce mariage peut avoir lieu.

Elle lui tend un verre d'alcool à base de lait de coco. Jacques s'en régale.

– Parlez-moi encore d'elle.

– Votre mère aimait beaucoup faire l'amour. Comme je vous l'ai déjà dit, chez nous c'est un signe de bonne santé.

Jacques crache d'un coup le liquide qui était dans sa bouche.

– Elle a fait l'amour avec mon père, ce qui nous rapproche. Nous sommes déjà un peu de la famille.

– Vous parlez bien de ma mère ?

– Oui, une femme très délurée, à la sexualité très originale. Elle hurlait très fort durant les orgasmes et cela nous faisait beaucoup rire. Je n'ai jamais entendu une femme jouir aussi fort. J'espère que lorsque nous ferons l'amour vous me ferez hurler comme elle.

La musique s'arrête. La cérémonie de mariage peut se poursuivre pour Jacques et Shambaya, Franckie et Mugita.

En dehors de la robe et de la pièce montée, Shuki a aussi pensé à prendre des témoins. Ce sont deux singes qui sont censés être les gardiens de l'esprit de la nature.

Pour le reste, tout est une interprétation de ce que Shuki a compris du mariage à la française. Au lieu du riz, ils leur jettent du sable. Ils s'essayent aussi à danser à deux, pour eux c'est exotique, mais un tantinet ridicule.

Une fois que le rituel de mariage à la française est achevé, les Sénoïs s'asseyent enfin en rond autour du feu, et le repas commence.

Une femme lui tend un bambou chaud farci de viande de phacochère, de manioc et de légumes cuits dans leur jus.

— Vous avez peur de quoi, vous, Shambaya ?

— Comme tous les Sénoïs, j'ai peur de la foudre. Pour nous, la foudre signifie qu'on a déplu à la nature. Lorsqu'elle tombe, nous devons tous, à tour de rôle, avouer ce que nous avons commis de mal. Si la foudre persiste, celui qui s'est le plus mal comporté s'entaille le bras et on mélange son sang à la pluie, jusqu'à ce qu'elle s'arrête.

— Mais la personne risque de se vider de son sang...

— Si cela le tue, c'est justifié. Nous reconnaissons à la nature le droit de juger.

— Et aux hommes ?

— Nous n'avons pas de justice, nous avons la prise de conscience. Nous considérons que les gens sont responsables et qu'ils peuvent se juger eux-mêmes.

Jacques trouve cette approche originale.

— Et si un individu refuse de se juger ?

— Il fera des cauchemars, dit-elle comme une évidence.

— C'est la pire chose qui puisse arriver à un homme, ne trouvez-vous pas, monsieur mon « mari » ?

Jacques se dit qu'une société qui n'a pas de police, de justice et de prison et qui considère que les délits se règlent par le rêve est forcément plus décontractée. Shambaya croit bon de préciser le processus :

– Pour nous, les enjeux principaux se trouvent dans le monde invisible. Quand nous dormons, notre esprit sort de notre corps et monte pour rejoindre le grand nuage de tous les esprits.

– De tous les esprits... du village ?

– Il peut y avoir, en plus ceux des dormeurs, des ancêtres qui veulent rester près de nous. Cela peut être utile, un arrière-grand-père ou un arrière-arrière-grand-père bienveillant envers ses descendants.

– Bien sûr, bien sûr.

Shambaya perçoit un peu d'ironie dans la voix de son compagnon, mais ne renonce pas à l'informer.

– Parmi les esprits, c'est comme parmi les hommes. Il y en a qui aident, d'autres qui compliquent la vie. Ceux qui aident, on les nomme « Guniks ». Ceux qui compliquent la vie ou refusent de vous aider, on les nomme « Maras ».

– Les Maras et les Guniks, répète Jacques pour s'imprégner de ces mots.

– En fait, tous les esprits sont Maras. Mais si on arrive à s'en faire des amis, ils deviennent Guniks. C'est un peu comme les animaux. Un chien errant, par exemple, peut mordre, mais si vous le nourrissez et le caressez, vous pouvez l'apprivoiser et il devient fidèle et vous défend contre vos ennemis. Tous les êtres vivants fonctionnent ainsi dans la nature. Soit on les apprivoise, soit on les subit.

Jacques sort son carnet et prend quelques notes sur la philosophie sénoï.

– Une fois qu'on l'a « capturé », le Gunik nous livre une chanson qui nous sert à l'invoquer.

– Comment attrape-t-on un Gunik ?

Shambaya s'adresse aux musiciens et à une femme.

– Elle va te montrer.

La musique reprend et la femme se met à danser de manière très suggestive.

– Le Gunik est souvent timide, méfiant, s'éloignant quand on essaie d'approcher. La chanson que tu entends signifie en langage des esprits : « Gunik, si tu veux approcher tu es le bienvenu. »

La danse devient de plus en plus hystérique, la femme prend des poses accueillantes.

– Là, celle-ci a proposé à un Gunik de l'utiliser, dès lors un dialogue peut s'instaurer. Quand une Sénoï fait ça, elle doit arriver à s'oublier entièrement pour devenir *hala*.

– Une sorte de transe chamanique ?

– Maintenant, elle est l'ambassadrice du monde des hommes auprès de son Gunik, qui lui-même devient l'ambassadeur des siens. Les deux mondes, celui des Sénoïs et celui des esprits, sont ainsi connectés.

En effet, des gens du village se lèvent et entament un chant. La danseuse reprend leurs paroles pour les adresser à son Gunik, qui lui transmet sa réponse. La tonalité de sa voix change au fil du dialogue.

– Cet homme voulait savoir pourquoi sa femme ne tombe pas enceinte et le Gunik, par l'intermédiaire de la danseuse *hala*, a répondu : « Parce qu'il ne fait pas assez bien l'amour. » Il doit s'améliorer en demandant des conseils à sa propre mère, et le faire plus souvent.

– C'est « ouvert » comme conversation.

– La danseuse *hala* sert parfois à combattre les mauvais esprits.

Jacques observe les enfants qui dansent avec les adultes.

– On n'apprend pas le rêve lucide aux très jeunes, ils nous imitent simplement quand l'envie se fait sentir.

– Et les plus âgés ?

– Les anciens se réunissent chaque semaine pour réfléchir aux orientations du village.

– Ils lancent les projets ?

– Non, surtout pas. Ils convoquent le passé pour éclairer les problèmes du présent.

– Eh bien, ils ne sont pas près de progresser ! s'étonne Jacques.

– Nous ne souhaitons pas progresser, tranche Shambaya, nous souhaitons être en harmonie avec ce qui nous entoure.

Jacques reprend du lait de coco pour ne pas exprimer ce qu'il pense.

– N'as-tu jamais pensé qu'on pouvait trouver le bonheur dans un monde qui, au lieu d'évoluer, reste toujours le même ?

– Non ! répond-il promptement.

– Réfléchis-y. Ta mère avait fini par accepter cette idée : la contemplation plutôt que le mouvement, la suspension plutôt que la marche en avant.

– Ma mère se prenait pour Christophe Colomb découvrant un nouveau continent...

– Elle a changé à notre contact. Elle m'a un jour cité un de vos philosophes, un certain Pascal : « Tout le malheur des hommes vient d'une seule chose, qui est de ne pas savoir demeurer en repos dans une chambre. »

– Pascal était agoraphobe. Il ne supportait pas de voir ses congénères ou d'être dans des lieux étrangers. Il a donc érigé sa maladie en loi.

– Peut-être que nous pouvons vous offrir ce point de vue nouveau : trouver le bonheur dans le moment présent et la permanence.

– Dans l'immobilité et le refus du progrès ?

– Ce que tu appelles « progrès » est une fuite en avant selon nous. La chute arrive après.

Jacques ne veut plus poursuivre cette conversation, il change de sujet.

– Quand ferons-nous l'amour ? demande-t-il.

– Il faudra d'abord que tu rêves de notre union physique et que tu me la décrives. Et ce ne sera que lorsque tu arriveras à bien me faire l'amour en rêve que nous pourrons transformer cela en expérience réelle.

À nouveau, il prend une gorgée d'alcool mais il avale de travers et est pris d'une quinte de toux.

— Mais... nous sommes mariés.

— Et alors ? Parce que nous sommes mariés, je devrais me contenter d'un amant maladroit ? Ne t'inquiète pas, je te donnerai des indications pour optimiser ce moment précieux entre nous.

Un peu plus tard dans la soirée, Jacques rejoint son ami Franckie.

— Toi aussi, elle t'a dit qu'elle voulait d'abord que tu rêves de l'acte ? s'inquiète-t-il.

— Non, on va le faire demain. Par contre, j'ai peur de faire une crise de narcolepsie. Chacun ses soucis, Jacques, plaisante le journaliste en lui donnant une tape dans le dos.

Au moment du dessert — la pièce montée formée de durians puants —, le chef du village raconte le plus beau rêve effectué dans la journée et tous se mettent à danser sur ce thème. Comme il y est question de serpents, les Sénoïs miment des reptiles en se tortillant.

Résigné, sachant qu'il ne va pas faire autre chose de sa nuit de noces que danser et discuter, Jacques crève la carapace d'un durian et mâche machinalement la chair tendre et douce de ce fruit aux saveurs paradoxales.

53

— Prends soin de ton corps pour que ton âme ait envie de venir s'y nicher, ainsi elle en aura toujours la nostalgie quand elle partira vagabonder ailleurs.

Shambaya invite son mari à être plus exigeant quant à son hygiène de vie.

– On rêve bien dans un corps sain et propre.

Après qu'il a passé suffisamment de temps dans la douche, la Maîtresse en rêves vient renifler son ventre et ses aisselles, puis hoche la tête.

– Maintenant, raconte-moi comment tu as fait l'amour en songe avec moi cette nuit.

Jacques parle, en rajoute un peu (tout en ayant l'impression que sa femme n'est pas dupe). Shambaya lui explique en retour pourquoi il aurait dû faire certaines choses et en éviter d'autres. Elle mime des mouvements, lui montre des parties du corps qu'il a oublié de caresser, l'invite à y appliquer sa main pour sentir comme c'est doux et sensible.

– Je croyais que tu étais médecin, dit-elle.

– Oui, mais en médecine on n'apprend pas à caresser les zones érogènes du corps. Tout du moins pas dans le cadre des cours officiels !

Les jours suivants, Jacques Klein est instruit de l'art du rêve lucide sénoï.

Shambaya est patiente et bonne pédagogue. Elle lui apprend à se poser plusieurs fois par jour la question : « Suis-je en train de rêver ? » (Ainsi, même en songe, il continuera probablement de se le demander.) Elle lui apprend à se coucher tout le temps exactement à la même heure, à se dire avant de s'endormir : « Je vais prendre conscience dans mon rêve que je rêve et je vais en prendre le contrôle. »

– Quand tu seras dans ton rêve, explique sa femme, il faut que tu cesses de te voir de l'extérieur. Voici le nouvel exercice que je vais te demander d'effectuer : tente de visualiser tes mains et tes pieds. Regarde la forme floue de ton nez au bas de ta vision.

– C'est marrant, je n'y pense jamais, mais c'est vrai, mon nez est flou en permanence au premier plan.

– En reproduisant une imagerie vraiment similaire au réel, tu seras plus fort dans ton rêve. Tu dois être là-bas comme ici, avec des bras, des pieds et un nez flou.

Elle lui propose ensuite un autre exercice. Face à une bougie, il doit regarder ses mains tendues devant lui, puis souffler la bougie, fermer les yeux et prononcer les mots « Début du sommeil ». À peine « parti », Jacques sait qu'il a pour objectif de faire apparaître ses mains tendues devant lui. Après les mains, il passe aux pieds. Il se voit parcourir le monde de son songe. Mais cela ne suffit pas. Pour vérifier qu'il rêve bien, il y a plusieurs méthodes : il doit chercher les miroirs pour se regarder (en rêve, l'image est déformée), il doit arrêter de respirer (s'il est dans le réel, il s'asphyxie), il doit s'adosser aux murs (en rêve ceux-ci sont mous, faciles à traverser). Une fois qu'il est absolument certain de rêver, il doit se dire : « Je ne veux pas me réveiller. »

Après la prise de conscience de son corps et du lieu, vient le contrôle du déroulé du rêve proprement dit.

Jacques, suivant les indications de Shambaya, sautille de plus en plus haut jusqu'à s'envoler. Pour gérer cette nouvelle donnée, Jacques devient en partie oiseau : ses doigts s'allongent et une membrane pousse entre ses phalanges, il se retrouve équipé de ce qui pourrait passer pour des ailes de chauve-souris.

Une fois qu'il se sent plus assuré, il brasse l'air de ses longues mains à la peau fine, quasi translucide, et s'élève de plus en plus haut.

Puisqu'il a goûté au vol, sa femme lui demande de revenir dans le réel. Il franchit tous les paliers et rouvre les yeux, en bon onironaute débutant.

– Quand notre esprit vole, il a deux choix : se connecter au monde des esprits (où se trouvent les Maras et les Guniks), donc un monde qui est extérieur à lui, ou inventer son propre décor et faire l'expérience de la vitesse de vol, du combat, etc.

– C'est quoi, le « monde des esprits » ?

– C'est comme un grand nuage qui est au-dessus de nous, explique Shambaya. C'est la réunion des esprits de tous les humains vivants qui rêvent. Il y a un nom aussi chez vous pour cela ?

– Attends, à bien y réfléchir, il me semble en effet avoir entendu parler d'un concept similaire. La « Noosphère ». C'est un scientifique français, le père Teilhard de Chardin qui en parlait. Il disait que la Noosphère était comme un niveau d'atmosphère au-dessus de la planète, un grand nuage où se réunissent tous les esprits des humains dormeurs et que, durant nos rêves, on pouvait s'y brancher volontairement.

– Eh bien, tu vois, tu le savais déjà. Continue sur Teilhard de Chardin.

– Il prétendait que les créatifs et les artistes étaient ceux qui arrivaient à se connecter à cet « esprit collectif de l'espèce » et à s'en souvenir. Cela expliquait notamment, selon lui, que certaines découvertes soient faites simultanément sur plusieurs continents (le feu, le tissage, l'agriculture, la roue...).

– Je suis convaincue de la même chose.

– Chez nous, on appelle cela « une idée dans l'air ».

– Chez nous aussi, on dit qu'il y a des « solutions qui volent comme des oiseaux et qu'il suffit d'attraper ».

– Teilhard de Chardin estimait que la Noosphère était la pensée collective de l'humanité, l'addition de tous les rêves et de tous les imaginaires.

– Je m'y connecte souvent. C'est là que je perçois l'humanité dans toute sa complexité. Parfois, je rêve de lieux et d'objets qui me sont complètement inconnus. Mais aux énergies des êtres vivants, tu pourras ajouter celles des Maras et des Guniks. Ce sont les âmes des morts qui ont souhaité rester ici-bas pour aider, ou par simple curiosité. Ils sont comme une foule de gens auxquels on peut s'adresser et demander des services. Mais, comme tu l'as compris, la plupart sont timides et difficiles à approcher et à apprivoiser.

Jacques reste pensif quelques instants, puis poursuit sa réflexion.

– À côté du nuage de la Noosphère, une autre chose existe depuis peu : l'« infosphère ».

– C'est quoi ?

– Internet. C'est le nuage, le *cloud*, de toutes les informations que s'échangent consciemment les hommes via leurs ordinateurs.

– Passionnant ! Cela se présente comment ?

– Des écrans et des haut-parleurs où arrivent des sons, des images, de la musique, des chansons, des films, des textes, des idées. On peut les enregistrer, les montrer à d'autres personnes.

Shambaya a l'air très intriguée.

– Je voudrais que tu montres à mon frère Shuki comment naviguer dans l'infosphère en s'aidant de ses yeux et, moi, je t'apprendrai à aller dans la Noosphère grâce à ton imagination.

La nuit suivante, Jacques hésite entre bâtir son propre décor de rêve ou rejoindre la Noosphère ; il opte pour le deuxième choix. C'est une sorte de vaste étendue blanche, telle une gigantesque dalle constituée de visages aux paupières closes. Sur les fronts de ces visages, on voit un petit arbuste, blanc lui aussi. Ses feuilles représentent les différents rêves de la nuit. C'est bien ce qu'avait évoqué Shambaya : un Internet de pensées vivantes. On peut parcourir la Noosphère comme on visiterait un pays.

Du front d'un visage endormi, une feuille apparaît, elle représente un building en forme de fleur de lotus. Une idée architecturale nouvelle vient d'éclore. Aussitôt, d'autres buildings similaires se font jour autour. Les idées sont « virales » dans la Noosphère, comme elles peuvent l'être sur Internet, mais n'en profiteront que ceux capables de se souvenir de leurs rêves.

Plus loin, une femme rêve d'un scénario de film complet, avec une intrigue, des acteurs célèbres et de l'action. Jacques s'arrête pour le regarder. De la même manière, autour de lui d'autres dormeurs sont « contaminés » par ce film. Il n'y a pas de copyright en Noosphère.

Jacques continue de fouler le sol blanc laiteux de visages aux yeux fermés. Soudain surgit d'un front la vision d'un échiquier sur lequel les coups s'enchaînent très vite. L'homme rêve de ses parties.

Plus loin, un pâtissier imagine un nouveau dessert, un ingénieur-designer un nouveau profil de voiture, un peintre un tableau abstrait.

Mais sur les feuilles des arbustes émanant des rêveurs, on voit aussi des scènes de violence, des assassinats, des égorgements, des pendaisons, des scènes de torture.

Les idées de destruction sont aussi contagieuses que celles de construction. Il y a même un équilibre entre les deux. Autant de personnes rêvent de faire du bien que de faire du mal. Et plus les humains sont nombreux, plus on atteint des extrêmes dans le bien et le mal. Mais en général, les rêves malveillants sont plus spectaculaires donc plus facilement viraux.

Jacques voit des couples se livrant à des scènes de sexe plus ou moins compliquées. Ceux qui font les rêves les plus osés influent sur leurs voisins, alors que ceux-ci dorment parfois à des milliers de kilomètres de distance dans le monde réel.

Puis Jacques quitte la Noosphère et, sous ce nuage, il découvre les esprits des morts qui ont souhaité errer sur terre. Le bas astral… Mais il reste en retrait pour cette fois-ci et décide de remonter les paliers du sommeil. Il n'ouvre pas ses paupières tout de suite afin de bien mémoriser son vécu onirique.

Au réveil, Shambaya lui a conseillé de se pincer le lobe de l'oreille pour envoyer un signal net à son cerveau qui signifie « fin du sommeil ». C'est à ce moment-là qu'il peut « envoyer » dans sa mémoire le film du rêve passé.

Jacques ouvre les yeux et regarde son hypnogramme, constate qu'il rêve plus longtemps maintenant. Il note son rêve, lui adjoint des schémas et des dessins.

Au petit déjeuner, tout le village se lève en même temps au son du chant du coq et se réunit en cercle autour du foyer.

Jacques s'assoit à côté de sa femme. Quand vient son tour, il raconte son rêve en détail. Il parle de son premier sommeil où il a appris à voler comme une chauve-souris. Il évoque son second sommeil où il a découvert la Noosphère, c'est-à-dire le nuage formé par tous les rêves des hommes, et il reconnaît avoir vu de loin des « esprits d'âmes errantes » et ne pas avoir souhaité s'en approcher.

Shambaya, à chaque détail, hoche la tête en signe d'approbation. Puis elle raconte son rêve où elle a fait l'amour avec son mari et il doit avouer que l'imaginaire de sa femme va bien au-delà du sien.

À tour de rôle, tous les Sénoïs racontent leurs rêves respectifs et s'offrent des cadeaux, objets ou chansons, en fonction des actes qu'ils ont commis en rêve. Cela dure jusqu'à 9 heures.

Ensuite, tous les membres du village se mettent au travail. Les femmes s'occupent des enfants et de la préparation du déjeuner et les hommes partent chasser et consolider le mur de protection endommagé.

Franckie a installé au village un système informatique performant et peut enfin gérer Pulau Sénoï comme une entité culturelle officielle. Il discute avec l'entreprise hôtelière Sereinitis qui promet d'envoyer très vite des nouvelles et du soutien.

Jacques fait découvrir à Shuki l'usage de l'ordinateur et celui-ci, après s'être intéressé de près aux divers paysages de la planète (notamment les étendues enneigées de la Finlande, de la Sibérie et du Canada), se passionne pour les jeux de simulation, et tout particulièrement ceux de guerre.

— Ça doit être un rêveur lucide qui a mis ce jeu au point, car les deux mains sont placées en avant, comme dans nos initiations ! remarque-t-il, enthousiaste.

— Je crois que c'est un pur hasard, le corrige Jacques.

— En tout cas, j'adore ça ! reconnaît Shuki. Je découvre dans vos mondes virtuels une suite à nos mondes oniriques.

Shambaya continue dans la journée l'enseignement de Jacques, il lui faut être encore plus attentif à ce qu'il se passe dans le réel : détails visuels, sonores et même olfactifs.

– Un peu comme pour vos appareils photo numériques. Il faut que tu augmentes la définition de tes images. Tu étais en basse résolution, il faut désormais que tu passes en rêve haute résolution avec un écran 16/9ᵉ.

Les jours passent et Jacques s'habitue à cette vie nouvelle.

Le soir, les leçons de rêve lucide se poursuivent. Shambaya veut faire de Jacques un onironaute accompli. Elle tente de lui apprendre à surmonter sa vieille peur de l'eau, mais il a encore des blocages importants.

Progressivement, l'apprenti onironaute devient de plus en plus expérimenté. Il vole facilement. Il parcourt la Noosphère avec de moins en moins de réserves.

Un soir, il se décide à contacter une âme errante qui volette entre la surface de la terre et la Noosphère. Il l'aborde d'une manière simple :

– Euh... bonjour vous.

L'homme le regarde avec suspicion puis passe son chemin. Jacques comprend qu'il doit vaincre sa timidité s'il veut réussir à se lier à une de ces âmes rétives, pour transformer les Maras en Guniks.

Il en déduit aussi qu'il y a un certain talent à développer pour devenir chaman, *hala*, et ainsi faire de ces esprits des amis. Encore quelque chose à perfectionner.

De même, il prend soin de rêver de scènes d'amour avec Shambaya, pour pouvoir les lui décrire le lendemain. Sans tricher, car elle s'en apercevrait immédiatement.

À force de travail, il s'améliore en tout.

Un jour enfin, après qu'il lui a décrit une scène de sexe qui lui semble satisfaisante, Shambaya consent à faire l'amour en vrai avec son mari.

À la grande surprise de Jacques, l'union de leurs corps s'avère une gymnastique longue et complexe. Sa femme aveugle le touche à des endroits surprenants : derrière son genou, au sommet de sa nuque, des points dans son dos autour de la colonne vertébrale. Shambaya lui révèle sur son propre corps de nouvelles zones érogènes qu'il ignorait. Un simple effleurement et Jacques est pris de frissons nouveaux. Il a l'impression que jusque-là il ne faisait l'amour qu'à un niveau primaire, concentré sur son sexe et les zones « classiques ».

Devenu maître dans l'art du rêve et du sexe, Jacques a encore beaucoup de choses à apprendre sur le mode de vie des Sénoïs. Et il lui reste aussi à vaincre définitivement sa peur de l'eau...

Shambaya décide de l'y aider. Après plusieurs séances de rêve accompagné, Jacques se libère progressivement de ses blocages. Sentant le moment venu, sa femme lui tient la main et le guide jusqu'au rivage. Ils descendent par l'échelle souple posée par Franckie et font quelques pas dans la mer.

— Je vais me noyer ! s'écrie Jacques, de l'eau aux genoux.

Il ferme les yeux pour ressentir l'eau comme Shambaya. Il s'accroche à son rêve.

— Tiens bon, dit-elle, on continue jusqu'à ce que tu puisses nager.

L'eau lui mouille les cuisses, puis le bassin, le ventre.

Jacques se revoit à la piscine avec son père. Il se souvient du catamaran de son père qui coule. De l'épisode avec les mercenaires dans le Zodiac. Il déglutit pour évacuer toute cette angoisse.

— Viens, dit doucement Shambaya.

— Mais je n'ai presque plus pied, bredouille-t-il d'une voix mal assurée.

Sa femme aveugle se met à nager devant lui et, la voyant risquer de se blesser sur des récifs affleurants, il se décide à avancer dans la mer. Il commence à remuer frénétiquement ses membres, mais s'affole. Il boit la tasse, tousse. Panique totale.

C'est alors qu'il sent une main lui sortir la tête hors de l'eau. Franckie, qui avait surveillé tout ça de loin, est arrivé à sa rescousse.

– Entre handicapés, il faut se soutenir ! dit-il en soulevant le menton de Jacques. Une aveugle, un narco et un phobique, ça forme un tout.

Jacques, encouragé par ses proches, apprend ainsi à 28 ans la nage du petit chien, la nage indienne, puis la brasse. Et progresse très vite.

Il rêve des gestes la nuit et les teste le jour jusqu'à réussir à mettre la tête sous l'eau (grand moment de terreur surmonté) puis à nager sous la surface grâce à des petites lunettes de natation récupérées sur le bateau des mercenaires.

Cependant, les équipes de Sereinitis n'étant toujours pas arrivées, tous craignent une nouvelle attaque de Kiambang. Les Sénoïs se relaient la nuit pour faire le guet.

Un soir, c'est au tour de Jacques, armé d'une sarbacane, de faire la sentinelle. Assis avec son arme tubulaire, il voit la lune disparaître derrière un nuage.

Faire ces rondes me permet de voir ce qu'il se passe dans le réel durant la nuit, se dit-il.

Les lucioles dans les buissons. Les algues noctiluques dans la mer.

La seule chose qu'il regrette, c'est que sur Pulau Sénoï, il n'y ait pas de plage, contrairement à son île de Sable rose.

Tout ne peut pas être parfait !

Jacques marche dans la chaude nuit tropicale. Maintenant, de toutes les chambres proviennent des ronflements. Il fait un détour par sa cabane pour voir Shambaya dormir, et la trouve très belle dans son sommeil.

Ses yeux le piquent, il sent la fatigue l'envahir. Il repense à la maladie de Franckie.

La lune vient de réapparaître et, au loin, un dauphin bondit hors de l'eau, comme pour le saluer.

Finalement, le paradis c'est ici, et il va falloir se battre pour le protéger, songe le jeune homme.

À cette pensée, il sourit, bâille, puis n'y tenant plus, lâche sa sarbacane et s'endort.

54

– Alerte ! Alerte !

Cette fois-ci, ce n'est pas le chant du coq qui le réveille, mais la cloche qu'a installée Franckie pour avertir le village en cas de menace. Tous les Sénoïs sortent en brandissant leurs sarbacanes. Franckie, en haut de son promontoire, observe le bateau qui approche. Il est 7 heures du matin.

– Chacun à son poste ! lance-t-il.

Aussitôt les pièges sont vérifiés, les mécanismes à lasso repositionnés, les quelques fusils récupérés sur le bateau des mercenaires sont distribués et chacun prend le poste de défense qui lui a été attribué.

Franckie scrute toujours l'horizon de ses jumelles.

– Kiambang avec une nouvelle équipe de mercenaires ? demande Jacques.

Franckie crache par terre avant de répondre.

– En tout cas, ce n'est pas un bateau égaré, ils viennent par ici. À mon avis, vu la taille de l'engin, il peut y avoir une vingtaine de types à bord. S'ils sont armés de fusils automatiques, ça va être compliqué.

Après avoir tourné deux fois autour de l'île, le bateau trouve enfin une anse praticable et y jette l'ancre. Des hommes commencent à escalader la rocaille.

– J'y vais, dit Franckie.

– Je viens avec toi, déclare Jacques.

Tous deux se munissent de fusils M16 et partent à la rencontre des intrus.

Après quelques minutes de marche, ils se trouvent face à cinq hommes, celui qui est en tête est un grand chauve avec des lunettes de soleil. Il n'a pas d'arme et avance vers eux d'un bon pas.

— Halte, dit Franckie d'un ton ferme. Qui êtes-vous ?

— Sylvain Ordureau. Nous sommes l'équipe de Sereinitis.

L'homme a un fort accent québécois. Franckie ne lâche pas le fusil.

— Comment se fait-il que personne ne nous ait avertis de votre arrivée ?

— Vous nous avez demandé de faire vite, nous avons pensé que cela vous ferait une bonne surprise.

Franckie observe son interlocuteur, puis baisse le canon de son fusil et lui tend la main.

— Franckie Charras, le gérant, et Jacques Klein, le propriétaire. La prochaine fois, prévenez-nous, car nous avons eu des problèmes avec des… disons… « pirates ».

— Désolé, dit Sylvain Ordureau. Nous venons de loin et nous ne connaissions pas la situation ici. Je suis le chef de l'équipe de repérage. Je vais tout préparer pour que les architectes puissent travailler.

Les cinq étrangers sont guidés jusqu'au centre du village, et Franckie fait bien attention à leur indiquer les zones piégées où il ne faut pas mettre les pieds.

Les Sénoïs ont tous leurs sarbacanes à la main et les enfants sont cachés derrière les jambes de leurs parents. Franckie les informe que ces nouveaux venus ne sont pas dangereux. Shuki traduit et rassure le village. Le chef d'équipe se présente poliment à la tribu. Shambaya demande à leur toucher le visage. Elle reste longtemps sur la peau du crâne complètement lisse de Sylvain Ordureau et fait une blague qui a l'air de signifier que la peau de sa tête est similaire à celle de ses fesses.

– Le service recherche et développement de Sereinitis m'a dit que vous souhaitiez que nous allions vite, alors, ce que je vous propose, c'est que mes hommes et moi commencions par analyser la topographie de l'île. Ensuite nous irons voir le fameux trou bleu et ses dauphins qui ont attiré ici les premiers plongeurs. Puis nous déjeunerons dans le bateau. Cet après-midi nous installerons un campement pour les vigiles que vous nous avez demandés.

Jacques découvre avec ces visiteurs des recoins de Pulau Sénoï qu'il ignorait. Les hommes filment, prennent des mesures, photographient les sites, analysent le sol. Ils semblent particulièrement intéressés par la petite colline au centre de l'île ainsi que par la rivière et le lac. Ils regagnent ensuite leur bateau et, en utilisant un sonar, font apparaître le relief sous-marin. Un point précis attire leur attention. Sylvain enfile sa tenue de plongeur.

– Vous voulez venir avec nous ? demande le Québécois.

– Malheureusement, je ne peux pas, dit Franckie, je risquerais de m'endormir au fond.

– Je veux bien essayer, dit Jacques. Mais je dois vous dire que je ne sais nager que depuis très peu de temps. Et j'ai une question stupide : qu'est-ce que vous avez pour vous défendre des requins ?

Sylvain Ordureau éclate de rire.

– Vous avez peur des requins ?

– Je sais qu'il y en a dans le coin.

– Génial. Pour se défendre contre les requins nous avons… les dauphins. Je vous assure que s'il y a des dauphins dans les environs, et il y en a, eh bien, il n'y aura pas de requins. Ces deux espèces sont incompatibles.

Jacques n'est pas convaincu, mais il sait que la prochaine étape dans sa lutte contre la phobie de l'eau est la plongée en eau profonde avec oxygène, alors il s'équipe : masque, bouteille, ceinture de plomb, combinaison isotherme, palmes.

Une fois à bord de l'annexe, au signal, Sylvain et lui basculent en arrière, direction le trou bleu. À peine se sont-ils enfoncés de quelques mètres qu'ils distinguent sur le fond de l'océan turquoise un rond bleu marine parfaitement circulaire. Ils s'en approchent. Sylvain Ordureau utilise une torche dont le faisceau révèle une paroi lisse qui donne à ce cylindre l'aspect d'une piscine creusée par une machine plutôt que par Dame Nature.

– Vous m'entendez, monsieur Klein ?

– Oui, parfaitement, répond-il dans le micro de son masque de plongée.

– C'est beau, n'est-ce pas ?

– C'est extraordinaire, je ne m'attendais pas à ça.

Les deux plongeurs commencent leur descente dans la caverne bleue.

– Lors de la dernière glaciation, le niveau de l'eau était plus bas. La pluie est devenue acide au contact de la végétation. Une sorte de lac acide s'est créé qui a creusé le sol en profondeur. Quand le niveau des mers est remonté, l'eau douce a été remplacée par l'eau de mer, explique Sylvain Ordureau, qui a une formation de géologue.

– Ça a l'air très profond.

– Pour l'instant, le trou marin le plus profond que l'on connaisse est le Dean's Blue Hole, aux Bahamas. Vingt-cinq mètres de diamètre et deux cents mètres de profondeur. On en a trouvé d'autres aux Caraïbes et dans les atolls du Pacifique. Il y en a un aussi en mer Rouge.

– Pourquoi n'y voit-on ni poissons, ni coraux ?

– L'eau circule mal dans ce goulet, les petits poissons ne s'y risquent pas car ils ne pourraient pas fuir facilement. Par contre, l'eau stagnante est riche en bactéries dont les dauphins sont friands. Elles leur servent de... comment dire... de liquide fermenté.

– D'alcool ?

– Oui, c'est un peu ça, cette eau pleine de bactéries agit comme un psychotrope.

Justement, deux dauphins blancs viennent vers eux. C'est un couple de bélugas. Les cétacés les observent avec suspicion, comme deux petits vieux voyant l'arrivée de touristes d'un mauvais œil. Ils restent à distance. Sylvain dégaine une caméra étanche et se met à filmer. Quand les plongeurs approchent, les bélugas reculent. Soudain, ils se désintéressent des humains et s'enfoncent plus profondément dans le trou bleu. Rapidement, ils deviennent plus joueurs et leur comportement pourrait faire penser qu'ils sont en état d'ivresse.

– Ils sont allés se saouler en bas, là où il y a le plus de bactéries ?

– En fait, nous sommes dans un bar à dauphins.

Les deux bélugas, qui se sont bien imbibés du liquide du fond du trou bleu, entament maintenant une parade amoureuse.

– Ça sert aussi d'hôtel de passe, on dirait, note le Québécois, toujours la caméra à la main.

Quand les dauphins s'en vont, Jacques et Sylvain remontent sur le bateau où les attend le reste de l'équipe de Sereinitis. Sylvain leur montre les images qu'il a filmées.

– Le trou bleu a une couleur particulière, différente de celle du reste de la mer, remarque-t-il.

– Bleu de Prusse ? propose Franckie.

– Il y a beaucoup de nuances de bleu, continue Sylvain, mais celle-ci est bien spécifique.

Il utilise son smartphone pour faire apparaître une sorte de nuancier de couleurs.

– C'est bien ce que je pensais, il s'agit d'un « bleu de Klein ».

– Comme mon nom, signale Jacques.

– Ah bon ? Vous êtes de la famille du peintre ?

– Je ne sais pas. Il y a beaucoup de Klein.

Sylvain leur lit sur le smartphone l'histoire de la découverte de ce bleu si particulier.

– Yves Klein est un peintre français né à Nice en 1928 et mort en 1962. Toute son œuvre n'est réalisée que dans une seule couleur, qu'il a mise au point pour l'explorer sur tous les matériaux : le bleu de Klein.

— Cela me fait plaisir de savoir que mon nom est associé à une grande découverte artistique.

— Vous devriez regarder sur Internet et vous verrez ce qu'un artiste peut tirer de l'exploration d'une seule teinte exploitée à fond.

Jacques observe la photo d'Yves Klein, ne trouve pas de ressemblance avec lui. Il jette ensuite un œil à toutes les œuvres qui ont été produites avec ce bleu exactement semblable à celui du trou marin qu'il vient de visiter.

L'équipe monte ensuite sur le pont du bateau pour boire une bière. Jacques et Franckie savourent la boisson mousseuse et fraîche dont ils avaient oublié le goût doux-amer.

— Pourquoi les dauphins viennent-ils en couple dans le trou bleu ?

— Peut-être que, comme chez nous, le mâle a plus de chances de séduire la femelle si elle est saoule.

Tous éclatent de rire. Et voient justement trois couples de dauphins approcher du trou bleu. Les animaux font des bonds, jouent, semblent beaucoup s'amuser.

— Comment dorment les dauphins ? demande Jacques.

— C'est l'un des mystères de la nature. Longtemps, on a pensé que c'était une espèce qui ne dormait pas du tout.

— Je pensais que toute vie avait une forme de sommeil, même les plantes.

— Si les dauphins s'immobilisaient sous l'eau, ils s'asphyxieraient (puisque ce sont des cétacés, donc des mammifères, qui comme nous respirent de l'air). Mais s'ils s'immobilisaient à la surface, le soleil assécherait la peau non immergée, provoquant de terribles brûlures. Enfin, ils ne sont pas assez gros pour dormir plus de vingt minutes sans respirer, à la différence des baleines.

— Alors comment font-ils ?

– En fait, une moitié de leur cerveau dort. Lorsque cette moitié a récupéré, l'autre moitié se met au repos. Et le dauphin ne cesse jamais de nager.

– Donc ils dorment en permanence... à moitié.

Sylvain affiche un grand sourire.

– Ils rêvent tout le temps. C'est un animal qui est sans cesse à moitié dans le réel et à moitié dans ses songes.

– Cela doit être bizarre dans leur tête. Comme s'il y avait un écran partagé entre deux films : un réaliste et un délirant, avance Franckie.

Ils sont donc à chaque instant branchés sur leur Noosphère de dauphins, songe Jacques.

Les dauphins s'enfoncent à tour de rôle, en couple, sous la surface.

– Il paraît qu'ici vous apprenez le rêve lucide avec les indigènes ? questionne Sylvain en se tournant vers Franckie et Jacques pour leur verser de la bière fraîche. Ça m'intéresse énormément. J'ai pratiqué la méditation avec un maître bouddhiste qui était passionné par le rêve, explique-t-il. J'ai donc moi aussi, à ma manière, pratiqué le rêve lucide, mais en amateur. Mon maître disait que le rêve lucide est meilleur que la méditation pour libérer l'esprit car il permet d'oublier complètement son corps alors que durant une posture on pense toujours un peu à ses articulations, ses muscles ou sa respiration, donc on ne peut pas avoir l'esprit complètement détaché.

– Je n'y avais pas pensé, reconnaît Jacques.

– Mon maître disait souvent que l'intérêt de cette pratique du rêve éveillé est de nous préparer à l'envol final vers la mort et que l'une des choses les plus importantes dans la vie est de mourir éveillé.

– On peut mourir autrement ? s'étonne Franckie.

– Bien sûr, quelques secondes avant sa mort, et quelques secondes pendant, on peut être tellement pris dans le tumulte des pensées, des peurs, des regrets, de la culpabilité, des inquiétudes liées à cet instant qu'on... peut ne pas se rendre compte qu'on meurt.

— Apprendre à rêver pour ne pas confondre sa mort avec un rêve, quelle drôle d'idée ! s'exclame Jacques.

— Ça a l'air simple de mourir, mais c'est une expérience si forte qu'on peut passer à côté, dit Sylvain, l'air soudainement grave. Un peu comme si on montait dans un grand huit, qu'on fermait les yeux et qu'on ratait le voyage. D'ailleurs, selon le bouddhisme, certaines personnes meurent sans s'en apercevoir.

— Cela expliquerait le concept des esprits des Sénoïs (qui les nomment Mara et Gulik, esprits sauvages ou esprits apprivoisés), intervient Jacques. Il y aurait parmi eux des personnes qui n'ont pas compris la différence entre la vie et la mort !

— Mon maître racontait qu'une fois, il était tombé sur un esprit qui ne comprenait pas pourquoi ses collègues ne lui disaient plus bonjour au travail. Le yogi a eu beaucoup de mal à lui faire comprendre qu'il était mort. Progressivement, par déduction, l'autre a fini par accepter qu'il était devenu un...

— Mara ? suggère Jacques.

— Un esprit errant qui continuait à hanter ses anciens lieux de vie.

— Un fantôme, complète Franckie.

Autour d'eux, l'équipe de Sereinitis s'active à débarquer du matériel pour monter des habitations provisoires en vue de leur installation sur Pulau Sénoï.

— Il paraît que vous avez eu des problèmes avec des mercenaires payés par une société immobilière ? questionne le Québécois.

— C'est pourquoi nous allons avoir besoin que vous communiquiez vite sur votre activité ici afin de la rendre officielle, visible. Et nous aurons aussi besoin de vigiles pour nous aider à protéger l'île.

— C'est prévu, dit Sylvain Ordureau qui fait signe à un collègue de leur servir à déjeuner.

Ce dernier leur apporte des hamburgers accompagnés de frites. Jacques trouve le pain insipide, que la viande a un goût de plastique, le cornichon est aigre, et les frites semblent en caoutchouc huileux. Il recrache les aliments.

– Excusez-moi, mais je crois qu'à force de manger comme les Sénoïs, mes habitudes alimentaires ont changé. J'ai l'impression qu'ici, sur Pulau Sénoï, tout est savoureux, alors qu'en Occident on mange du polystyrène avec de la sauce sucrée ou salée pour le faire passer.

– J'ai entendu dire que vous mangiez des chenilles, des serpents, des araignées, des singes et des écureuils. Mais je crois que je m'en tiendrai aux hamburgers en polystyrène. Quant au service restauration du futur hôtel, je crois que nous resterons sur du classique.

Après le déjeuner sur le bateau, Jacques et Sylvain explorent les alentours du trou bleu et tombent sur un autre groupe de dauphins. Ce sont des dauphins gris à long nez, qui se laissent approcher facilement. Sylvain réussit à en caresser un. Mais lorsque Jacques s'approche à son tour, il comprend pourquoi les animaux sont aussi peu farouches : les dauphins ont rabattu un banc de sardines et l'ont encerclé. Les petits poissons se servent des deux plongeurs humains comme protection. Les sardines forment une sorte de bouée vivante autour de lui. Les dauphins commencent même à les menacer de leur rostre.

– En fait, les dauphins ne cherchent pas du tout notre affection, constate Jacques. Ils veulent nous faire comprendre que nous les gênons dans leur chasse aux sardines. C'est comme si on marchait sur leur table pendant qu'ils mangent.

Sylvain éclate de rire et tous deux décident de s'éloigner du banquet.

– Bienvenue dans la vraie vie des dauphins, loin des légendes, proclame le chef d'équipe.

L'après-midi se passe à barboter dans la zone des dauphins gris à long nez et ces derniers, après les avoir snobés (pour les punir d'avoir protégé les sardines), puis menacés, commencent à revenir gentiment, spontanément vers eux, curieux d'observer ces étrangers.

De retour au village dans la soirée, Jacques retrouve les Sénoïs pour le dîner et raconte leur balade en mer. Shambaya est très intéressée et le presse de questions.

– Ces nouveaux hommes nous protégeront des Malaisiens ?

– Oui. Et ils vont faire venir d'autres gens.

– Nous allons devoir nous adapter à leur présence, et il faudra que cela se fasse progressivement. Je sais que Shuki est enthousiaste, il me parle tout le temps d'Internet et de ce qu'il voit du « grand monde réel qui nous entoure » mais...

– J'ai compris, il faut y aller par paliers.

– Tout contact avec quelque chose de nouveau doit se faire par étapes, insiste sa femme. Regarde, toi et moi nous avons d'abord longtemps rêvé qu'on faisait l'amour avant de le faire vraiment.

– C'est vrai, et cela a exacerbé mon désir... puis mon plaisir.

– Là, il s'agit d'autre chose. Si nous devenons « amis » trop vite avec ces gens, ils vont nous faire du mal et nous leur en ferons sans même le vouloir. Des maladies, la méconnaissance de nos natures profondes, que sais-je encore...

– Chez nous, on dit : « Ce qui ne respecte pas le temps ne résiste pas au temps. »

– Il ne faudrait pas que mes frères et sœurs succombent à l'excitation de la découverte de ce monde nouveau. Je compte sur toi, Jacques, pour ralentir la fusion entre eux et nous.

Pendant le repas, Jacques se régale avec les Sénoïs et prend même des durians en dessert (finalement, il adore ça). Plus tard, il fait l'amour pendant une heure avec Shambaya (il adore cela aussi). Et après cette journée épuisante, il s'endort.

55

Ils nagent.

Ils se frôlent.

Ils sont blancs, ils sont fluides, ils sont rapides et souples. Ils tournoient dans le cylindre bleu Klein.

Puis jaillissent de l'eau et s'envolent. Ils planent, les bras tendus au-dessus de la forêt. Atterrissent sur des branches.

Ils s'embrassent dans des nids d'oiseau, pleins de plumes. Plongent depuis les plus hautes branches.

Ils nagent dans des lacs vert émeraude, des rivières transparentes, des torrents aux eaux noires. Sautent de branche en branche en s'agrippant à des lianes. Trouvent des nids plus grands tapissés de pétales de fleurs rouges.

Ils unissent leurs corps en dispersant des nuages de pollen. S'envolent à nouveau et planent au-dessus du monde.

Puis ils se séparent.

Jacques rêve qu'il rejoint seul la Noosphère et marche sur une dalle blanche de visages humains aux paupières closes. Comme la dernière fois, du front de certains de ces dormeurs sortent des arbustes blancs dont les feuilles présentent leurs rêves et leurs idées.

Il voit Sylvain qui installe un hôtel avec un dôme de plastique au fond du trou bleu pour créer un centre d'observation de l'ivresse et de la sexualité des dauphins bélugas. Il se dit qu'il faudrait lui expliquer demain que c'est une mauvaise idée. Puis il rend visite aux esprits et trouve le courage de s'adresser à l'un d'eux.

– Hum, vous venez souvent par ici ?

C'est une femme aux longs cheveux. Elle s'amuse d'être abordée dans le monde invisible comme elle l'était naguère dans le monde visible. Loin d'être choquée, elle vient vers lui, entité diaphane et vaporeuse.

– Vous me draguez ? questionne-t-elle, amusée.

– J'essayais juste d'engager le dialogue. Chaque fois que je viens, j'ai l'impression que toutes les entités me fuient parce que je suis nouveau.

– Non, ce n'est pas parce que vous êtes nouveau, c'est parce que vous êtes vivant, répond la femme fantôme. Nous partageons l'expérience de la non-matérialité et de l'immortalité, ce sont des choses que vous, les vivants rêvant, ne pouvez même pas envisager. Pour nous, vous êtes des « non-initiés à l'expérience de la mort »... Comme vous le voyez, il n'y a aucune arrogance, ni aucun mépris là-dedans.

Jacques est ravi de cette première conversation avec une Mara, mais s'avise cependant qu'il n'est pas encore capable de la transformer en Gulik (âme errante amie). Avant d'avoir pu dire un mot de plus, le chant du coq (qui s'égosille pour trouver un *si* bémol de plus en plus aigu) le réveille.

Jacques Klein ne soulève pas immédiatement les paupières, comme on le lui a enseigné. Puis il observe sur son smartphone son hypnogramme qui lui indique de belles et longues descentes en sommeil paradoxal.

Serait-il possible que la pratique de la plongée sous-marine m'aide à améliorer et prolonger mes descentes en sommeil profond ?

Il embrasse Shambaya encore endormie puis, sur son carnet de rêves, il inscrit ses notes du matin.

Serait-il possible que la rencontre avec les dauphins ait débloqué chez moi la possibilité de rencontrer des esprits errants ?

Jacques referme son carnet. Il remarque que ces derniers temps, pendant qu'on lui enseignait le rêve lucide, il n'a pas été tenté de jubjoter pour retrouver son futur lui-même sur l'île de Sable rose. Shambaya se réveille et lui chuchote à l'oreille :

– Tu es de ces hommes qui sont éblouis par la visite au grand nuage des esprits, n'est-ce pas ?

– La Noosphère ? Oui, c'est quand même étonnant de pouvoir approcher de l'inconscient collectif de toute son espèce.

– Le nuage des esprits est toujours impressionnant pour ceux qui ne l'ont jamais vu, mais il ne faut pas que tu restes bloqué sur son observation. Sinon cela peut devenir mauvais.

– J'y reviendrai quand même, dit-il, buté.

– Tu aimes à ce point voir ceux de ton espèce penser ?

Elle lui caresse le visage du plat de la main.

– C'est là qu'a été inventé le feu, rappelle-t-il. L'agriculture. Le tissage. La roue.

– Vous avez fait tellement de progrès depuis. Le train, les avions, les fusées, les sous-marins...

– Comment connais-tu tout cela puisque tu n'as jamais voyagé ?

– N'oublie pas que dans notre village nous avons désormais un ordinateur avec un Internet à antenne satellite performant. Tu es fasciné par le nuage des esprits, de même que je suis fascinée par Internet, parce que c'est nouveau. Shuki m'aide à « surfer ». J'y ai appris l'histoire de l'humanité. J'y ai appris la géographie, j'y ai appris tant de choses.

– Mais tu es aveugle !

– J'ai le son. Et puis Shuki est très doué pour me raconter ce qu'il voit sur l'écran avec beaucoup de détails. Cela me suffit. Ensuite pour le reste... je rêve.

– Et tu as compris tout ça si vite ?...

– Je passe beaucoup de temps, pendant que tu dors, à écouter les documentaires. Tant d'informations sont livrées sur la Toile. Le nuage électronique est si riche. J'adore.

Jacques ouvre les rideaux et la lumière s'engouffre dans la pièce. Shambaya sourit en entendant plus distinctement les piaillements des oiseaux, les cris des singes, les bourdonnements des insectes, les premiers bruits de la vie du village.

Après s'être rafraîchis dans la bassine d'eau, les amoureux s'habillent et rejoignent les membres de la communauté déjà assis sur les troncs qui encerclent le foyer central. Alors que les premiers récits récoltés dans la nuit se font entendre, il s'aperçoit qu'il commence à comprendre des phrases, avant même que Shambaya ne les lui traduise.

La distribution de nourriture ponctue les changements d'orateur. Quand son tour arrive, Jacques place quelques mots sénoïs dans son récit, ce qui provoque aussitôt la sympathie de tous. Il explique que son rêve est lié à sa plongée sous-marine de la veille, et tous l'écoutent décrire ce fameux trou bleu qui a failli causer leur perte.

La parole passe à Franckie Charras qui se sent également obligé de placer quelques mots de salutation en sénoï.

Ayant découvert lui aussi grâce à sa compagne la Noosphère, le « nuage des esprits de tous les rêveurs du monde », il raconte qu'il lui a semblé avoir vu des événements qui se produiront bientôt dans le monde.

Il se tourne vers Jacques et lui confie :

— Selon moi, Nostradamus et les autres visionnaires ou prédicateurs en tout genre n'ont en fait eu pour seul talent que celui de se brancher en rêve sur la Noosphère pour recevoir des visions du futur.

— Et tes crises de narcolepsie ?

— Mugita pense que ce n'est pas un handicap mais un avantage, elle me demande de l'accepter au lieu de vouloir m'en débarrasser. Elle dit qu'il faut devenir ami avec son problème au lieu de vouloir l'éliminer. Du coup, je tente d'apprivoiser mon monstre narcoleptique et je l'utilise pour avoir ces visions qui m'amusent.

Sylvain Ordureau les rejoint une heure plus tard, il aimerait bien participer à la réunion matinale, mais il avoue n'avoir jamais réussi à se souvenir d'un seul de ses rêves, ce qui surprend les Sénoïs et provoque leurs moqueries.

– Pas un seul rêve ? demande Shambaya, émue.

– Pas un. Je suis peut être un « non-rêveur », est-ce possible ?
C'est Jacques qui répond :

– Médicalement, non. Il se peut que vous oubliiez vos rêves,
mais il est impossible que vous n'en fassiez pas, sinon vous
deviendriez (en théorie tout du moins) complètement fou.

Au moment où il prononce ces mots, il observe mieux le
Québécois et essaie de déceler dans son regard une fêlure quelconque, mais n'en trouve aucune.

Le reste de la matinée est consacré au repérage avec l'équipe
du meilleur emplacement pour la construction de l'hôtel Sereinitis.

À midi, Jacques déjeune avec sa compagne. Ils mangent des
noix de coco face à la mer, sur un piton rocheux.

– Je voulais te parler en dehors du groupe, dit Jacques. La
collectivité c'est bien, mais le tête-à-tête me manque souvent.

– Je sais ce que tu veux me demander, dit Shambaya, la
bouche pleine. Est-ce que je suis aussi capable de voir le futur ?
Ta mère m'a appris à lire les sillons des lignes de la main
mais... je ne suis pas plus visionnaire que toi, continue-t-elle
en lui prenant la main.

– Tu es aveugle de naissance ?

– À une époque, les Malaisiens ont essayé de nous éliminer
en empoisonnant avec des insecticides les sources d'eau où nous
allions nous abreuver. Ma mère était enceinte de trois mois. Elle
a ingurgité ces produits toxiques, ce qui a perturbé la formation
de mes yeux. Je suis née avec ce handicap.

Elle lui prend la main dans la sienne et la serre.

– Est-ce que tu « vois » dans tes rêves ou ne sont-ils faits
que de sons et d'odeurs ? demande Jacques.

– Il y a des images, mais elles sont issues de mon interprétation du monde. C'est-à-dire qu'en touchant ton visage, j'ai
pu me construire une image de toi en relief. Shuki m'a signalé

que la peau de ton visage est rose pâle et que tes cheveux sont bruns.

— Et ces couleurs, tu les imagines aussi ?

— Oui, je fais ma peinture interne à partir de couleurs primaires. Et les mots « foncé » ou « clair » me permettent de nuancer. Sylvain m'a appris que ton nom de famille est celui d'une couleur rare, tu ne peux pas savoir comme je regrette de ne pas voir ce bleu de Klein.

— Et si je te dis le mot « soleil », tu vois quoi ?

— Je sais que c'est censé être rond mais qu'en le regardant vous ne voyez qu'une forte lumière.

— Et un fruit ?

— En fait je reconstitue d'après les récits, d'après les odeurs, d'après les sons la plupart des objets et des gens que toi tu peux voir, et j'en fais ma propre interprétation.

— Donc tu as une interprétation personnelle de tout.

— Mais toi, tu fais pareil ! Ne m'as-tu pas cité une fois cette phrase : « La réalité c'est ce qui continue d'exister lorsqu'on cesse d'y croire » ? Comment mieux résumer le réel ?

— Tout n'est pas que subjectivité.

— Nous sommes tous plus ou moins aveugles. Certains le savent, d'autres ont la prétention de ne pas l'être. Mais tout n'est qu'interprétation de ce que nos sens nous envoient comme signaux plus ou moins déformés. Il n'y a que dans les rêves qu'il y a une totale adéquation entre ce qui est et ce qu'on perçoit. Mes rêves sont plus beaux que ceux des voyants, précisément parce qu'ils ne sont pas influencés par le réel. Ce sont de pures subjectivités assumées. Tout ce monde qui m'entoure, je le réinvente en permanence.

Jacques embrasse du regard le fabuleux panorama qui s'offre à ses yeux, mais il n'ose en parler. Il voit l'océan qui brille, les nuages qui s'effilochent, le bleu du ciel, les vagues qui viennent s'écraser contre les rochers au bas de leur promontoire.

– Il y a forcément un endroit du réel, reconnu par tous, et qui échappe aux subjectivités individuelles, insiste-t-il.

– Crois-tu ? Moi, je pense qu'on perçoit tous des réalités différentes. Les Sénoïs ont une histoire pour illustrer ça : trois aveugles se trouvent face à un éléphant, le premier touche sa trompe, le second touche une patte, et le troisième touche sa queue. Quand ils reviennent au village et qu'on leur demande ce qu'est un éléphant, le premier dit que c'est long et mou comme un serpent ; le deuxième dit que c'est gros et cylindrique comme un tronc d'arbre ; le troisième dit que c'est long et fin comme une fleur. Et chacun est sûr de lui. Aucun n'a menti, tu es d'accord ?

– Oui.

– Ils ont chacun rapporté « leur réalité » et ils ont tous exprimé honnêtement « leur vérité »... et pourtant ce n'est pas la même.

– Les « voyants », eux, voient l'éléphant dans son ensemble, le vrai éléphant, tel qu'il est vraiment.

– En es-tu sûr ? Demande à trois « bons voyants » ce qu'est l'amour, ils auront trois visions différentes. L'un te parlera de sexe, l'autre de sentiments, l'autre de l'amour de ses parents, de l'amour de son pays ou de l'amour de son chien. Pour moi... l'amour est quelque chose d'aussi difficilement descriptible que l'éléphant des trois aveugles.

– Il y a forcément un monde incontestable.

– Oui, le monde des rêves.

Jacques est troublé par ce dialogue. Shambaya, pour sa part, semble prendre beaucoup de plaisir à révéler à cet Occidental ce qui, pour elle, est une évidence.

– Un proverbe chez nous dit : « Au pays des aveugles, les borgnes sont rois », insiste Jacques.

– C'est un proverbe stupide et faux. Je pense qu'au pays des aveugles, le borgne préférerait crever son œil valide pour être mieux admis par les autres.

Il ne peut s'empêcher de penser qu'elle se trompe, mais n'ose l'exprimer.

— J'ai déjà rêvé d'un pays d'aveugles où tu arrivais, poursuit-elle. Tu essayais de me convaincre que tu étais avantagé et moi j'essayais de te faire comprendre que, si tu devenais aveugle, tu percevrais des choses que tu ne peux voir actuellement à cause de la tyrannie du sens visuel sur les autres sens.

Suite à cette conversation, Jacques prend conscience de l'importance de l'expérience philosophique qu'il est en train de vivre chez les Sénoïs. Il décide de s'attaquer à la rédaction d'un *Manuel de rêve lucide*.

Après plusieurs jours de travail, son manuel est prêt. Il en diffuse les chapitres sur Internet et le succès est vite au rendez-vous, il touche chaque jour un public de plus en plus large.

De son côté, Sylvain Ordureau s'offre chaque après-midi une baignade avec les dauphins ou une petite plongée en apnée dans le trou bleu pour « mettre au point son projet de tourisme spirituel ».

Un soir, alors qu'ils se couchent, Jacques dit à Shambaya :

— Je crois que je suis heureux. Je suis au Paradis. Ma vie a du sens. Et je ne veux plus jamais partir d'ici.

— Tu vois, dit-elle, la constance n'est pas une déchéance, cela signifie juste qu'on a trouvé l'endroit où l'on est bien, la personne avec laquelle on est bien, et une activité où l'on se réalise. Dès lors, pourquoi bouger ?

56

Neuf mois s'écoulent.

Un œuf de cormoran se fendille. Un singe le vole. Le singe est mordu par un serpent. Dans le ciel les mouettes ricanent.

Shambaya accouche d'un fils. Il est nommé Icare. Selon la coutume sénoï, on le laisse les six premiers mois dans la pénombre afin qu'il soit plus à l'aise dans le monde de la nuit que dans celui du jour.

L'hôtel Sereinitis, construit à la hâte avec des éléments préfabriqués, est inauguré sans cérémonie. Les douze premiers clients s'y installent, essentiellement des Québécois et des Californiens.

Les « stagiaires en rêves » passent leurs matinées à faire de la plongée sous-marine avec Sylvain Ordureau et leurs après-midi à apprendre l'art du rêve lucide auprès de Shuki, qui adore avoir des contacts avec ces étrangers. Selon le principe sénoï qui veut que l'on aide plutôt « les bons à devenir excellents que de perdre du temps avec les mauvais », Shambaya dispense aux plus réceptifs des cours particuliers.

Ce système élitiste et peu démocratique s'avère pourtant efficace et les quelques élèves de la Maîtresse en rêves deviennent vite de plus en plus performants.

Les Sénoïs apprennent facilement à parler anglais, car leur capacité à bien dormir leur offre aussi celle de mémoriser facilement les langues étrangères. Mais une nuit, un cyclone tropical ravage l'île. Le vent et la pluie détruisent en quelques heures les habitations de bambous du village. Suite à cette catastrophe, les Sénoïs acceptent la proposition de Sylvain de reconstruire tout le village « en dur » pour qu'il résiste aux futures intempéries. Mais ils tiennent en revanche à conserver les caractéristiques de l'ancien village : sur pilotis et en forme d'anneau autour de la place en terre battue au centre de laquelle se trouve le foyer de braises.

Au fil des mois, Franckie prend de plus en plus d'initiatives pour aider ses compagnons de vie. Les Sénoïs intègrent rapidement cet étranger bienveillant, si habile à résoudre les nouveaux problèmes qui apparaissent au contact du monde moderne.

Franckie réalise finalement le reportage sur la tribu qu'il attendait de faire depuis des années, et le film est vendu dans le monde entier. Suite à sa diffusion, le village sénoï devient célèbre et sa renommée finit par attirer l'attention des officiels malaisiens. Le ministre du Tourisme, Hussein Razak, les contacte pour leur annoncer la bonne nouvelle : il souhaite inscrire Pulau Sénoï dans ses « spots privilégiés de tourisme ».

Une fois cette reconnaissance officialisée par le ministre, Sylvain décide de réduire les équipes de vigiles. Désormais, ce lieu classé au patrimoine touristique de l'État malaisien est en sécurité.

Le succès grandissant de leur entreprise leur permet de ne sélectionner que des élèves extrêmement motivés.

Année après année, Jacques s'habitue à ce monde si différent du sien. Il se réalise en tant que père, s'amuse en tant que rêveur lucide, s'améliore sans cesse dans sa maîtrise du sommeil. Il apprécie que l'été dure dix mois. Son couple est épanoui, toute la tribu l'a adopté. Il a le sentiment d'être à sa place dans le temps et dans l'espace, et cela lui apporte ce à quoi aspirent tous les êtres vivants : l'harmonie.

57

Quatre, cinq, dix, seize années passent.

Icare est désormais un adolescent sportif et curieux de tout.

Jacques Klein en vient à oublier les circonstances malheureuses qui l'ont amené sur Pulau Sénoï.

Un soir, pris de nostalgie, il décide de jubjoter, pour retourner sur son île de Sable rose, ce qu'il n'avait pas fait depuis très longtemps.

Une fois en sommeil paradoxal, Jacques fait apparaître son île. Le lieu est désert. Il marche le long du rivage en se remémorant ce qu'il a vécu ici. Le rocking-chair est toujours là, vide.

Il touche le fauteuil, qui se met à basculer doucement d'avant en arrière en grinçant. Il s'y installe et ferme les yeux.

– J'étais sûr que tu finirais par revenir, dit une voix derrière lui.

Jacques se retourne et voit le vieux lui-même debout sur la plage. Alors qu'à leur dernière entrevue l'homme avait les cheveux gris, il les a désormais blancs, et sa peau est plus ridée. Jacques prend conscience que lui aussi a subi l'usure du temps.

L'autre est comme à son habitude en chemise à fleurs hawaïenne, short et tongs, il tient encore une piña colada dans sa main.

– Content de vous revoir, JK48.

– Ah non ! Désormais c'est toi l'homme dans la quarantaine, « JK44 ». Quant à moi, comme tu vois, j'ai pris de l'âge, tu peux m'appeler « JK64 ».

– Ça me fait plaisir de savoir que je vais vivre jusqu'à cet âge et vous ressembler.

– Pas sûr, n'oublie pas que le libre arbitre complique tout. Tu pourrais te suicider, par exemple. Rien dans l'univers ne t'en empêcherait et, dès lors, je n'existerais plus.

– Oui, je connais vos histoires de paradoxes temporels.

Jacques lui fait signe de prendre siège dans le rocking-chair voisin qui vient de surgir du néant.

– Et maintenant, que va-t-il m'arriver, JK64 ?

– Tu veux vraiment le savoir ?

– Je ne sais pas. J'aime ma vie telle qu'elle est aujourd'hui.

– Enfin, tu deviens honnête avec toi-même. Shambaya a tout compris de la vie, de la pensée, de l'univers… sauf le monde moderne occidental et l'informatique, le *cloud* électronique qui en est l'émanation artificielle. Internet, c'est une mémoire du monde incomparable. C'est toi qui lui as apporté ça, comme elle t'a offert l'accès à la Noosphère. Vous formez un couple parfait car vous êtes « cosmiquement complémentaires ». Combien de personnes peuvent couvrir une aussi large couche de conscience ?

Les deux Jacques Klein se balancent sur leurs rocking-chairs respectifs et, pour la première fois dans ce rêve récurrent, le plus jeune s'y sent vraiment à l'aise, ni méfiant, ni impressionné, ni distant, ni soumis à ce type qui se prétend être son futur lui-même.

– Et quand je ne rêve pas de vous, vous faites quoi, JK64 ?

– Je vis ma vie de type de 64 ans. Tu découvriras un jour que, finalement, l'âge ne compte pas, ce qui importe ce sont les projets que l'on porte. Voilà ce que j'ai fini par comprendre et que je peux te révéler. Si tu as 24 ans et que tout ce dont tu rêves c'est d'avoir un emploi stable et répétitif qui t'assure une bonne retraite, alors tu es déjà vieux. Si tu as 64 ans et que tu dialogues avec le type que tu as été par le truchement d'un engin unique extraordinaire, tu es encore jeune. Quelque part, c'est toi, Jacques, qui me maintiens jeune d'esprit. C'est pour cela que je suis autant investi dans nos conversations. C'est pour cela que... je t'aime.

Le Jacques aux cheveux gris ne relève pas les derniers mots du Jacques aux cheveux blancs. Les deux hommes boivent leur piña colada en regardant l'éternel soleil levant à l'horizon.

– Par moments, j'aimerais rester là tout le temps, dit JK64.

– Moi aussi, mais ma vie réelle n'est pas très éloignée de ce décor. La seule différence entre l'île où je vis et celle de mes rêves est l'absence de plage. Mais sur Pulau Sénoï, il y a le trou marin et on peut nager avec les dauphins.

L'autre sourit mais semble avoir quelque chose sur le cœur.

– C'est, hum, aussi pour cela que je suis content de te voir aujourd'hui, JK44. Je... enfin... tu n'es pas là par hasard. C'est moi qui t'ai inspiré ce rendez-vous.

– Pourquoi ?

– Il y a une nouvelle urgence. Tu dois rentrer à Paris.

JK44 fixe son vis-à-vis puis éclate de rire.

– Alors ça, jamais ! Même pas en rêve !

– Je sais, tu n'en as pas envie mais pourtant tu dois le faire, et vite.

– C'est une plaisanterie ?

– Ai-je l'air de plaisanter ?

– Je suis bien ici. Ma vie est ici, ma famille, mon fils, mes amis sont ici, mon bonheur est ici. Plus jamais je ne pourrais supporter la folie de la vie parisienne. La pollution, le bruit, l'énervement, l'agressivité des gens dans la capitale.

– Tsss... Je ne me rappelais pas que j'étais aussi casanier.

– Je ne suis pas casanier, je suis responsable. Je ne vais pas faire déménager ma famille dans cet univers anxiogène. Ici, tout est couleur et vie. Là-bas, tout est gris, fade, sans lumière ni énergie vitale.

– Tsss...

– Je n'aime pas ce tic de langage que je vais avoir dans vingt ans. « Tsss »... Ça vous donne l'air condescendant. Vous n'êtes pas mon père. Et puis j'ai mon libre arbitre, vous me l'avez assez répété.

– Mais reconnais que je t'ai toujours donné de bons conseils. Alors écoute celui-ci : tu dois rapidement tout abandonner pour partir à Paris.

– C'est vous qui m'avez fait venir en Malaisie ! Désormais, je sais que ma place est ici, c'est l'aboutissement logique de tout ce que je suis. La « voiture de mon existence » a trouvé sa place de parking définitive.

– Tsss...

– Vous m'énervez. Pourquoi devrais-je partir maintenant ?

– Parce que tu as oublié ce qui a motivé tout cela : le projet secret de maman, l'exploration du monde du sommeil pour trouver le sixième stade.

– C'était le projet de maman, pas le mien.

– C'est pour cela qu'elle est venue ici, et toi aussi.

– C'est à cause du sixième sommeil qu'elle a été chassée de l'hôpital, qu'elle est arrivée ici et qu'elle y est morte. Ça ne lui a apporté que du malheur !

– Mais sans ses recherches sur le sixième stade, les Sénoïs, Shambaya, Shuki, auraient été détruits ou réduits en esclavage. Leur culture serait tombée dans l'oubli. Icare ne serait pas né.

JK44 se redresse sur son rocking-chair, et s'entête :

– Je ne partirai pas d'ici. L'hôtel Sereinitis fonctionne. Je nage avec les dauphins, j'ai surmonté ma peur de l'eau, je fais l'amour avec Shambaya, j'éduque Icare, je mange de la nourriture saine, je dors bien, je rêve bien, pourquoi devrais-je…

– Pour faire avancer toute l'humanité et pas seulement une petite communauté sur une île perdue dans l'océan Indien.

– Cette fois, je refuse de vous obéir. Je n'ai plus besoin de vous. Merci pour le passé, mon présent va très bien. Et puis je sais pourquoi vous voulez que je rentre. Parce que le sixième sommeil permet la création de l'Aton, n'est-ce pas ? L'Aton, c'est votre jouet, « monsieur JK64 », pas le mien.

– C'est l'aboutissement des recherches de maman, JK44.

– Alors c'est le jouet de maman, mais elle est morte. De toute façon je ne comprends pas pourquoi vous avez attendu seize ans pour me dire que la suite du feuilleton se déroule à nouveau à Paris…

– Tu devais rester ici pour apprendre la maîtrise du monde des rêves et… attendre que se réalisent certains progrès technologiques. À Paris, la science a suffisamment évolué pour que l'exploration du sixième sommeil puisse reprendre, et toi tu as suffisamment évolué pour devenir le principal acteur de cette aventure.

– À ce petit détail près que je ne souhaite plus y participer.

– Je me souviens de ce qu'il y avait dans ma tête quand j'étais toi. Certes, un côté jouisseur fainéant, mais l'envie d'explorer les mondes nouveaux ne m'a jamais quitté. N'oublie pas que nous sommes l'enfant d'un navigateur et d'une pionnière de la science.

– Vous avez d'autres arguments plus convaincants ?

– J'en ai un de taille. Maman.

– Elle est morte !

– Crois-tu ?

– Qu'êtes-vous en train de sous-entendre ?

Le Jacques Klein plus âgé apprécie l'effet produit par sa petite phrase sur son cadet. Et prend un malin plaisir à ne pas répondre.

– Maman est vivante ? Impossible.

– Il ne tient qu'à toi d'aller le vérifier.

58

Le retour dans le réel, lui, est de plus en plus pénible. Surtout quand Jacques ne respecte pas les paliers de remontée. Alors qu'il les marque toujours rigoureusement lors de ses plongées sous-marines, il devient de plus en négligent dans ses retours par les couches supérieures de l'éveil.

Shambaya dort encore à ses côtés. Icare est dans la pièce voisine. Jacques regarde son hypnogramme.

Pas de doute, j'ai bien réussi à jubjoter, ce n'était pas une illusion.

Le réveil indique 5 heures du matin. Il s'habille puis, muni d'une torche, il se dirige vers la tombe de sa mère. JK64 a semé le doute dans son esprit. Il commence à creuser la terre avec ses mains.

Et découvre que la tombe ne contient que de la rocaille.

Il rentre chez lui en courant et réveille Shambaya en hurlant.

– Tu m'as menti ! Maman n'est pas morte, vous m'avez tous trompé ! Il n'y a rien dans la tombe !

Sa femme cherche son visage de sa main. Elle sent qu'il a les muscles tendus et lui caresse la joue dans un geste d'apaisement.

– C'est elle qui l'a voulu.

– Qui a voulu quoi ?

– C'est elle qui a souhaité cette mise en scène. Quand tu es arrivé, nous t'avons capturé, tu t'en souviens ? Dès que ta mère t'a reconnu, elle nous a demandé de vous immobiliser le temps qu'elle utilise son bateau amarré au nord de l'île pour s'enfuir.

– Elle était là, près de moi ?

– Oui, pendant quelques minutes.

– Pourquoi n'a-t-elle pas voulu me voir ? Dis-le-moi ! Ça faisait un an qu'elle avait disparu. Comment une mère peut-elle refuser de voir son propre fils ?

– Elle... doit avoir ses raisons. Il m'a semblé qu'elle avait comme un esprit qui la hantait... un secret qu'elle voulait te cacher.

– Encore ces histoires de Guliks ?

– Le sien avait l'air puissant.

– Et où est-elle partie ? Et pourquoi ?

– Pour... rentrer à Paris. Pour poursuivre son projet de découverte du sixième sommeil. Un événement qu'elle a interprété comme un signe a eu lieu. Elle me l'a raconté. Elle se baignait tous les soirs en tenue de plongée. Elle étudiait nos rêves mais aussi ceux des dauphins. Elle disait qu'ils étaient connectés. Mais nous ne sommes pas un peuple de nageurs alors nous la laissions y aller seule. Elle me disait que les dauphins avaient beaucoup à lui apprendre sur le stade 6. Quelques jours à peine avant que tu n'arrives, elle avait vu des dauphins jouer avec un poisson-globe et c'est là qu'elle a décrété qu'elle avait enfin trouvé ce qu'elle cherchait pour continuer son exploration.

– C'était quand ?

– Je te l'ai dit, quelques jours avant que tu débarques sur l'île. Elle se préparait. Elle disait qu'elle attendait d'autres signes, et c'est à ce moment-là que tu as surgi dans le village. Malgré la douleur de devoir te quitter à nouveau, elle a décidé de partir.

– Impossible.

– Il faut que tu me croies, Jacques, je t'ai tout dit.

– C'est quoi, cette histoire de dauphin et de poisson-globe ?

– Si je me rappelle bien, lorsque les dauphins jouaient avec le poisson-globe, celui-ci a fini par lâcher son venin vers les cétacés. Ce qui ne les a pas tués mais, au contraire, les a rendus « extatiques ».

– Extatiques ?

– C'est le mot qu'elle a utilisé.

Jacques Klein ne voit pas le rapport.

Le trou bleu est une taverne où les dauphins se saoulent et se reproduisent. Le poisson-globe est leur drogue. Ce mammifère qui dort et rêve presque en permanence aurait donc besoin d'un support chimique pour aller encore plus loin dans son...

Il réfléchit à haute voix :

– ... son inconscient. Et ma mère était intéressée par cela ?

– Elle disait que c'était l'élément qui lui manquait pour résoudre le passage au sixième stade.

Jacques commence à devenir nerveux. Il repousse la main de sa femme toujours posée sur son visage et s'assoit sur le lit à ses côtés.

Maman vivante, qui m'aurait fui, qui aurait mis en scène sa propre mort pour poursuivre ses recherches en France ? Qu'est-ce que c'est que cette histoire de dauphins drogués au venin de poisson-globe ? Et je découvre ça seize ans plus tard parce qu'elle aurait demandé à ma propre femme de ne pas me le dire !

– Ne m'en veux pas, je t'en prie, Jacques.

– JK64 avait raison. Il a toujours eu raison. Et il faut que je l'écoute, même s'il m'énerve.

297

– Cela change quoi ?

– Cela change tout !

– Tu ne vas pas tout le temps vivre et décider de ta vie en fonction de ta mère ! Ici tu as trouvé ta vraie place, ici tu as ta vraie famille, Jacques. Tu parles le sénoï, même les dauphins sont habitués à toi.

– Tu trouves normal qu'une mère qui aime son enfant disparaisse puis le fuie encore quand enfin il la retrouve ?

– Elle t'a conduit ici. Nous sommes ensemble. Icare est né. Tout ce qui devait s'accomplir s'est accompli grâce à elle.

Jacques fait les cent pas dans la pièce, envahi par une multitude d'idées contradictoires. Shambaya s'approche de lui et l'embrasse.

– Je t'aime.

Il ne lui rend pas son baiser, et soudain la repousse.

– JK64 a raison. L'objectif de ma vie n'est pas d'être tranquille, mais de découvrir le sixième sommeil, je dois le faire pour qu'il puisse me contacter et m'y conduire.

Elle se recule, déçue.

– Dans le futur je vais inventer l'Aton, l'Ascenseur temporel onirique naturel, un moyen de revenir dans le passé et de remonter le temps, mais à l'intérieur de ses songes. Il est impossible de remonter le temps dans le monde normal, parce que la matière ne peut pas aller plus vite que la lumière. Par contre, la dimension des rêves échappe aux lois physiques. On peut circuler dans ses rêves de jeunesse !

– De quoi tu parles ?

– Cette invention est liée à la découverte du sixième sommeil, l'Aton se trouve dans le sixième stade. Il faut que je le trouve. C'était la quête de ma mère, c'est ça qui l'a fait venir ici, c'est ça qui l'a fait repartir à Paris. Je suis un Klein, je dois poursuivre l'œuvre familiale. Je dois la retrouver.

– Reste ! Ta vie est ici, Jacques !

– Quelle vie ? Vieillir, manger des noix de coco, rêver, parler de ses rêves ? C'est tout ce que tu as à me proposer ? En seize ans, j'ai fait le tour de ces activités.

– Éduquer Icare !

– Icare doit poursuivre son éducation en Occident, sinon il ne connaîtra qu'un monde certes très agréable mais limité.

– Tout fonctionne bien ici.

– Précisément, c'est quand un système marche qu'il faut le quitter, et non lorsqu'il ne marche plus.

– Ta vie est à Pulau Sénoï !

– J'ai une œuvre à accomplir et je n'y arriverai pas ici. Ici, c'est le cerveau droit, le rêveur, le poète, le musicien, l'artiste qui est comblé. Mais un cerveau a deux hémisphères et, pour avancer, je dois réveiller le deuxième hémisphère, le cerveau gauche, le scientifique, le logique, l'inventeur, le technicien. Celui qui est ancré dans la matière. Ne développer qu'une moitié de son esprit c'est être la moitié de ce qu'on peut être.

– Dans ce cas, Icare et moi venons avec toi. Nous sommes une famille, finit par articuler Shambaya.

– Et les Sénoïs ?

– Franckie est désormais le chef du village, Mugita est devenue experte en rêves. Sylvain assure la sécurité. Ils pourront nous remplacer. Personne n'est indispensable.

– Tu veux venir en France ! Toi... Shambaya ?

– J'ai toujours rêvé d'y aller. La tour Eiffel, le Louvre, l'Arc de triomphe, Montmartre...

Il agite sa main devant ses yeux.

– Mais... tu ne verras rien...

– Je sentirai et j'entendrai tout. Et puis tu es mon mari, mon devoir de femme est de te suivre.

– Tu es sûre de vouloir m'accompagner ?

– J'ai entendu ton idée sur la moitié de cerveau qui rêve et celle qui est logique. Je ne veux pas, moi non plus, ne développer qu'une moitié de mon esprit. Je veux connaître ton monde, ancré dans la matière, dans la science, dans la technologie. De toute façon, je sais maintenant que tant que tu n'auras pas retrouvé ta mère et découvert le sixième sommeil, tu auras l'impression d'avoir une vie incomplète. Et cette île dont ta mère et toi avez fait un paradis va bientôt se transformer pour toi en un enfer de frustration.

Jacques pose la main de sa femme sur son visage, pour lui montrer qu'il sourit. Puis son visage se contracte.

– Quelque chose te contrarie ?

– Je n'y avais pas pensé tout de suite mais... seize ans ont passé et... on dirait qu'il y a un caractère d'urgence.

– On dirait ?

– Mon « contact » dans mes rêves m'a dit qu'il fallait faire vite.

– Avec lui, c'est toujours urgent, si j'en crois tes récits.

Elle masse délicatement le visage de son mari pour en détendre les traits.

– J'ai toujours rêvé de visiter ta tribu, et de découvrir ton décor d'enfance. Je suis sûre que Paris est un village charmant.

ACTE III

Maître onironaute

59

Aéroport de Roissy. Trois heures du matin.

Le jeune Icare Klein est attentif aux moindres détails de cet univers étranger. Toutes ces lumières qu'il avait repérées de nuit depuis le hublot de l'avion lui apparaissent, de près, comme les prémices d'un monde extraordinaire.

À peine la petite famille s'est-elle engouffrée dans le taxi à la sortie de l'aérogare que le jeune Sénoï photographie depuis sa fenêtre ouverte les autres voitures qui passent, comme s'il s'agissait d'animaux sauvages extraordinaires.

Shambaya, de son côté, a elle aussi ouvert sa fenêtre et hume l'air. Elle semble trouver dans les vapeurs qui montent de l'asphalte, des pots d'échappement et du décor alentour des informations intéressantes.

Une demi-heure plus tard, la voiture arrive à Montmartre et le taxi les aide à sortir les bagages. Icare photographie encore les façades des maisons et les arbres éclairés par les réverbères.

Shambaya marche dans une crotte de chien et Jacques lui explique qu'ici le sol n'absorbe rien, que les chiens laissent leurs déjections n'importe où.

Icare s'aperçoit qu'il y a des excréments partout et cela change sa vision d'un monde occidental propre, lisse et hygiéniste.

Jacques retrouve avec nostalgie l'immeuble où il a vécu toute sa jeunesse. La famille se serre dans l'ascenseur pour rejoindre le sixième étage.

En poussant la porte de l'appartement, Jacques est surpris : non seulement il n'y a pas de poussière, mais il y a des vêtements féminins partout. Encore plus surprenant, il trouve dans la penderie des chaussures d'homme cirées, une veste et un costume ayant visiblement été portés il y a peu de temps. D'autres affaires masculines sont éparpillées dans les diverses pièces.

– Qu'est-ce qu'on fait, papa ?

– Déposez les valises et installez-vous. Je vais vous montrer les chambres.

Jacques est préoccupé. Dans le salon, le cendrier déborde. Dans la chambre de sa mère, les draps sont défaits.

– Tout va bien, Jacques ? demande Shambaya.

Dans la cuisine, Jacques trouve de la nourriture sur la table. Il se remémore cette nuit où il avait surpris sa mère en pleine crise de somnambulisme, se préparant un sandwich avec deux DVD, du fromage et du jambon passés au micro-ondes. Elle était là il y a très peu de temps...

Jacques a un éclair de lucidité. Il revient sur ses pas, trouve la fenêtre du salon entrebâillée et aperçoit sa mère qui marche sur le toit. Nue. Brandissant une fourchette.

– Nooooonnn !

Il se souvient du dicton populaire qui dit qu'il ne faut jamais réveiller un somnambule en pleine crise. Mais sa mère en train de marcher sur le toit est en réel danger.

Shambaya approche. Icare prend déjà des photos.

– C'est mamie qui marche sur le toit ? demande-t-il, plus intrigué qu'effrayé.

– Que dois-je faire ? panique Jacques.

– Elle avait déjà des crises en Malaisie. Elle s'était déjà mise en danger. Je pensais que tu étais au courant.

– Là, elle est en équilibre sur un toit à vingt mètres au-dessus du sol ! Que dois-je faire ? Aide-moi !

– Tu n'as pas le choix, tu dois y aller, dit Shambaya.

Jacques prend plusieurs inspirations profondes et, à près de 4 heures du matin, alors que la nuit parisienne est chaude et que la lune illumine la scène, il se met à progresser vers sa mère en équilibre sur l'arête du toit. Il essaie de ne pas regarder en bas, luttant contre le vertige. Autour d'eux, les fenêtres sont éteintes et, en dehors de quelques oiseaux et chats, il n'y a aucun témoin de la scène.

Tout en marchant, il commence à comprendre pourquoi sa mère était aussi déterminée à trouver le sixième stade, et pourquoi elle l'a tenu à l'écart toutes ces années.

Elle avait de plus en plus de crises et pensait que grâce au Somnus incognitus *elle débloquerait ce que la science normale et le sommeil maîtrisé n'arrivent pas à guérir.*

Jacques avance heureusement plus vite que sa mère.

Fait-elle cela souvent ? Si c'est le cas, elle sait revenir sans risque, donc mon intervention est peut-être la pire chose.

Jacques progresse toujours, tremblant, sur le faîte du toit, ne trouvant aucun appui et regrettant de ne pas avoir pris des cours de funambulisme à l'école du cirque. Encore quelques pas. Sa mère serre fort sa fourchette.

Comment appelle-t-elle cela, déjà ? « Insomnie boulimique ». C'est ça qui faisait grossir maman. Elle se gavait de n'importe quoi, la nuit.

La distance avec la silhouette qui marche très lentement, fourchette brandie en avant, se réduit. Jacques se retourne et voit son fils Icare filmer la scène.

Ce n'est vraiment pas le moment. Il faudra que je lui apprenne à ne pas tout filmer ou photographier.

La peur le tenaille, il est en plein cauchemar.

Maman, tiens bon ! J'arrive.

Maintenant, il peut discerner son visage. Elle a les yeux hagards, les pupilles dilatées, mais la mine tranquille. Cependant, Caroline Klein marche désormais sur une zone du toit un peu plus pentue. Les ardoises luisent sous la clarté de la lune, il en suffirait d'une qui soit mal fixée pour que sa mère fasse le grand saut.

Assurant chacun de ses pas, Jacques ne va pas assez vite. Sa mère marche toujours devant lui. Si elle continue, elle va tout simplement arriver au bout du toit et basculer dans le vide. Doit-il la héler, au risque de la faire sursauter ?

Il accélère le pas. Soudain, une ardoise se détache, son pied dérape et Jacques Klein glisse, emporté par la pente.

Dans un ultime réflexe, il s'accroche à la gouttière, puis essaye de se hisser pour remonter sur le toit, mais la tôle, sous son poids, commence à ployer dans un bruit de métal froissé. Il ferme les yeux.

Je suis en train de dormir et je vais me réveiller.

Je veux me réveiller.

Je veux me réveiller.

Il se mord la langue jusqu'au sang. Puis rouvre les yeux.

Le décor n'a pas changé.

Ses mains lui font mal, ses pieds pendent dans le vide, la gouttière continue de se tordre, et sa mère est toujours complètement nue, brandissant sa fourchette et continuant d'avancer vers l'extrémité du toit.

Je hais la réalité de cet instant.

— Maman ! laisse échapper Jacques.

Caroline Klein se fige. Ses pupilles se rétractent, elle cligne des yeux et voit le vide devant et autour d'elle. Elle se tourne vers la voix qui l'a appelée et aperçoit son fils accroché à la gouttière tordue. Alors seulement, elle prend conscience qu'elle est nue et qu'elle tient une fourchette dans sa main droite. Son visage se décompose. Elle panique et perd l'équilibre. Elle glisse lentement à son tour, ne trouvant aucune prise à laquelle se raccrocher, s'écorchant les doigts, la peau du ventre et des seins sur les ardoises.

Oh non, pas ça ! Pas maintenant !

Ce cauchemar semble ne pas avoir de fin. Dans un accès de rage, Jacques se propulse sur le côté, dans l'espoir de rattraper sa mère qui glisse vers le vide. Il lui saisit de justesse le poignet alors qu'elle a déjà elle aussi les jambes au-dessus du vide.

– Maman !

– Jacques !

– Maman, je vais te sauver !

Il essaie de la faire remonter mais elle est trop lourde et sa main poisseuse de sueur commence à perdre de l'adhérence.

– Maman !

Soudain, le visage de Caroline Klein se détend, elle semble retrouver un certain calme, inapproprié à la situation. Puis elle articule posément en le fixant :

– Maintenant c'est toi qui dois poursuivre mon œuvre, Jacques. Trouve le sixième sommeil.

– Non, attends, maman !

– Le sixième sommeil, Jacques, il faut trouver le sixième stade du sommeil.

Son poignet glisse encore un peu plus dans la main de son fils.

Caroline Klein tombe.

Elle tourbillonne dans les airs et s'écrase plus bas comme un fruit trop mûr.

60

Enfin, les hommes en blouse bleu clair consentent à lui répondre.

— Votre mère est en vie. Le fait que vous lui ayez tenu la main a réduit la hauteur de sa chute. Vous lui avez sauvé la vie. Mais elle a quand même 76 ans et une surcharge pondérale, ce qui a un peu amorti le choc. Et ce qui la rend aussi plus fragile du cœur.

— Je peux la voir ? questionne Jacques Klein.

— Elle n'a pas repris connaissance. Elle est dans le coma. Mais venez.

Dans la chambre, sa mère est alitée, immobile. Plusieurs appareils branchés sur des capteurs surveillent ses signes vitaux.

Peut-être vit-elle quelque chose de semblable à mon expérience de paralysie du sommeil ? Peut-être qu'elle entend et sent, et qu'il n'y a que son corps qui refuse de bouger ?

— Maman, maman, tu m'entends ?

Aucune réponse, aucun mouvement. Jacques serre sa main dans la sienne.

L'électrocardiogramme et l'électroencéphalogramme indiquent une activité lente, mais une activité tout de même.

— Je sais que tu m'entends, maman. Je le sais. Je vais m'occuper du sixième sommeil, je te le promets.

Shambaya et Icare le rejoignent dans la chambre. Icare, comme à son habitude, filme la scène avec son smartphone. Quelqu'un frappe à la porte. C'est Éric Giacometti, l'ancien patron de sa mère à l'Hôtel-Dieu.

— Fichez le camp !

— Elle va avoir besoin de moi.

— Vous plaisantez, vous étiez son pire ennemi ! C'est vous qui l'avez licenciée. Sans vous, elle n'en serait pas là !

– Il ne faut pas se fier aux apparences. Cela fait seize ans que nous travaillons tous les jours ensemble, déclare le scientifique.

– Je ne vous crois pas.

– Votre mère et moi vivons ensemble.

Jacques commence à douter.

– Ce n'est pas parce que nous avons eu un petit différend que cela empêche toute réconciliation. En fait, je n'ai jamais perdu le contact avec votre mère. Elle continuait de communiquer avec moi par téléphone satellite depuis son île en Malaisie. Elle m'a averti de son retour et nous nous sommes tout de suite remis au travail. Les affaires d'homme que vous avez sans doute trouvées dans l'appartement sont les miennes. Elle avait fait sienne votre devise : « Pour qu'un couple marche, il ne faut se voir qu'un jour sur deux. » Nous nous voyons pour le travail tous les jours mais nous ne dormons ensemble qu'une nuit sur deux. Malheureusement, l'incident est arrivé un jour où je n'étais pas là. Dans le passé, ça s'est déjà produit, mais j'ai toujours pu intervenir à temps. Elle a de plus en plus de crises ces derniers temps, soupire-t-il. On a récemment découvert une prédisposition génétique à ça : le gène HLA-DQB1.

– Vous voulez dire que moi-même…

– Si vous êtes positif au test HLA-DQB1, vous risquez d'avoir le même problème. Normalement, les crises peuvent se prévenir grâce aux benzodiazépines, mais Caroline refuse d'en prendre de peur de voir ses rêves disparaître.

Jacques a du mal à faire confiance à l'homme qui lui fait face.

– Fallait-il la réveiller ou pas ?

– Oui, mais pas n'importe comment. Si vous le faites trop brusquement, le somnambule peut subir un traumatisme.

– Je ne pouvais pas l'approcher facilement…

– Vous avez fait ce que vous pouviez. Elle aurait chuté un jour ou l'autre de toute manière, avec ou sans vous.

Tous observent en silence le corps de Caroline Klein qui semble dormir.

— Ici ils ne vont pas s'occuper correctement d'elle. Il faut l'amener dans mon service, déclare Éric Giacometti.

— À l'Hôtel-Dieu ?

— Je n'y travaille plus. On m'a licencié juste après votre mère. Comme quoi cela ne sert à rien de sacrifier les autres pour sauver sa peau. Je me suis retrouvé au chômage. C'est pourquoi nous avons repris le travail ensemble, à distance. Elle me tenait au courant de sa formation d'onironaute et moi, sur ses indications, je travaillais à fabriquer les outils pour lancer un nouvel explorateur vers le sixième sommeil.

— Mais où travaillez-vous aujourd'hui ?

— J'ai créé ma propre clinique du sommeil. Dans ce lieu privé, nous n'avons plus de comptes à rendre à l'administration. Et comme m'a dit votre mère : nous avons perdu une bataille, mais nous n'avons pas perdu la guerre.

— C'est vrai, elle n'a jamais voulu s'avouer vaincue.

— Par chance, mon banquier avait des terreurs nocturnes et j'ai su le soigner.

— Je vois…

— Il nous a ouvert une ligne de crédit et nous avons créé la clinique Morphée, baptisée ainsi en hommage à la divinité grecque des rêves.

Jacques est toujours méfiant. Mais l'autre poursuit, imperturbable :

— C'est un petit immeuble pas loin de votre appartement, en haut de Montmartre. Vous verrez, pour vous cela sera encore plus facile de venir la voir. Il y a deux étages. Au premier, nous soignons les troubles classiques du sommeil. Au second, nous avons un laboratoire qui travaille sur le stade 6.

— Vous avez refait des expériences sur des cobayes humains ?

— Nous avons tiré les leçons de nos échecs et du décès d'Akhilesh. Nous utilisons peu de personnel dans la zone d'expérimentation, uniquement des gens sélectionnés sur leur fiabilité et leur loyauté. Officiellement, le deuxième étage ne sert qu'à préparer les somnifères naturels artisanaux.

Jacques observe sa mère, figée comme une momie.

– La clinique Morphée de Montmartre existe depuis seize ans. Et elle a du succès. Le « mal dormir » est en train de devenir la préoccupation de santé numéro un devant le mal de dos et l'obésité. Désormais, nos clients insomniaques, souffrant d'apnées du sommeil, de somnambulisme, de bruxisme, de cauchemars récurrents ou de narcolepsie financent sans le savoir la recherche sur le sixième sommeil, la zone qui, selon votre mère, « contient les clefs pour débloquer toutes les autres zones ».

– Et les expériences ont continué ?

– Sur des rats, des chats, des singes. Nous attendons de mieux maîtriser nos outils pour passer à l'homme. Mais nous avons identifié l'obstacle qui nous empêche d'avancer.

Icare filme toujours la scène, et Shambaya écoute.

– Pour l'instant, notre priorité est de voir ce qu'on peut faire pour sauver votre mère. Acceptez-vous de signer les papiers pour que nous la transférions dans notre clinique ? Je vous garantis qu'elle sera mieux surveillée que dans ce service normal où ils sont « normalement » débordés.

Jacques grimace, partagé entre plusieurs émotions.

– C'est ma faute. Peut-être que si je n'avais pas essayé de la rejoindre sur le toit, cela ne serait pas arrivé. C'est moi qui l'ai réveillée.

– Arrêtez de culpabiliser, cela ne sert à rien. Ça devait finir par arriver. Vivre dans un appartement avec accès direct au toit, c'était comme jouer à la roulette russe.

– Pensez-vous qu'elle aurait encore essayé de me fuir ?

– Caroline était terrifiée à l'idée que vous puissiez la voir à nouveau en crise de somnambulisme, comme vous l'aviez vue, paraît-il, alors que vous étiez encore adolescent. Pour elle, c'était une forme de « non-maîtrise de son propre corps ». Elle détestait le « laisser-aller ». Avec elle, il fallait toujours se contrôler. Ne pas pleurer. Ne pas faire pipi au lit. Maîtriser son sommeil. Maîtriser ses rêves. Maîtriser sa faim. Le contrôle de l'esprit sur le corps a toujours été son leitmotiv. Et maintenant, son corps s'est vengé, il l'a abandonnée. Elle n'est que... pur esprit.

— Et il est où actuellement, son esprit ? soupire Jacques.

— Selon ses propres études, il y a de fortes chances que le coma soit un état où l'esprit est coincé après le stade 5.

— Le cinquième stade est caractérisé par le rêve, or les globes oculaires ne bougent pas sous ses paupières.

— À mon avis, elle est au-delà des « comas normaux ».

Jacques observe sa mère, masse inerte, ni souriante ni grimaçante, juste absente.

— Deux pour cent des personnes dans le coma en reviennent indemnes. Alors, vous acceptez qu'on la déplace chez nous ?

Jacques hoche la tête en signe d'approbation, puis pose sa main sur le poignet de Giacometti.

— Promettez-moi que nous allons tout faire pour la sauver, insiste-t-il.

61

Le lit où il a passé ses nuits d'enfance lui semble inquiétant.

Jacques Klein se glisse sous les draps, ferme les yeux, se souvient de la période où il imaginait que c'était un bateau où personne ne pouvait lui faire de mal.

Croire qu'il existe un seul endroit où l'on puisse être totalement en sécurité est un concept d'enfant. Adultes, nous comprenons que les bonnes et les mauvaises surprises peuvent surgir où que nous soyons.

Shambaya le rejoint dans le lit.

— Dormons, maintenant, propose-t-elle.

Jacques ne se fait pas prier, il sait déjà ce qu'il veut faire.

Stades 1, 2, 3, 4, 5. Jubjotage.

Il se retrouve sur l'île de Sable rose. L'autre lui-même est déjà là, avec chemise hawaïenne et piña colada, comme d'habitude. Il ne se balance plus sur le rocking-chair mais est assis sur un rocher et fixe l'horizon.

— C'est votre faute, JK64, si je n'étais pas intervenu, elle s'en serait probablement sortie.

— Non, Giacometti te l'a dit. C'est la roulette russe. Cela peut mal tourner à n'importe quel moment. Grâce à toi, elle a chuté de moins haut. Grâce à toi, les secours ont pu arriver à temps. Sinon à 4 heures du matin dans une rue déserte, elle aurait pu agoniser sans que personne ne réagisse. Tu l'as sauvée.

— C'est un légume.

— Elle est vivante. Et il y a une chance qu'elle reprenne conscience.

— Deux pour cent !

— C'est mieux que rien. Tu peux la sauver, JK44. Je le sais puisque je suis dans ton futur.

— Comment ?

— Elle t'a donné la solution. Il faut atteindre le sixième sommeil.

— Mais c'est impossible. Personne n'y arrive.

— C'est possible, puisque je te parle ici et maintenant. Donc, forcément, dans les lignes du futur, il existe un sillon qui mène de Jacques Klein, 44 ans, ignorant comment atteindre le stade 6 à Jacques Klein, 64 ans, utilisant cette découverte pour remonter le temps. Réfléchis bien, tu as toutes les cartes en main pour gagner la partie, trouve la bonne manière de penser, trouve la bonne association d'idées, la victoire est à ta portée, j'en suis certain. Tu peux réussir. J'en suis la preuve « vivante ».

313

Jacques grimace. Il ne sait plus quoi penser. Il s'assoit sur le sable rose, il regarde l'horizon de son rêve et, pour la première fois, regrette le jubjotage et le rêve lucide. Avant, le spectacle était inattendu et incompréhensible, maintenant, il est cadré. Il pense qu'être metteur en scène de ses rêves est finalement moins amusant qu'en être un acteur passif.

Mais il est trop tard, désormais ses rêves ne peuvent plus retrouver leur « innocence », ils ne sont plus que des ramifications de sa vie réelle.

Tel est le prix à payer pour accéder à toute nouvelle science : la fin de l'irresponsabilité.

62

Ils évitent les voitures, les scooters, les Vélib', les Autolib', les piétons pressés, les fientes de pigeon, les étrons de chien.

Shambaya, guidée par Icare, visite Paris.

Passé les instants d'émotion liés à l'accident de la veille, les deux Sénoïs n'ont pu retenir leur soif de découvrir cet univers chargé de stimuli nouveaux.

Icare conduit sa mère dans Montmartre, visitant le Sacré-Cœur, les vignes, la place du Tertre, les rues de ce village en plein Paris. Le jeune homme dépeint chaque détail avec minutie, comme s'il décrivait un tableau :

– Face à nous, le ciel est bleu avec une vingtaine de petits nuages cotonneux qui, vus d'ici, ont la taille de poings fermés. Devant nous, le Sacré-Cœur avec des dômes blancs pointus qui ressemblent à des seins de femme. Toute la surface est incrustée d'inscriptions. Il y a des sculptures d'animaux inconnus, d'hommes. Des centaines d'oiseaux noirs, probablement des pigeons et des moineaux, voltigent autour du monument. La basilique surplombe tout Paris, à droite je vois la Défense, le quartier d'affaires avec ses buildings, puis, face à nous, sortant de l'enchevêtrement des immeubles au toit gris, apparaît la tour Eiffel, un triangle de métal allongé qui pointe vers le ciel tel un arbre innervé...

Icare semble infatigable, il ne veut pas omettre le moindre détail. Shambaya est ravie et hoche la tête pour l'encourager. Elle lui fait signe quand elle considère que le tableau est apparu clairement dans son esprit.

Jacques les a laissés découvrir la ville et est parti au chevet de sa mère à la clinique Morphée, rue Lamarck, pas très loin de leur appartement.

Passé la façade du XIXᵉ siècle, la clinique s'avère un établissement moderne.

Comme l'avait promis Giacometti, Caroline Klein bénéficie d'une attention particulière. Elle est dans une chambre plongée dans la pénombre, à température basse, en dessous de quinze degrés. Les appareils qui l'entourent sont discrets et silencieux.

Caroline semble dormir, figée dans un sommeil permanent. Jacques repense au conte de *La Belle au bois dormant*, si ce n'est que la belle a 76 ans et beaucoup d'embonpoint.

Giacometti le rejoint et lui demande de le suivre dans son bureau. Au-dessus de son fauteuil se trouve une plaque sur laquelle est inscrit « CLINIQUE MORPHÉE », ainsi que sa devise : « LE SOMMEIL EST LE MEILLEUR MÉDICAMENT. »

Jacques observe le dieu grec qui sert de logo.

— Quelle est sa légende exacte ? questionne-t-il pour rompre le silence.

— Morphée était un dieu de la mythologie grecque. Les ailes de papillon servent à le rendre plus léger et plus silencieux que les autres dieux qui ont des ailes de plumes. La main distribue des graines de pavot (qui étaient le somnifère usuel dans la Grèce antique).

– Morphée endormait les humains en les saupoudrant de pavot ?

– C'est pour cela que, plus tard, dans certains pays on l'a nommé « le Marchand de sable ».

– Et le miroir dans sa main a quelle signification ?

– C'est comme cela qu'il donne ses rêves au dormeur. Et il prend aussi souvent l'apparence d'un être cher pour se présenter aux mortels. Parfois, il adopte les traits du dormeur lui-même.

– Ou son visage plus âgé ? murmure Jacques, surtout pour lui-même.

– Morphée, comme son nom l'indique, change de forme à volonté. Les mots comme « morphologie », « amorphe », « polymorphe » ont la même racine.

– C'est le dieu du Sommeil ?

– Non, c'est le dieu des Rêves. Sa mère est Nyx, la déesse de la Nuit, et son père est Hypnos, le dieu du Sommeil.

– C'est subtil.

– Encore plus qu'on le croit, car Hypnos a un frère jumeau, Thanatos, le dieu de la Mort.

– Le sommeil et la mort sont considérés par les Grecs comme étant de la même famille ?

– Ils sont tout du moins selon eux... intimement liés. J'en suis moi-même arrivé à la conclusion que pour faire passer quelqu'un au-delà du cinquième stade, il faut le faire mourir un peu.

– Mourir « un peu » ?

– Le cœur doit battre encore plus lentement et la température être encore plus basse que lors du sommeil paradoxal. On est par-delà la paralysie, dans une sorte d'état de « presque mort », continue Giacometti d'un air mystérieux.

– Je me souviens en effet de la tentative avec Akhilesh.

– Il savait descendre très bas pour un humain, mais pas encore assez. Certains animaux, par contre, arrivent à atteindre un état de catalepsie avec un rythme cardiaque très lent et une température très basse.

— L'hibernation ?

— Exactement. Les marmottes, les hérissons, les lézards, les tortues, les hamsters, les chauves-souris, les grenouilles, certains poissons, les loirs arrivent à ralentir prodigieusement leurs fonctions vitales. Ils se réveillent pourtant au printemps et redémarrent leur vie normale, le cerveau et l'organisme intacts.

— Vous voulez inventer l'hibernation humaine ? déduit Jacques.

— C'est à mon avis le seul moyen d'atteindre le stade 6. Mais nous avons beaucoup de défis à relever pour y arriver. Qui dit hibernation dit température corporelle basse.

— J'ai vu que ma mère est « refroidie ».

— Oui, Caroline est en hypothermie contrôlée afin de préserver ses organes vitaux. On stabilise la température de son corps à trente degrés, soit sept en dessous de la normale. Elle est donc en effet, à sa manière, dans une sorte d'hibernation. Sa respiration et son rythme cardiaque sont ralentis. On lui a donné en perfusion des anticoagulants pour éviter une formation de caillot dans le cerveau.

— Elle pourrait basculer du côté du dieu Thanatos ? J'ai appris en cours de médecine qu'on a essayé de cryogéniser des gens pour les faire revivre plus tard, Walt Disney par exemple, mais que pour l'instant cela avait toujours échoué.

Éric Giacometti se renfonce dans son grand fauteuil.

— Si on devait graduer l'échelle qui sépare le stade 5 du 6, quand un homme normal est en sommeil paradoxal, il est, disons, à 5,4. Akhilesh a dû arriver à 5,5. Puis il a basculé. Un chat arrive à 5,6. Une marmotte à 5,7.

— Et ma mère ?

— Je dirais qu'elle doit être à… 5,8.

— Donc elle est bloquée au seuil du sixième sommeil qu'elle voulait tant connaître.

– Voici l'obstacle : l'approche de la mort. Le stade 6 se situe dans un territoire délicat entre le sommeil et la mort. Selon moi, plus près de la mort que du sommeil. Plus près de Thanatos que d'Hypnos.

– Donc nous devrions avoir un battement de cœur plus lent, une température plus basse... mais une activité cérébrale plus élevée ?

– Oui, c'était la prévision de votre mère : le sixième stade devrait être un sommeil encore plus paradoxal.

Jacques scrute la pièce.

– Puis-je travailler ici ? Avec vous ?

– Je vous l'ai proposé il y a de cela plusieurs années. Je suis toujours persuadé que vous avez votre place parmi nous. Nous avons aussi ces points communs : l'amour pour Caroline et la conviction qu'elle porte la promesse de la découverte d'un monde nouveau.

63

La vie parisienne s'installe.

Icare est inscrit au lycée Jules-Ferry, sur la place de Clichy. Mais, comme beaucoup de Sénoïs et comme beaucoup d'adolescents de son époque, après la découverte des merveilles parisiennes, il revient à sa passion des jeux vidéo qui lui offrent des univers virtuels qu'il peut partager en réseau avec d'autres humains partout sur la planète.

À peine sorti des cours et rentré chez lui, il peut rester trois heures immergé dans des mondes où il se prend pour un chevalier d'heroic fantasy, un commando en pays étranger ou un explorateur dans un décor réaliste.

Au début, Jacques veut limiter le temps d'immersion informatique d'Icare, mais Shambaya intervient : étant donné qu'un ado n'attend qu'une chose, braver l'autorité de ses parents, cette interdiction risque d'être contre-productive. Elle conseille donc d'attendre que sa période « jeux virtuels » passe toute seule.

Mais cela ne semble pas aller dans cette direction. Venant d'un monde où le rêve prévaut sur tout, cet univers électronique apparaît à Icare beaucoup plus concret, mémorisable, apte à être partagé par une multitude d'amis réels du monde entier.

Un soir au dîner, alors que son père lui demande de réduire son temps de jeux, Icare lui répond :

– Un jour, j'apprendrai à tous les Sénoïs à jouer aux jeux vidéo en réseau et ils verront que c'est encore mieux que les rêves. En plus, on peut mourir, « Game over », et renaître juste après. C'est tellement mieux que la vraie vie. D'ailleurs, après mon baccalauréat, je sais ce que je veux faire : des études pour devenir concepteur de jeux vidéo.

De son côté, Éric Giacometti aide Shambaya à ouvrir une classe de formation au rêve lucide au sein même de la clinique Morphée.

Le mardi et le jeudi soir, elle réunit douze élèves dans une pièce et les invite à se mettre en cercle, autour d'une table sur laquelle est posée une grosse bougie. Elle leur propose de tendre leurs mains devant eux, puis se met à chanter un air sénoï et, lorsque le moment lui semble opportun, elle commence :

– Maintenant, nous allons tous fermer les yeux.

La Maîtresse en rêves souffle alors la bougie.

– Nous allons franchir ensemble les différents stades du sommeil et, lorsque nous serons arrivés au sommeil paradoxal, nous verrons nos mains exactement comme elles sont dans le monde d'où nous venons.

Elle laisse ses élèves se concentrer puis poursuit :

– Si vous voyez vos mains dans votre rêve, balayez du regard l'horizon de gauche à droite. Ce sera un signe visible pour nous, à l'extérieur, puisque vos vrais yeux vont effectuer le même mouvement en glissant sous la fine peau des paupières.

C'est ainsi qu'elle repère les apprentis onironautes. Elle sait que les autres vont simplement dormir « normalement » ou « croire » faire du rêve lucide.

Elle invite les meilleurs rêveurs à s'envoler en groupe : ils sont censés former un essaim d'hommes volants. Ensuite elle leur fait visualiser un décor, un voyage, une expérience collective.

Après la séance, ils boivent ensemble des tisanes à base de plantes.

— En fait, mon école de rêve lucide est l'agence de tourisme qui possède le meilleur rapport qualité-prix. Non seulement je leur offre plus que de voyager en avion, en voiture ou en bateau, mais ils disposent d'une hôtellerie de luxe inégalable. Rien n'est mieux adapté à son plaisir que son propre imaginaire, dit-elle à son mari un soir, alors qu'ils discutent au lit.

Quant à Jacques Klein, il ouvre au sein de la clinique Morphée une consultation en maladies du sommeil. Tous les après-midi, entre 14 et 18 heures, il écoute, conseille, utilise le rêve accompagné ou des tisanes issues de la culture sénoï pour soigner les malades. Sa clientèle est essentiellement composée d'insomniaques.

Ses matinées, Jacques les consacre à travailler avec Éric Giacometti. Ensemble, ils tentent de mettre au point un « lanceur » pour rejoindre le sixième sommeil. Ils utilisent des animaux en hibernation, hérisson, hamster, marmotte, dont ils analysent le repos. Ils se servent aussi des animaux capables de rêver, dont le tatou et l'opossum, tandis que le chat reste le champion du sommeil paradoxal.

Éric Giacometti continue son projet de « banque de rêves », mais il a désormais un nouvel objectif : transformer les signaux électriques émis par le cerveau en images visibles sur un écran.

Un soir, Jacques invite Éric Giacometti à venir dîner. Toute la petite famille est là.

Shambaya perçoit depuis quelque temps une sorte d'inquiétude permanente dans le groupe, qu'elle n'arrive pas à expliquer. Elle se décide à aborder le sujet :

— Vous les Occidentaux, vous avez le confort, la sécurité, la santé et vous êtes malheureux, s'étonne-t-elle. Comment expliques-tu cela, Jacques ?

— Notre système de surveillance fonctionne trop bien, et la population est en mode paranoïaque constant. Le nuage électronique stresse, là où le nuage psychologique, la Noosphère, a la possibilité de nous apaiser. Et si les gens ont oublié l'importance du contact avec la Noosphère, ils n'oublient pas, en revanche, de regarder chaque soir les actualités télévisées, qui n'annoncent que des catastrophes et les maintiennent dans la peur.

— Comment expliquer cela de manière médicale ? questionne Icare.

Éric Giacometti complète :

— Quand on a l'impression d'être attaqué, nous avons un noyau dans le cerveau, l'amygdale, qui envoie un signal mettant le corps en mode combat ou fuite. C'est une sorte de mode alerte. Le cœur bat plus vite, les poils se dressent, la vigilance est accrue, de la cortisone est envoyée dans le sang pour apaiser la douleur de futures blessures potentielles. Pour que cela fonctionne, il faut que le cortex préfrontal, siège de la raison, s'éteigne, car réfléchir ralentit l'action. Une fois le danger passé, l'hippocampe envoie un produit calmant, ralentit le cœur et permet au cortex préfrontal de fonctionner à nouveau.

— Donc ce mode alerte nous empêche de réfléchir ?

— Oui. Et puisque les actualités nous envoient en permanence un signal de danger, à force, nous sommes toujours sous tension, comme si nous étions agressés. Et notre cortex préfrontal reste en veille.

Jacques approuve, mais tient à rectifier :

— Cependant, objectivement, les choses vont mieux.

— En France ?

– En France et dans le monde. Les gens ont une meilleure santé, une meilleure hygiène, une meilleure éducation, une meilleure qualité de vie. Nous avons plus de liberté, plus de loisirs, plus de moyens de communiquer, nous exprimer, partager nos expériences. Nous vivons mieux que nos parents, bien mieux que nos grands-parents, cent fois mieux que l'homme du Moyen Âge, de l'Antiquité ou de la Préhistoire.

Éric Giacometti croit bon d'abonder dans ce sens :

– Rappelons-nous que, dans le passé, les humains n'avaient ni eau courante, ni réfrigérateur, ni anesthésiant pour les opérations chirurgicales...

Jacques ressert du vin à chacun des convives, et même Icare a droit à un petit verre.

– Malgré les actualités qui nous tiennent en permanence en état de stress, il y a de moins en moins de guerres, de moins en moins de violence. Le niveau de vie planétaire moyen a augmenté. Chaque année de nouvelles maladies ou épidémies sont endiguées. En France, l'espérance de vie est passée de 50 ans en 1900 à 80 ans de nos jours. La prise de conscience des risques liés à la pollution a entraîné un effort pour développer les énergies vertes et aller vers davantage de produits recyclables. Il y a de moins en moins de dictatures et de plus en plus de démocraties. La presse est de plus en plus libre. Objectivement, tout va de mieux en mieux, mais le monde a l'impression du contraire parce que beaucoup d'énergie est déployée pour nous maintenir dans la peur.

– Pourquoi ? demande Icare, toujours curieux de tout.

– Quand les gens ont peur, ils consomment plus et accordent plus de pouvoir aux politiciens. Vouloir comprendre l'humanité en observant les actualités télévisées ce serait comme vouloir découvrir Paris... en visitant uniquement un service d'urgences hospitalières. Là, on ne verrait que des blessés et des malades et on se dirait : ils vivent dans une ville dangereuse et violente.

– Et pourquoi les journalistes ne parlent pas de ce qui fonctionne bien ? continue Icare.

– Parce que cela n'intéresse personne. Il n'y a pas de décharge émotionnelle. Qui écouterais-tu le plus ? Quelqu'un qui te déclare « Tout va bien » ou quelqu'un qui te dit « Attention, nous courons un grave danger » ?

– C'est pour ça que les ventes de tranquillisants et de somnifères ne font qu'augmenter. C'est pour ça que nous avons de plus en plus de clients à la clinique Morphée, ajoute Éric Giacometti.

– C'est aussi pour ça que notre action est déterminante, conclut Shambaya.

– Vous avez raison, il faut soigner le mal par le mal, poursuit Giacometti. Les gens sont sous l'influence de la presse, nous devons utiliser la presse pour les « désinfluencer ».

– C'est ce que disait ta mère, Jacques, tout poison peut devenir médicament selon le dosage et l'utilisation qu'on en fait. Utilisons votre « drogue de l'angoisse » pour attirer les gens ici, chez Morphée, où nous allons leur apprendre à penser par eux-mêmes.

L'idée plaît à tout le monde.

– Je connais une journaliste qui devrait être intéressée par notre travail, dit le directeur de la clinique, nous pourrions la contacter.

Et, joignant le geste à la parole, Éric Giacometti sort son téléphone et prend rendez-vous avec la journaliste en question pour lui expliquer leur concept de rééducation par le rêve lucide.

Après le dîner, une fois leur hôte parti et Icare couché, Shambaya se confie à Jacques :

– Alors que tout évolue dans la bonne direction, dit-elle, je me sens gênée par un autre mensonge que j'ai sur le cœur.

– Quelque chose de plus grave que la fausse mort de ma mère ?

– Oui, ma propre cécité. Je t'ai dit que je suis aveugle de naissance. C'est faux. Je suis aveugle parce que j'ai été désignée, dans le ventre de ma mère, comme la Maîtresse en rêves.

Jacques scrute les yeux de sa femme.

– Tu veux dire que ta tribu t'a volontairement mutilée ?

– Dans notre culture, nous considérons que certains élus doivent se sacrifier pour les autres, afin de mieux rêver. J'ai été élevée, éduquée, comment dire ? transformée volontairement en championne du rêve par mes parents. Mais cela avait un prix : mes yeux.

– Mais comment peut-on vouloir mutiler quelqu'un ? s'écrie Jacques.

– La fonction crée l'organe, l'absence de fonction défait l'organe. J'ai vécu de ma naissance à l'âge de 13 ans, ma puberté, en permanence dans un environnement sans la moindre lueur.

– Pour mieux rêver ?

– Pour que mon esprit ne soit pas distrait par les images du monde qui nous entoure...

Alors, Jacques prend conscience du prix de la connaissance du rêve lucide. Et il mesure l'épreuve vécue par sa femme.

– Ils ne t'ont pas laissé le choix. Tu pourrais leur en vouloir.

– Ils ont décidé au mieux pour moi. J'ai développé mon être intérieur alors que vous avez développé votre être extérieur.

– Ma mère disait qu'il y a cinq sens physiques et cinq sens psychiques. Les cinq sens physiques sont la vue, l'odorat, l'ouïe, le toucher, le goût. Les cinq sens psychiques sont l'émotion, l'intuition, l'imagination, l'inspiration, la conscience universelle.

– Dans ce cas, tu utilises tes cinq sens physiques et quatre sens psychiques. Quant à moi, j'utilise quatre sens physiques et cinq sens psychiques.

Elle a prononcé cela sur le ton de l'évidence. Jacques ne peut s'empêcher de penser qu'elle cherche un prétexte pour légitimer le geste de ses parents.

– Nos parents font des choix et nous devons ensuite les accepter. Quels qu'ils soient. Ensuite, c'est à nous d'essayer de faire de meilleurs choix pour nos propres enfants, conclut-elle.

Il a envie de la consoler ou de la plaindre, mais n'ose pas, de peur de la vexer. Il se reprend et essaye de se concentrer sur l'interview qu'il va devoir donner le lendemain pour présenter le centre Morphée.

64

La journaliste qui vient à la clinique pour faire son reportage est une grande brune aux yeux bleu clair, Cécile Coulon. Vêtue d'un tailleur Chanel, elle avance en équilibre sur ses talons hauts. Elle avoue dès son arrivée qu'elle souffre de bruxisme et qu'elle aimerait bien cesser de grincer des dents la nuit car cela indispose son compagnon.

Après Éric Giacometti et sa banque de rêves, Shambaya avec sa technique de rêve lucide collectif, c'est Jacques Klein qui lui fait découvrir son secteur d'activité. Il explique à Cécile qu'ils cherchent à rester à la pointe des découvertes dans le domaine du sommeil. Jacques lui fait faire le tour des appareils d'imagerie en trois dimensions du cerveau, de plus en plus précis. La journaliste prend des notes. Elle questionne des patients allongés dans des lits à analyse de sommeil. Elle photographie tout avec soin. Jacques est fier de présenter son lieu de travail.

– Ici, nous avons aussi mis au point des somnifères naturels de nouvelle génération pour remplacer ceux à base de benzodiazépines qui ont des effets secondaires néfastes, comme supprimer les rêves ou, à long terme, générer la maladie d'Alzheimer.

Alors que la journaliste notait jusque-là les informations sans sembler vraiment concernée, elle veut tout à coup en savoir plus.

– Les benzodiazépines ont des effets nocifs ? J'en prends tous les soirs.

– La France est le pays où l'on en consomme le plus. Et vous dormez bien ?

– Ma foi, j'ai dû augmenter les doses, mais sans benzodiazépines, je suis sûre de ne pas fermer l'œil de la nuit.

– C'est le problème des médicaments qui engendrent l'addiction. Saviez-vous que tous les animaux d'élevage intensif, porcs, bœufs, moutons, et même poulets reçoivent des benzodiazépines ? On les mélange aux farines alimentaires pour calmer les bestiaux durant les transports en camion ou avant l'abattage. Sans le savoir, tout le monde est déjà accro à ces produits qui détruisent les rêves.

La visite se poursuit et Cécile Coulon est de plus en plus impliquée. Le lendemain, son article paraît sous le titre « Ces somnifères qui nous empêchent de dormir ». Suit un long réquisitoire contre les tranquillisants et les antidépresseurs, d'autant plus véhément que la journaliste est elle-même une victime piégée par les publicités.

L'article fait la une de son journal et, le numéro se vendant très bien, le thème est repris par d'autres quotidiens qui enfoncent le clou. Les benzodiazépines sont désignées comme le mal du siècle. Jacques Klein est vite cité comme un pionnier de la lutte pour le « vrai sommeil naturel » et la clinique Morphée comme un bastion du « bien-dormir ».

Les réseaux sociaux reprennent sur le mode « On nous empoisonne avec les somnifères » et l'affaire prend de l'ampleur.

Un matin, Jacques, ravi de toute cette effervescence, retrouve Éric Giacometti à la clinique, qui semble inquiet.

– Qu'est-ce qui vous a pris de vous attaquer à l'industrie pharmaceutique ? Nous ne pouvons pas nous permettre de nous mettre à dos le système médical traditionnel, en cas de conflit frontal nous ne ferons pas le poids.

– Que risque-t-il de se passer ? La presse est libre, non ? intervient Shambaya.

– Les journalistes jouent un double jeu. Ils défendent soi-disant la vérité et la justice mais ils sont conscients que ce sont les annonceurs et leurs publicités qui payent indirectement leurs salaires. Les entreprises pharmaceutiques sont riches et puissantes.

– Les comités de défense du consommateur aussi, il me semble.

– Il ne faut plus recevoir de journalistes et ne surtout plus alimenter la polémique. « Le clou qui dépasse attire le marteau. »

Et la réaction ne se fait pas attendre. Les firmes pharmaceutiques produisant les somnifères usuels menacent de retirer leurs pages publicitaires à tous les médias qui les calomnieraient ou entretiendraient la méfiance vis-à-vis de leurs produits.

Le service juridique des groupes industriels accuse la clinique Morphée de pratique illégale de la pharmacie et de vente de médicaments non homologués.

Les mêmes journalistes qui les avaient soutenus montrent un zèle encore supérieur pour les dénigrer. Cécile Coulon tente de les défendre mais bientôt resurgit l'affaire de la mort suspecte d'Akhilesh. L'image de la clinique en est gravement affectée et Éric Giacometti doit engager des avocats.

Les clients se font moins nombreux, les soutiens financiers fondent comme neige au soleil. Ils se retrouvent seuls contre tous.

Jacques comprend à ce moment que le sommeil est aussi un enjeu économique et politique.

65

La situation empire jour après jour. Tous trois passent du statut de personnalités en vue à celui de parias. Les badauds qui passent devant la clinique la montrent du doigt comme s'il s'agissait d'un repaire de sorcières. Cela rappelle à Jacques Klein les heures sombres où les défenseurs des animaux venaient miauler et insulter sa mère sur son lieu de travail.

Un soir, alors qu'il emprunte le court chemin menant de la clinique Morphée à son appartement, il s'aperçoit qu'on le suit. Il pense tout d'abord reconnaître la silhouette de Cécile Coulon et s'apprête à lui signaler qu'il ne souhaite plus donner la moindre interview. Mais ce n'est pas elle.

— Bonsoir, Jacques.

La femme a les cheveux gris et son visage lui est familier.

— Nous nous connaissons ?

— Oui. Et nous nous connaissons bien, même.

— Excusez-moi, je ne suis pas très physionomiste.

— Si cela peut vous aider à vous souvenir de moi... je donne des coups de pied quand je dors.

— Charlotte !

— Je me demandais si, après tout ce temps, tu m'aurais oubliée, Jacques.

Il n'ose pas lui dire qu'il la reconnaît d'autant plus facilement qu'avec près de vingt ans de plus, elle ressemble encore davantage à sa propre mère. Il l'invite à prendre un verre au bistrot du coin de la rue.

— Qu'es-tu devenue depuis toutes ces années ?

— J'ai fini mes études de cinéma et monté une entreprise spécialisée dans la mise au point de caméras qui captent des images de très petits sujets ou très faiblement éclairés à très haute vitesse.

– Tu es mariée ? demande-t-il.

– Oui.

– Tu es heureuse ?

– Oui.

Ils s'observent mutuellement, gênés.

– J'ai lu ton interview sur les dégâts générés par les somnifères. Je trouve que le procès qu'ils te font est injuste.

– Merci pour ton soutien. Tu dors mieux ?

– Pas vraiment, non. Je crois que c'est à cause de toi. Après ton départ, j'ai eu le sentiment d'avoir raté un rendez-vous important.

Jacques fait semblant de ne pas comprendre.

– Je suis marié moi aussi, maintenant, élude-t-il.

– Je suis venue pour te faire une proposition. Je crois qu'il est temps d'unir nos talents : ma connaissance du cinéma et ta connaissance du sommeil.

– En général, quand les spectateurs s'endorment dans la salle, ce n'est pas bon signe...

– Ta mère disait qu'un jour on apprendrait à dormir à l'école, et qu'on regarderait les rêves au cinéma. L'idée a fait son chemin. Depuis quinze ans, j'y travaille et j'ai pas mal avancé. Avec les PET Scan de dernière génération, j'essaye de capter la pensée et de la transformer en images.

– C'est étrange, c'est comme si, durant toutes ces années, trois chemins avaient progressé en parallèle. Le mien dans le domaine de la psychologie, celui de Giacometti dans le domaine de la technologie et le tien dans le domaine de l'image. Et aujourd'hui, seize ans plus tard, nous nous retrouvons parce que nous sommes tous les trois prêts. Sauf que l'existence même de la clinique Morphée est remise en question.

– Justement, j'ai peut-être une solution pour cela aussi. Je ne t'ai pas parlé de mon mari, Gilles, mais il occupe un poste important au ministère de la Défense. Je pense qu'il peut t'aider. J'ai entendu l'interview où tu évoques l'utilité du sommeil bien géré pour améliorer les activités diurnes. Je pense que ça intéresserait Gilles que tu travailles pour nous.

– Comment s'appelle ton mari ?

– Gilles Malençon, c'est le secrétaire d'État aux Armées.

Jacques observe son ancienne fiancée et se souvient de leur rencontre dans le bar à sieste, et de leur premier baiser.

– Mieux dormir pour mieux tuer son prochain ? ironise-t-il.

– Mieux dormir pour mieux défendre sa patrie, rectifie-t-elle.

– Et tu imaginerais cela comment ?

– J'en ai déjà parlé à Gilles. Toi, Giacometti et ta femme, vous pourriez être engagés comme coachs de sommeil. L'armée vous payerait. Et Gilles t'aiderait évidemment à te dépatouiller de tes problèmes, il a des contacts dans tous les autres ministères, des collègues de promotion. Crois-moi, en France, l'administration a encore plus de pouvoir que les industriels.

Jacques sourit, plein d'espoir.

– Je suis désolé pour tout ce qui est arrivé.

– Ne sois pas désolé, ce sont nos chemins de vie.

– On croirait entendre ma mère, dit-il sans réfléchir.

Et en son for intérieur, il se demande si, dans la Noosphère, tout est en connexion...

Ce qui manque quelque part serait complété par quelque chose venant d'ailleurs. Ainsi tout serait en équilibre, en harmonie. Nos sentiments de manque, d'injustice, de trop-plein n'émaneraient que de notre vision parcellaire du monde.

C'est une possibilité. Dans ce cas, peut-être que JK64 serait mon complémentaire en conscience, comme Shambaya serait ma complémentaire en énergie féminine, comme Charlotte soudain surgie du néant serait ma complémentaire pour régler les problèmes matériels.

66

Le jeune Icare s'avère le plus réticent.

– Utiliser notre connaissance ancestrale sur l'art de dormir pour apprendre à des soldats à assassiner de manière plus efficace leurs congénères ? C'est hors de question !

Jacques comprend la réaction de son fils mais sait qu'il ne doit pas lâcher.

– Attends, c'est toi, qui passes tes journées à tuer des gens sur ton écran, qui nous fais la morale ?

– Mais papa, quand je tue sur l'ordinateur, c'est pour de faux, par contre, quand toi, tu apprends à des soldats à se passer de sommeil, cela signifie qu'ils vont pouvoir attaquer les gens pendant qu'ils dorment ! Pour les tuer, vraiment les tuer.

Shambaya ne dit rien. Son regard blanc perdu dans le vague, elle mange en silence, mastiquant lentement, laissant son mari et son fils se chamailler. Elle pose sa fourchette, met un doigt dans son verre pour savoir à quel moment le liquide atteint le niveau requis, boit une gorgée. Puis soudain, elle se met à parler d'une voix forte, comme elle le faisait jadis à Pulau Sénoï :

– Cette femme, Charlotte, tu l'as aimée ? questionne-t-elle à brûle-pourpoint.

Jacques, qui buvait son verre de vin, avale de travers.

– Quel rapport avec notre projet ?

– Réponds-moi, Jacques. L'as-tu aimée ?

– Bien sûr.

– Et elle, elle t'a aimé ?

– Je crois.

– Alors elle t'aime toujours et elle fait cela pour ton bien, dit Shambaya, donc il faut l'écouter et travailler avec elle.

Icare n'en démord pas.

– Mais, maman ! il va utiliser notre connaissance du sommeil pour former des... tueurs !

– Un jour, les gens pourront vivre sans police, sans justice, sans prisons, sans militaires, sans gouvernement, mais pour l'instant ce jour n'est pas arrivé. Les bons soldats nous protègent des mauvais soldats, nous avons pu le voir lors de nos problèmes avec les mercenaires de Kiambang. Franckie était soldat aussi et nous avions intérêt à ce qu'il soit en bonne santé et très éveillé. Icare, tu es jeune, alors je vais te donner un conseil : ne juge pas trop vite, ne range pas les êtres humains dans des catégories à cause de leur métier, leur origine ou leur réputation. Utilise tes sens (les dix sens physiques et psychiques) pour te faire une opinion personnelle.

Le jeune homme se renfrogne, persuadé qu'il a raison mais que les adultes ne le comprennent pas.

– Pourquoi il y a la guerre ? demande-t-il. Pourquoi les gens se tuent vraiment alors qu'ils pourraient se contenter de se tuer dans des jeux vidéo ? Ou... en rêve !

– Bonne question, répond Jacques. À mon avis, la guerre existe parce que l'inconscient collectif perçoit que nous sommes trop nombreux. Toutes les espèces s'autorégulent. Quand l'esprit collectif sent qu'il est en quantité excessive, il s'ampute d'une partie de lui-même.

– C'est une vision un peu trop « poétique », papa. La réalité me semble plus crue. C'est parce que les hommes sont méchants !

– Un jour, je t'expliquerai ce que signifie ce mot. Mais sache que tout individu a des raisons de se comporter comme il le fait. Ceux que tu appelles « méchants » sont souvent des gens qui ont peur d'être attaqués et qui frappent de manière préventive. Si nous refusons la proposition de Charlotte, nous risquons de devoir fermer la clinique.

Jacques arrive finalement à convaincre son fils. Tout le savoir-faire des spécialistes de Morphée est bientôt utilisé dans un centre d'entraînement secret de commandos. Ainsi, les soldats apprennent à franchir très vite les paliers pour rejoindre leur sommeil paradoxal réparateur et à passer de sept à quatre heures de repos, ce qui constitue un avantage sur leurs adversaires, qui ont besoin de plus de temps de récupération.

Pour améliorer encore la qualité de leur sommeil, Jacques met au point un régime alimentaire très strict, à base de sucres lents, exempt de viande, d'alcool, d'aliments acides ou sucrés.

Gilles Malençon propose à Jacques et Shambaya des postes officiels de conseillers techniques au sein de l'armée. Leurs méthodes de maîtrise du sommeil sont brevetées. Tous les commandos de parachutistes, de la Légion étrangère et de la marine en bénéficient. En retour, les Klein sont rétribués confortablement et Malençon utilise ses amis aux ministères de la Santé et de la Justice pour soutenir la clinique Morphée. Il convainc son collègue du ministère de la Recherche de créer au sein de la clinique une unité d'« étude du sommeil » affiliée au CNRS, et tous les membres de Morphée deviennent *de facto* chercheurs officiels. Dès lors, les attaques des lobbys pharmaceutiques et du Conseil de l'ordre s'avèrent inefficaces.

Un jour, le secrétaire d'État invite le couple Klein, ainsi qu'Éric Giacometti et Charlotte dans son cabinet au sein du ministère de la Défense.

– Je ne veux plus de suivi médiatique. Soyez discrets, très discrets, je ne veux pas entendre parler de décès de cobayes humains. Si un accident devait se produire, je vous demande de me contacter sur-le-champ et je ferai disparaître les corps.

Il a prononcé cette phrase comme s'il s'agissait d'une simple mesure administrative.

– Prenez exemple sur Pasteur, on sait maintenant qu'il a demandé à l'empereur brésilien Pedro II de tester son vaccin sur des condamnés à mort auxquels avait été inoculé le virus de la rage (nous avons dans nos services une lettre datée de 1884 qui fait froid dans le dos). Il a opéré dans la discrétion. Ce n'est qu'ensuite qu'il a communiqué sur un cas réussi en Alsace. Pensez à cela, peu importe la réalité, ce qui est déterminant c'est ce qu'en diront les journalistes et les historiens « après ».

– J'ignorais cette anecdote sur Pasteur, murmure Jacques.

– Il n'était même pas médecin, mais c'était un bon communicant. Marchez dans ses pas et vous finirez avec un institut, des avenues, et des statues à votre nom. Je ne vous cache pas que j'ai pris des risques personnels en vous soutenant, continue Gilles Malençon en se penchant vers eux. Certains parmi mes supérieurs m'attendent au tournant. Le ministre en personne m'a averti qu'il ne pouvait pas se permettre le luxe que ça tourne mal. J'ai misé sur vous, et je peux aussi tout perdre dans cette aventure.

Il se redresse dans son fauteuil et prend une profonde inspiration.

– J'aime Charlotte et elle... a besoin de retrouver un sens à sa vie depuis que notre projet d'avoir un enfant a échoué. Quand nous avons commencé à nous fréquenter, elle me parlait beaucoup de vous, avec nostalgie. Elle s'en voulait de ne pas avoir su vous garder. Je vous ai haï un temps. Maintenant, il faut que je vous accepte. Et j'imagine même que nous pourrons devenir un jour des amis.

Jacques se dit que ce ne sont pas toujours les gens auxquels on s'attend qui vous viennent en aide : Giacometti, l'homme qui a viré sa mère, Charlotte, qu'il a abandonnée, Gilles, l'homme qui l'a jalousé. Même Kiambang et le Wilfrid de son enfance ont participé à sa construction personnelle.

– Nous allons, grâce à votre aide, modifier notre clinique, déclare Éric Giacometti. Maintenant que nous avons la sécurité et une assise financière, nous allons racheter l'immeuble voisin pour créer un centre d'études de « cinéma oniroramique » dirigé par Charlotte.

Celle-ci marque sa surprise. Elle ne s'attendait pas à ça.

— Je ne vous cache pas que c'est une idée de Jacques, précise-t-il.

— Ainsi, nous disposerions d'une vitrine prouvant que le rêve est un domaine artistique, au même titre que le cinéma. Cela pourrait devenir le « dixième art »...

Charlotte ne cache pas son enthousiasme. Jacques se lance à son tour :

— Nous pourrions mettre en œuvre la vision de ma mère et créer une école où l'on apprendrait aux gens à bien dormir. Dans ce lieu, Shambaya et mon fils Icare diffuseraient des conseils destinés aux plus jeunes, voire aux parents de bébés, et enseigneraient le rêve lucide selon la tradition sénoï aux plus âgés. On y préparerait les futures générations d'artistes en cinéma oniroramique. Quant à Éric et moi, nous poursuivrions nos recherches, ainsi que la formation de militaires, évidemment.

— J'ai reçu une demande de mes collègues du ministère des Sports. Nous aurions aussi besoin que vous preniez en main des athlètes qui se préparent aux Jeux olympiques, précise Gilles Malençon, tout en se tournant vers sa femme et lui prenant tendrement la main.

Jacques pense alors que c'est de tout cet amour qu'ils se portent les uns aux autres que leur projet va pouvoir renaître.

67

Les graines sont plantées, les arbres poussent.

Une année s'écoule, puis deux. Jacques Klein a désormais 46 ans. Caroline Klein en a 78 et ne s'est toujours pas réveillée de son coma. Icare, tout juste majeur, est en deuxième année dans une école d'ingénieur informatique.

La clinique Morphée s'est agrandie et a trouvé, grâce au soutien de l'État, une respectabilité sécurisante et sa santé financière est maintenant florissante.

Mais alors que le nombre de clients ne cesse d'augmenter, la recherche du sixième stade du sommeil bute toujours sur la frontière délicate qui subsiste entre le rêve et la mort. En parallèle, le département de la clinique qui connaît les progrès les plus spectaculaires est celui du cinéma oniroramique dirigé par Charlotte Malençon.

En positionnant cent quarante-quatre capteurs autour du crâne du sujet, elle arrive à produire des micro-champs électromagnétiques qu'elle récupère, amplifie, et canalise. Ces signaux sont ensuite réunis et triés par un logiciel qui associe ces champs à des zones colorées. Au début cela ressemble à des taches liquides qui se fondent, se mélangent et se dissipent.

Charlotte utilise un programme d'intelligence artificielle très perfectionné qui l'aide à augmenter encore la qualité de l'interprétation des signaux et la définition des images. Les taches colorées sont remplacées par des formes plus complexes : des structures géométriques, cercle, triangle, losange…

Icare demande à participer à l'amélioration du logiciel. Ses talents de rêveur lucide lui permettent de servir de premier cobaye. Il arrive à comparer les images de ses songes à celles se créant sur l'écran, et peut ainsi faire des réglages.

Et un jour, se détache du brouillard de l'écran la forme nette et incontestable d'une… pomme. Le fruit jaune tourne, présente une vraie texture de peau de pomme et est même doté d'une petite queue et d'une feuille verte qui la surplombe.

L'événement n'impressionne au début que les milieux scientifiques, mais encourage les nouveaux investissements. Ainsi Icare, après avoir réussi à rêver clairement d'une pomme, parvient à faire apparaître sur l'écran de l'ordinateur une montagne, un nuage, un arbre, une fleur.

Une société de production hollywoodienne s'intéresse au projet : si on pouvait réussir à modéliser des humains, ce serait formidable. Elle participe à l'amélioration du laboratoire. Icare, avec méthode, parvient à faire surgir du logiciel des animaux, des oiseaux, des singes puis, enfin, un humain complet, son père.

Les investissements appellent les investissements. Alors que la clinique Morphée fonctionne de manière régulière, l'immeuble de recherche sur le cinéma oniroramique voit de plus en plus de techniciens et de machines sophistiquées s'installer. Jusqu'au jour où Icare se déclare prêt à tenter de présenter un court métrage complet avec « début-milieu-fin », fabriqué en direct à partir de son cerveau. Un public trié sur le volet de journalistes scientifiques est autorisé à assister à la première qui a lieu dans une salle avec un écran de trois mètres sur deux.

Icare se place sur son divan de sommeil, Charlotte lui positionne sur la tête le casque de capteurs. Jacques et Shambaya sont venus pour l'encourager, ainsi qu'Éric Giacometti et Gilles Malençon.

– Tu vas voir, papa, murmure-t-il avant de fermer les yeux, j'ai choisi quelque chose de très « culturel ».

Icare Klein ferme les yeux puis, après avoir inspiré profondément trois fois, commence à plonger.

L'hypnogramme montre la progression de la descente, stade 1, stade 2, stade 3, stade 4, stade 5. Charlotte branche l'écran central qui, au début, ne montre qu'une surface noire semblable à celle que le jeune homme doit voir les yeux fermés.

Cela dure longtemps, un peu trop au goût du public, et une rumeur de déception parcourt déjà les rangs des spectateurs.

Puis soudain, l'écran s'éclaire.

À droite de l'écran se trouve un groupe d'une dizaine de personnes habillées à l'ancienne mode, avec chapeaux pour les hommes et robes longues pour les femmes. Ils attendent sur un quai de gare.

Une fumée grise envahit le cadre, et les gens au premier plan semblent de plus en plus animés au fur et à mesure que la fumée se dissipe. Et dans ce décor en noir et blanc apparaît une locomotive qui rentre lentement dans le champ de droite à gauche. Le train freine et se stabilise. Les portes des wagons s'ouvrent et des passagers descendent avec des sacs et des valises, tandis que d'autres y montent tout aussi chargés. Le contrôleur aide ceux qui ont les bagages les plus lourds.

Arrêt sur image, puis l'écran redevient noir. Et l'hypnogramme signale qu'Icare remonte les stades 4, 3, 2, 1. Il ouvre les yeux. Des applaudissement retentissent dans la salle. C'est officiellement la première fois qu'on voit une scène avec un décor, des acteurs en mouvement, et une évolution crédible de l'action.

— Je voudrais tout particulièrement féliciter Icare Klein pour le choix de son rêve, dit Charlotte, émue, en prenant le micro pour s'adresser aux journalistes. Cette scène que vous avez vue n'est pas n'importe laquelle. Icare a volontairement rêvé du premier film de l'histoire de l'humanité : *L'Arrivée d'un train en gare de La Ciotat*, tourné en 1895 par les frères Lumière qui venaient de mettre au point la première caméra. Non seulement ce choix démontre les connaissances historiques et culturelles d'Icare, mais il fait le pont entre notre invention du cinéma oniroramique et la naissance du cinéma tel que nous le connaissions jusqu'à aujourd'hui. Quel symbole !

Icare n'a d'yeux que pour son père, dont il attend un geste approbateur. D'un signe, celui-ci le félicite. À côté de son mari, Shambaya, à qui on a décrit la scène, est tout sourire.

— Libre à vous maintenant de diffuser ces images autant que vous le pouvez, déclare Charlotte à l'assemblée. Désormais, le monde saura qu'on peut matérialiser les rêves et la toute première expérience a été effectuée ici, à Montmartre, en plein Paris, en ce jour. Quant à la machine qui a permis cette performance, sachez que nous l'avons baptisée « Dream Catcher », autrement dit, « Capteuse de rêve », continue la cinéaste. Maintenant, je vous invite à un verre de l'amitié dans la pièce voisine.

Tous ensemble, ils fêtent l'événement en sablant une bouteille de champagne. L'information est vite relayée, le film diffusé sur tous les supports imaginables. Grâce au nuage virtuel d'Internet, des millions de personnes découvrent dans l'heure qui suit l'invention de la caméra Dream Catcher et du cinéma oniroramique. Icare Klein devient célèbre et son côté exotique séduit.

Dans la salle de cinéma du centre de recherches, des séances de projection en onirorama sont organisées, puis on propose à quelques vedettes du show-business de venir tester elles-mêmes la machine à rêver. Un chanteur y enregistre un clip qu'il baptise simplement « My Dream ».

Le président de la République, se targuant d'être toujours à l'avant-garde en matière de technologie, vient faire un rêve projeté qui est ensuite peaufiné, remonté, mis en musique et cela donne « Ma France ».

Shambaya demande à tester l'appareil.

– Je veux vous montrer ce qu'il y a dans ma tête, annonce-t-elle avant de lancer elle-même la caméra Dream Catcher.

Jacques, Icare, Charlotte et Éric découvrent avec surprise à quoi ressemblent les rêves de cette femme aveugle. C'est un monde simplifié, magnifié, qui donne une impression de surréalisme.

Au fil de son déroulement, le songe de Shambaya devient de plus en plus fantastique, évoquant des tableaux du Douanier Rousseau métissés avec ceux de Dalí. On y voit des tigres aux longues dents, des phacochères obèses aux pattes démesurées, des oiseaux-lyres aux plumes infinies, des orangs-outans orange fluo.

Puis elle rêve de Paris. Les immeubles ressemblent à de larges arbres, les voitures à des sortes d'animaux creux.

Elle rêve de gens avec des visages figés assez semblables à des masques, car même si elle connaît la forme du visage humain, elle n'a pas l'expérience visuelle nécessaire pour retranscrire les infimes mouvements qui l'animent en permanence. Ses humains ne clignent pas des yeux, par exemple.

Jacques souhaite également tester l'appareil, pour tenter de matérialiser son futur lui-même, mais Shambaya l'en empêche.

– Non, pas toi, Jacques.

– Pourquoi ?

– Tu es concentré sur ton projet de découverte du sixième stade, tu ferais mieux de garder tes images pour toi. Montrer est une force, garder secret en est une plus grande.

Malgré sa frustration, il finit par convenir que sa femme a raison.

– Continue de rêver et garde tes songes pour toi, Jacques, poursuit-elle. Crois-moi, c'est mieux. Icare se chargera de la partie « vitrine » de nos activités. Il a compris en quoi cela consistait, son rêve de la gare de La Ciotat est un coup médiatique génial. Désormais, fais-lui confiance.

Charlotte et Gilles le testent à leur tour, mais force est de constater que leurs films sont très conventionnels.

– Il est difficile d'égaler l'humour de votre fils et les mondes graphiques de votre femme, reconnaît le fonctionnaire.

– Je crois qu'on peut faire encore mieux, dit Charlotte. J'ai déjà une idée : le festival de Cannes du film oniroramique.

– À Cannes même ?

– Pourquoi pas ? Le festival de cinéma « classique » se déroule en mai, nous pourrions créer le festival du cinéma oniroramique en octobre ?

– Je vais en parler à mon collègue du ministère de la Culture. Je suis certain que ça pourrait marcher. On mettrait Jacques, Éric, Icare, Shambaya et toi, ma chérie, en jurés du premier prix, propose Gilles Malençon, emballé par l'idée.

– Il faudrait y ajouter des gens issus du cinéma, de la peinture, de la littérature et de… la neurologie, complète Charlotte. Ensemble, ils devront choisir le meilleur rêve sur des critères de beauté des images, d'originalité du scénario et de mise en scène.

– Nous avons trois mois pour annoncer et préparer l'événement, dit Gilles. On fera venir les challengers à Paris pour qu'ils montrent leurs capacités et nous sélectionnerons les vingt meilleurs « rêveurs ». Ce festival pourrait avoir un retentissement international !

Jacques les écoute parler et, bien qu'il soit très enthousiasmé par cette idée, il sait que la découverte du stade 6, comme le lui a rappelé fort judicieusement Shambaya, ne pourra se faire que loin des caméras et des micros. Alors il se lève discrètement, et rentre au laboratoire retrouver ses marmottes avec la ferme intention de leur arracher le secret de leur état de catalepsie si proche de la mort.

68

La bouche approche de l'esquimau et goûte le nappage de chocolat et d'amandes qui recouvre la crème glacée à la vanille. Les dents entrent en contact avec la substance sucrée et la langue la projette dans l'œsophage où elle glisse, déclenchant une sensation de fraîcheur douce.

Jacques Klein a 47 ans. Le cinéma oniroramique est un énorme succès, tandis que ses recherches sur le sixième stade sont au point mort.

Icare a 19 ans et se donne en spectacle de Rêve Direct dans les nouveaux cinémas oniroramiques qui ont poussé comme des champignons dans la plupart des capitales du monde.

Charlotte, de son côté, après le succès du premier festival de Cannes du Film Rêvé, a monté une véritable industrie de courts et de longs métrages, sous le label Morphée.

Les bénéfices servent à encourager la recherche sur le monde du sommeil et du rêve. Éric Giacometti continue d'investir dans la clinique. Il a acheté les deux immeubles voisins et, à ce jour, le centre Morphée peut accueillir une centaine de patients dont les nuits sont analysées avec des machines de plus en plus performantes.

Shambaya arrive à réunir pour ses essais d'Envol en rêve lucide plusieurs dizaines de personnes. Elle est très contente de ses élèves.

Seul Jacques se sent insatisfait. Ce soir-là, devant le cinéma, il jette son bâton d'esquimau et abandonne la longue file de spectateurs qui se pressent pour voir le prochain délire de son fils. Il décide de rentrer chez lui.

Comment atteindre le stade 6 ?

Cette question l'obsède. Il a le sentiment de tourner en rond.

Une fois dans son appartement, il s'écroule dans un fauteuil, las.

Stades 1, 2, 3, 4, 5. Ça y est. L'île de Sable rose est comme à son habitude splendide. Sur le rivage, dans son éternel rocking-chair, en chemise hawaïenne à fleurs, en tongs, lunettes noires et piña colada à la main, se balance doucement le futur lui-même.

— Je te remercie, JK47, dit l'homme en guise de salutation.

— De quoi ?

— De ne pas avoir cédé à la tentation de m'exhiber en public. Personne ne pourrait comprendre. Cela aurait rompu le charme et *nous* aurait rendus risibles.

— C'est Shambaya qui m'en a empêché.

— Par moments, quand on a un petit génie dans sa lampe magique, on a envie d'épater la galerie en l'exhibant, or je n'existe que pour toi et strictement pour toi. Je ne te l'avais pas dit et je suis content que tu l'aies intuitivement perçu.

— Je n'arrive pas à passer le cap du sixième stade.

– Je sais, je m'en souviens, c'était une période un peu pénible de ma vie. Les autres pavoisaient grâce au cinéma oniroramique, et moi, enfin toi, tu stagnes. C'est normal, il te manque l'étincelle de départ.

– Qui est ?

– Je ne peux pas te répondre, tu le sais bien. Je ne peux t'aider qu'à prendre conscience de ton présent.

– Y a-t-il des informations auxquelles je n'ai pas assez prêté attention ?

– Tu es comme un homme dans un train qui oublie de regarder par la fenêtre, tu n'as pas vu la licorne qui se trouvait dans un champ au milieu des vaches.

– Une licorne ?

– Tu as laissé filer un détail d'importance.

Le Jacques aux cheveux blancs se lève et guide son cadet vers l'océan. Des dauphins font des bonds dans l'eau, au large.

– Quoi ? Les dauphins ?

– Il n'y a pas que ça. Souviens-toi, Jacques, souviens-toi. Pourquoi maman a-t-elle tout d'un coup voulu rentrer à Paris ?

– À cause de moi ?

– Pas seulement. Shambaya t'en a parlé. Ta mère avait vu sa licorne. Tu vois, la clef de ton problème n'est pas seulement l'imagination, mais aussi la mémoire.

– Aidez-moi, s'il vous plaît, JK67.

– C'est ce que je fais, répond l'homme aux cheveux blancs en désignant du menton les dauphins.

– Eh bien... Ces animaux rêvent en permanence, une partie du cerveau à la fois...

– Quoi d'autre ?

– Ça y est, je me souviens : Shambaya m'avait dit que maman avait observé des dauphins jouer avec un poisson-globe... et que cela l'avait troublée.

JK67 sourit de toutes ses dents.

– Les dauphins et le poisson-globe…, murmure Jacques, qui vient de comprendre le message.

Fort de cette découverte, il prend congé de son aîné et remonte dans le monde réel. Il n'a pas une minute à perdre et décide de rejoindre Giacometti qui, à cette heure tardive, travaille encore au laboratoire de recherche sur le sixième stade à la clinique.

– Que s'est-il passé avec le poisson-globe ? l'interroge-t-il de but en blanc.

– Ah, salut, Jacques. De quoi me parles-tu ? Quel poisson-globe ?

– Ma mère, je sais qu'elle pensait que ce qui drogue les dauphins dans le trou marin en Malaisie, le poisson-globe, pouvait avoir une influence sur la recherche du sixième sommeil, n'est-ce pas ?

Éric Giacometti doit se concentrer pour réussir à faire remonter le souvenir.

– C'est vrai, dit-il au bout d'un moment, elle m'a parlé du poisson-globe… La drogue des dauphins. Cela les mettait, paraît-il, dans un état extatique incroyable, et ta mère avait eu cette intuition que les dauphins avaient trouvé un produit pour approcher du Nirvana, enfin de leur « Nirvana de dauphin ».

Le scientifique s'arrête de parler, essayant de rassembler ses idées. Jacques attend patiemment.

– Sais-tu quel est l'autre nom du poisson-globe ?… Le fugu ! s'exclame tout à coup Giacometti.

– Le fugu, vous voulez dire le poisson japonais ?

– Viens, suis-moi. Ta mère en avait un ici même.

Le scientifique guide Jacques vers un aquarium placé à l'entrée de la clinique.

– Le voilà. Cette espèce est plus précisément nommée Taki-fugu.

Le poisson est gris argenté, assez semblable à une grosse truite ventrue, avec de grands yeux ronds et des taches brunes sur le dos.

Giacometti prend une pincée de paillettes pour nourrir les poissons. Il en saupoudre la surface de l'eau. Et bientôt, le fugu vient pour les gober. Avec la pointe de son stylo, Éric lui touche doucement la tête. Aussitôt, le poisson se gonfle d'eau, double de volume : on dirait un ballon.

– Fugu, poisson-globe, poisson-lune, c'est toujours le même animal qui se gonfle d'un coup lorsqu'il se sent menacé. Sa peau, son foie, ses yeux, ses intestins, ses ovaires contiennent un poison extrêmement toxique, la tétrodotoxine. Elle paralyse n'importe quel système nerveux instantanément, même à des doses minimes.

– Mieux que le curare ?

– La tétrodotoxine a des effets mille fois supérieurs. Jadis, dans les cours japonaises, les intrigues de palais se résolvaient par quelques gouttes de tétrodotoxine dans le saké. On a appelé cela la « dictature adoucie par le fugu ». À tel point que, depuis 1800, il est officiellement interdit à l'empereur et aux samouraïs ayant des responsabilités politiques d'en consommer. Actuellement, il y a de nombreux restaurants à poisson fugu au Japon et en Corée, et depuis peu en Chine.

– Des gens en mangent ?

– Bien sûr. Un plat de fugu coûte cher, car il est considéré comme un mets gastronomique très raffiné. Le poisson est censé être préparé par des cuisiniers diplômés spécialisés, mais il y a toujours un petit risque, vu qu'une quantité infinitésimale de ce poison peut être létale, et chaque année, environ une vingtaine de personnes en meurent. Il y a aussi des clients qui demandent à en consommer pour se suicider.

– En quoi la tétrodotoxine des fugus pouvait intéresser ma mère ?

– Elle pensait que l'effet de ce poison, si on trouvait le moyen d'y survivre, pourrait permettre l'accès au stade 6.

– On n'en trouve qu'au Japon ?

– Il y en a dans toutes les mers chaudes. Au Japon, la sur-pêche tend à le faire disparaître, mais on le trouve aussi en Amérique, en Australie et depuis peu en Méditerranée orientale.

Jacques observe le poisson, qu'il trouve assez beau, avec ses grands yeux en soucoupes.

– Nous avons tout essayé pour « diluer » ce poison, nous l'avons mélangé à de l'eau de mer et à du lait, nous l'avons testé sur des singes. Tous… sont morts. Peu de produits ont un effet aussi foudroyant en aussi faible quantité. Et il n'y a pas d'antidote.

Jacques colle son visage contre la vitre.

– Nous avons fait beaucoup de tests mais ta mère a fini par renoncer. Elle était très déçue. Dès lors, nous nous sommes réorientés vers les techniques de catalepsie par le froid.

– L'avantage par rapport au poison, c'est qu'on peut le maî-triser, n'est-ce pas ?

– Ce n'est pas simple, là encore. C'est très difficile de trouver le bon niveau de température, on navigue entre l'inefficacité totale et le point de non-retour.

– Vous l'avez testé sur l'homme ?

– Le fugu ? Non. Trop dangereux. Même ta mère ne vou-lait plus prendre de risques. L'expérience d'Akhilesh a toujours hanté nos mémoires.

Jacques met poliment fin à la discussion et remonte dans son bureau où il se plante devant son ordinateur.

Maman a eu cette intuition et elle n'a pas su la réaliser, c'est à moi de le faire, maintenant.

Il reste à surfer sur Internet, explorant tout ce qui concerne de près ou de loin le fugu, les poissons-globes en général. Il visionne des documentaires où des dauphins encerclent un poisson-globe et s'amusent à lui faire peur pour qu'il se gonfle d'eau et libère ensuite son poison jaunâtre. Les cétacés se mettent alors sur le dos et commencent à danser et piailler dans un état d'extase évident.

Maman a assisté à ça. Forcément.

Les dauphins se passent le poisson comme un petit ballon qui se dégonfle un peu sous leurs coups de bec. Puis le poisson-globe s'enfuit dans les profondeurs. Les dauphins restent à « humer » l'eau imprégnée de poison.

Beaucoup plus tard ce soir-là, au lit avec sa femme, Jacques a la ferme intuition que la solution à son problème réside dans ces dauphins atteignant leur Nirvana grâce au poison du fugu.

– Bonne nuit, Jacques.

– Bonne nuit, Shamby.

Les époux s'embrassent puis se tournent chacun de leur côté, comme le font tous les couples après plus de trois ans de vie commune.

Plutôt que de revenir sur l'île de Sable rose et discuter avec JK67, Jacques jubjote et fonce vers la Noosphère. Il se trouve à nouveau devant la grande dalle blanche formée par tous les visages humains qui ont atteint la phase 5. Leurs yeux sont parcourus de mouvements sous les paupières. L'esprit de Jacques Klein circule dans la zone des rêves japonais, mais ne trouve rien, puis dans la zone des rêves polynésiens et ne trouve rien non plus. Il décide de parcourir la Noosphère méthodiquement jusqu'à ce qu'il découvre quelque chose. Profitant de sa capacité à jubjoter, il surfe sur tous les rêves qui évoquent de près ou de loin les poissons-globes. Il finit par dénicher une allusion au fugu dans un endroit inattendu.

C'est un… sorcier vaudou qui rêve d'une cérémonie de zombification et qui pense au poisson-globe.

L'esprit rêveur lucide de Jacques pense avoir trouvé une piste. Il quitte la Noosphère et descend dans les couches inférieures, proches des hommes, pour tenter de dialoguer avec une âme errante en Haïti. Sa pensée survole Port-au-Prince, la capitale de l'île, et rencontre beaucoup d'âmes errantes avec lesquelles la population locale aime être en contact. Ici, en Haïti, discuter avec les esprits est une expérience banale qui prend ses racines en Afrique de l'Ouest, au Bénin.

Naturellement, Jacques se rend au-dessus du cimetière municipal, lieu privilégié pour rencontrer les âmes des morts. Il est en territoire inconnu.

L'esprit d'un sorcier vaudou le snobe et s'enfuit à son approche. Un autre lui fait comprendre que les esprits étrangers n'ont rien à faire ici.

S'il y a du racisme même dans le monde invisible, on ne s'en sortira pas.

Qui osera parler du mépris des sorciers vaudous haïtiens envers les rêveurs lucides français ?

Un rire se fait entendre dans le dos de Jacques : ses pensées ont été perçues par une âme errante.

— Tu es bien courageux de venir ici alors que tu n'es pas des nôtres. Je suis un Baron. On m'appelle Baron Zoupimba. Je suis important, ici. Et toi, que fais-tu là, esprit français ?

— Je me nomme Jacques Klein. Je veux savoir comment vous utilisez le poisson-globe dans vos rituels vaudous. Il semble que vous soyez les seuls à avoir trouvé un moyen de stabiliser son poison fulgurant.

— D'où sais-tu cela, esprit français ? demande le vieil homme, curieux.

— J'ai intercepté un rêve qui allait dans ce sens. C'est pourquoi je me suis dit que le mieux serait encore de venir chercher l'information à la source, ici, en Haïti, où résident les meilleurs sorciers du monde.

L'âme errante de Baron Zoupimba n'est pas insensible au compliment.

— Les sorciers vaudous haïtiens sont évidemment la crème de la crème. Quand nous voyons les chamans sibériens ou les druides bretons opérer, nous pouvons mesurer leurs nombreuses lacunes. Notre savoir ancestral reste inégalé.

Baron Zoupimba tourne autour de Jacques alors que d'autres âmes errantes, curieuses de les voir discuter, commencent à les encercler pour les écouter. Mais cela ne semble pas déranger l'Haïtien.

– Qui aurait cru que ce dialogue puisse avoir lieu un jour ? ironise le vieil homme. Quand je vois la fascination des Occidentaux pour les morts vivants, je me dis qu'ils seraient surpris de connaître la réalité.

Quelques ectoplasmes approuvent.

– Vous savez, ici, on suit assidûment la série américaine *The Walking Dead*. Quelque part, c'est nous qui en sommes les légitimes créateurs, puisque nous avons inventé le concept de mort vivant.

– C'est la saison 3 que je préfère, intervient un esprit.

– Moi, c'est la 2. La 3 n'est pas assez violente, répond un autre.

– Qu'en pensez-vous, les gars, on instruit l'esprit français ?

– Il n'est pas des nôtres et nos rituels sont secrets, rappelle un fantôme féminin. Il ne comprendra pas.

– Les Français sont cartésiens.

– Si je suis là, c'est que je ne suis pas si rationnel. Je suis médecin, c'est vrai, mais j'ai aussi été formé par les Sénoïs et j'ai appris à élargir mon esprit à ce qui se trouve au-delà de la science, tente de se justifier Jacques.

– Crois-tu en nous ? demande la femme, méfiante.

– La preuve, je suis là et je vous parle.

– Certains sont ici pour… nous faire du mal.

– À quoi te servirait de connaître notre utilisation du poisson-globe ? l'interroge Baron Zoupimba.

– Je veux l'utiliser pour un projet personnel qui pourrait avoir des répercussions positives sur vous aussi. Je veux franchir les limites du monde du rêve.

Les esprits errants s'approchent du Français, leur curiosité a été piquée.

– Elle, c'est « la Grande Brigitte ». Elle est importante chez nous.

– Appelez-moi « Maman Brigitte », précise la femme fantôme.

– Eux, ce sont des Barons, ce que vous appelez aussi des divinités. Ici Baron Grand-Chemin et Baron Mazaca-La-Croix.

– J'ai entendu parler du Baron Vendredi dans un *James Bond*.

– Ce n'est pas le Baron Vendredi mais le Baron Samedi, et c'est le plus dangereux d'entre nous. Il vaut mieux que tu ne le rencontres jamais, il pourrait être tenté de voler ton âme pour te punir de faire du tourisme sur notre territoire.

Les traits du Baron Zoupimba se durcissent, et il continue d'une voix menaçante :

– Car cela fait aussi partie de nos rituels, nous savons capturer ceux qui viennent ici… par erreur !

Jacques réalise le risque qu'il vient de prendre, mais reste imperturbable. Heureusement, il a déjà pratiqué ce genre de diplomatie pour transformer les Malas en Guniks.

– Cher Baron Zoupimba, nous commençons à peine à nous connaître, ce serait dommage de gâcher une amitié naissante.

L'audace du nouveau venu semble amuser le fantôme.

– Je peux t'aider, mais à une condition : tu m'accompagnes quelque part, j'ai un petit problème personnel.

Jacques suit le Baron Zoupimba qui s'élève très haut dans le ciel jusqu'à un nuage derrière lequel se cache un groupe d'âmes errantes.

– Ceux-là ont un problème, ils ne savent pas où ils sont.

– Je ne comprends pas.

– Disons que ce sont des esprits qui ne croient pas que le réel existe. Ils pensent que le réel c'est eux, et que le monde dont vous venez serait leur… monde rêvé.

L'idée semble tellement énorme que Jacques en éprouve une sorte de vertige.

– Des fantômes qui ne croient pas au réel ?

– Disons que, de l'autre côté du miroir, on a parfois du mal à voir au travers..., dit le Baron dans un sourire complice. Rien n'est simple. Pas plus ici qu'ailleurs. Il y a des sceptiques des deux côtés.

L'esprit de l'Haïtien le présente au cercle des esprits :

– Vous vouliez une preuve, annonce-t-il en guise de préambule, voilà, j'en ai une. C'est un humain de la Terre qui est venu nous rendre visite.

Les esprits alentour restent incrédules.

– C'est qui celui-là ? Il vient d'où ? Il est bizarre, s'exclament-ils tour à tour.

Le Baron Zoupimba apprécie l'effet produit.

– Dans l'autre monde, c'est un « homme qui rêve ». Et il rêve... qu'il est ici et qu'il vous voit.

Tous semblent atterrés. Ils tournent autour de lui comme autour d'une bête de foire.

– Alors cet autre monde existerait vraiment ?

– Vous en venez aussi mais vous l'avez oublié, dit Jacques.

Comme les esprits semblent attendre que le Français dise quelque chose, celui-ci, sur une intuition, leur raconte l'histoire du chien Pompon dont le monde était limité car il avait un rideau de poils devant les yeux.

Les esprits, intrigués, écoutent attentivement Jacques qui continue son récit.

– C'est la cohérence de mon histoire qui doit vous convaincre, conclut Jacques. Comment aurais-je pu inventer une histoire aussi... simple que celle de ce chien qui n'avait pas conscience du monde derrière sa frange de poils ?

Grâce au Français, les esprits prennent conscience de leur nature. Ils le croient. Après avoir réussi cette mission, les deux hommes repartent.

– Je ne comprends pas bien, ce sont des... esprits qui ne croient pas en la matière ? Comment est-ce possible, Baron ?

– Franchir le monde des morts provoque parfois des amnésies. Moi, je me souviens de qui j'étais, mais eux, ils ne se rappellent même plus de leur nom ou de la forme de leur visage lorsqu'ils étaient sur Terre. Alors, pour ne pas devenir fous, ils ont préféré se dire qu'il n'y avait qu'un monde, qu'une seule dimension d'espace-temps, la leur, et que ceux qui professaient le contraire étaient juste… irrationnels.

Jacques comprend qu'il a encore énormément à apprendre sur le monde de l'invisible. Il demande à l'Haïtien de tenir parole et de le ramener au cimetière de Port-au-Prince, où ils s'installent sur la tombe d'un membre de la famille de l'ancien dictateur Papa Doc. Le Baron commence à lui expliquer le rituel de la zombification.

– Lorsqu'une personne a mal agi envers une autre, la victime peut se plaindre à un tribunal de prêtres vaudous, les Bokors. Après moult palabres et au vu des éléments, témoignages et indices, ils décident si le coupable doit être zombifié ou non pour expier sa faute. Si c'est le cas, les Bokors confient au plaignant une mixture secrète. Ce dernier n'a plus qu'à introduire cette substance dans la nourriture du coupable. On appelle cela « recevoir un coup de poudre ». Dès que la personne a ingurgité ce puissant psychotrope, elle entre dans un état cataleptique qui ressemble en tout point à la mort clinique. Cœur arrêté, corps tétanisé. Puisqu'on le croit mort, il est enterré. Dès lors, le plaignant a vingt-quatre heures pour aller le déterrer, sinon l'autre meurt asphyxié dans son cercueil. En général, le plaignant creuse et dégage le corps la nuit suivante. Il doit alors lui administrer une seconde mixture qui va relancer le cœur et le système musculaire, sans pour autant rendre au cerveau ses pleines capacités. Le coupable est en général amnésique et, à cet instant, la première personne qui lui donnera un ordre deviendra son maître. Plus précisément, c'est le plaignant qui prononce cette première parole, et le coupable transformé en mort vivant, ou zombie, lui obéit alors aveuglément. Ainsi le bourreau devient l'esclave de sa victime. Voilà comment, chez nous, on rend la justice.

Le Baron Zoupimba sourit en voyant son interlocuteur étranger boire ses paroles.

— Les zombies ne sont donc pas une légende !

— Toutes les légendes prennent racine dans le réel, mais ce que je te raconte là, Jacques, est une pratique qui a encore cours de nos jours. On utilise le mélange du jus issu du foie du poisson-globe avec une plante pour « endormir », et on « réveille » avec l'antidote.

— C'est cette recette que je voudrais connaître. Quel est le nom de la plante ?

— Il y en a deux : la mandragore et la belladone. Ce sont elles qu'on utilise pour stabiliser l'effet du poison.

— Et pour l'antidote ?

— La datura et la jusquiame.

— J'aurais pu y penser moi-même ! La datura était utilisée comme antidote durant la Première Guerre mondiale contre les gaz neurotoxiques. Toutes les plantes que vous avez citées contiennent de l'atropine, qui provoque un déséquilibre du système parasympathique. Mais comment avez-vous pu découvrir ça ?

— Par empirisme. Je pense qu'il y avait tellement de gens qui souhaitaient empoisonner ou réduire en esclavage leur prochain, qu'ils ont testé tous les produits et tous les dosages jusqu'à trouver la recette exacte susceptible de rendre efficaces ces deux mixtures. Voici les dosages précis. Attention, Jacques, il faut que tu sois conscient que tu mets les sujets dans un état où ils entendent, réfléchissent, mais ne peuvent pas bouger. C'est quand même très pénible pour eux.

— Je sais ce que c'est ! J'ai déjà connu ça.

Le Baron Zoupimba lisse sa barbe ectoplasmique, puis signifie à Jacques qu'il est désormais un Gunik, « un esprit ami apprivoisé ».

– Merci de votre temps.

– Vous savez, notre principal problème c'est le désœuvrement. On s'ennuie un peu ici, alors revenez quand vous voulez.

Jacques remercie une fois encore le Baron Zoupimba pour sa confiance, salue tous les esprits haïtiens du cimetière de Port-au-Prince, qu'ils soient Barons ou simples âmes errantes, puis rejoint son propre corps pour se préparer au réveil.

Dans son lit, Jacques ouvre les yeux.

C'est dans l'invisible que se trouvent certaines solutions du visible, mais on commence à peine à défricher ce domaine. Un jour, il y aura peut-être des ambassadeurs des vivants auprès des morts. Ou des représentants des êtres de chair auprès des esprits. On aura dépassé les préjugés. On ne considérera plus les esprits comme des étrangers inférieurs. À moins que ce ne soit nous les « étrangers », comme me l'a fait si bien comprendre le Baron.

Jacques a la sensation d'avoir débloqué quelque chose.

Il se place face à la fenêtre, contemple Paris depuis les hauteurs de Montmartre.

Sans les vieux préjugés... Après tout, « fantômes », « ectoplasmes », « âmes errantes », ce sont des mots péjoratifs. Et tous ces exorcistes qui ont pour mission de faire partir les esprits... pour « nettoyer », comme ils disent. Ceux qu'ils nomment ainsi étaient probablement là avant eux, et ça fait plutôt penser aux premiers conquistadors tuant les autochtones au nom de la Civilisation. Ou aux envahisseurs malaisiens chassant les Sénoïs. Ils étaient là les premiers.

Il est 3 heures du matin, et Jacques se met à son ordinateur pour y noter toutes les informations que lui a données le Baron Zoupimba. Malgré l'heure tardive, Shambaya vient le rejoindre.

– Je sais que tu as été dans le monde des esprits, dit-elle.

– J'ai trouvé ce qui nous manquait pour approcher de la mort sans y basculer.

– Quel esprit as-tu rencontré ?

– Une communauté d'esprits, en fait. J'ai voyagé loin. C'étaient des Haïtiens. Là-bas, ils sont très investis dans la gestion de l'invisible.

– Des Guniks ?

– J'ai transformé un Mala en Gunik et, grâce à lui, j'ai pu me faire quelques amis, en effet.

Elle lui caresse le visage.

– Je crois que c'est l'explication des sauts d'évolution, poursuit-il. Quand on regarde l'histoire de l'humanité, c'est comme si l'espèce entière évoluait lentement et puis, tout d'un coup, il y a comme un pic. Quelqu'un a une idée. Il en parle. Il l'écrit. D'autres lisent et travaillent dessus et la développent. Jules Verne raconte un voyage sur la Lune et cent ans plus tard cela se produit.

– Je ne sais pas qui est ton Jules Verne, mais dans notre société sénoï nous avons eu en effet des sauts d'évolution aussi rapides qu'inexpliqués. Personnellement, cela m'a toujours inquiétée.

– Je sais, tu penses que le bonheur ne peut résider que dans la stabilité et qu'il faut renoncer à la croissance pour atteindre l'équilibre. Cependant, cette fois-ci, nous avons une mission un peu particulière : découvrir le sixième stade du sommeil. Et je te promets que lorsque nous aurons découvert un passage… j'arrêterai d'inventer quoi que ce soit et je me contenterai de dormir et d'apprécier la chance que j'ai d'être avec toi.

– Menteur, dit-elle. Viens me faire l'amour, cela te donnera des forces pour faire tes expériences demain.

69

Le Takifugu à l'entrée de la clinique Morphée espérait peut-être poursuivre sa vie tranquillement en tournoyant dans cet espace clos et transparent, mais il se doute bien que tous ces visages humains collés contre la vitre à l'observer ne laissent rien présager de bon pour la suite de son existence.

Quand l'épuisette vient le chercher, il aspire d'un coup le maximum d'eau pour se gonfler et effrayer ses tourmenteurs.

On le pose sur une planche. Le futur lui semble de plus en plus sombre. Il espère cependant que les gens qui tournent autour de lui sont au courant de l'existence de son poison. Dans le doute, il expulse par ses yeux et les orifices sous ses nageoires un peu de jus jaunâtre mortel.

Dans le passé, les humains s'étaient toujours contentés de lui prélever son poison comme s'il s'agissait d'un nectar.

Il n'a cependant pas le temps d'en admirer l'effet sur ces humains, car un grand couteau surgi du néant lui fend la tête. Toute l'eau qu'il avait ingurgitée jaillit de son corps.

Le poisson est coupé en deux puis on lui enlève proprement son foie, ainsi que ses appareils digestif et reproducteur.

Ses organes sont ensuite déposés dans un pressoir à filtre dont on tire l'équivalent d'un demi-verre de liquide jaune.

Jacques Klein est équipé de gants épais. Il verse le contenu du bécher dans une éprouvette avant d'y ajouter quelques gouttes de mandragore et de belladone, dans les proportions confiées par le Baron Zoupimba.

Le mélange ainsi obtenu est testé sur une souris, qui tombe immédiatement en catalepsie. Pour la médecine, elle présente toutes les caractéristiques d'un rongeur mort.

Deux heures après, Jacques la réveille avec une mixture à base de datura et de jusquiame. La souris semble hébétée, comme sonnée, mais elle bouge, son cœur bat. Elle avance toutefois de manière un peu mécanique.

Shambaya, Icare, Éric et Charlotte sont aussitôt mis au courant de cette avancée décisive.

— Je crois que je viens de mettre au point la première souris zombie, leur explique Jacques.

Après les souris, il passe au lapin, au cochon, au chat et pour finir au chimpanzé zombies.

— Il est temps de tester cette mixture sur l'homme, décrète le chercheur.

Éric Giacometti n'est guère enthousiaste à l'idée de prendre le risque d'un nouveau drame, comme jadis avec Akhilesh.

— Dans ce cas, on le testera sur moi, déclare Jacques. De toute façon, j'ai déjà vécu une crise de paralysie du sommeil, et j'en suis revenu. Si mon intuition est bonne, cela devrait être assez similaire.

Icare est impressionné par la force de volonté de son père.

— Mais papa, tu as vu comment ça fonctionnait sur les singes... Même si tu ne meurs pas, c'est tout à fait possible que tu restes définitivement... bizarre.

— Il n'y a pas de grande réussite sans prise de risque, et si je ne le tentais pas, je m'en ferais toujours le reproche.

— Qu'est-ce qui te donne le sentiment que tu vas y arriver ? demande Shambaya.

— Si la vie suit son sillon, je serai vivant dans vingt ans, répond alors Jacques en se touchant le visage. Car dans vingt ans j'ai un rendez-vous important à honorer.

— Avec qui ?

Il ne répond pas, mais il pense :

Avec moi-même.

70

L'expérience est prévue dans la salle de cinéma oniroramique. Il est 22 h 20.

– Pour passer la porte au fond du lac, il faut de toute façon être entre les deux frères Hypnos et Thanatos, c'est là que Morphée a caché son antre le plus profond, résume Éric Giacometti.

Jacques Klein s'avance vers le caisson d'isolation sensorielle, sorte de large baignoire en plastique contenant de l'eau salée pour maintenir l'onironaute en état de flottaison, sans le moindre contact avec la matière dure. Ce caisson a son propre système de régulation thermique et c'est Éric Giacometti qui se charge de le contrôler.

De nombreux câbles reliés à tout un appareillage électronique – caméras infrarouges, scanners, capteurs – s'échappent par un orifice situé au pied du caisson. Ils sont connectés à un ordinateur où convergent toutes les données.

– Ça ressemble à un cercueil, constate Icare en le photographiant avec son smartphone.

– Disons plutôt un sarcophage, précise Charlotte.

– Je préfère le comparer au cocon du scarabée, qui lui permet de mourir et de renaître dans la mythologie égyptienne, dit Jacques. Nous sommes en plein dans le culte d'Aton.

Il se déshabille lentement et dépose ses affaires sur une chaise (bien pliées pour montrer qu'il a la ferme intention de revenir et d'en avoir besoin). Il ne garde que son caleçon, qui pour l'occasion est de style hawaïen. Puis il dispose lui-même sur son crâne les capteurs du Dream Catcher.

Icare a la charge de filmer la scène sous plusieurs angles.

Après plusieurs minutes de concentration, Jacques Klein se sent prêt. Et entre dans le sarcophage.

Il est 23 heures. L'eau est à vingt-trois degrés.

Éric Giacometti lui place une perfusion dans le creux du coude. Le terminal de contrôle des signes vitaux s'éclaire, ainsi que le grand écran central où va se matérialiser le voyage de l'onironaute.

Jacques inspire plusieurs fois très vite puis de plus en plus lentement. Il allonge son souffle comme un sportif s'apprêtant à battre un record.

Éric Giacometti baisse la lumière ambiante pour plonger la pièce dans la pénombre.

Charlotte propose de diffuser la 9e Symphonie « Du Nouveau Monde » de Dvořák dans la salle d'expérience afin de créer une ambiance sonore propice à l'exploration.

— Je suis prêt à plonger, annonce Jacques.

Shambaya s'approche de lui et l'embrasse longuement.

— Ne meurs pas, lui intime-t-elle.

— De toute façon, nous le surveillerons à l'écran, croit bon de compléter Charlotte.

— Vois et apprends. Ne compte pas sur les gens à l'extérieur, qui te suivent grâce à des machines, ne compte que sur ta propre conscience, insiste sa femme. N'oublie pas tu as cinq sens physiques et cinq sens psychiques.

— Nous essaierons de communiquer avec toi. Un mouvement latéral des yeux pour « oui » et deux pour « non », rappelle Éric Giacometti.

Jacques scrute la pendule sur le mur face à lui : il est déjà 23 h 30.

— Plus de temps à perdre, il faut que j'y aille.

Il ferme les yeux et le couvercle du sarcophage est rabattu sur lui.

Le terminal de contrôle indique que son cœur bat et que son cerveau fonctionne. Le grand écran de visualisation lié à la caméra Dream Catcher ne révèle pour l'instant qu'une surface uniformément marron.

À l'extérieur du sarcophage, Charlotte, Éric, Shambaya et Icare. Et des réserves de café et de nourriture en prévision d'une nuit qui s'annonce longue. Ils allument des bougies

Sur l'écran servant de tableau de bord général s'affiche : « STADE 0 : ÉVEIL YEUX FERMÉS ». L'électroencéphalogramme indique une activité cérébrale de 16 hertz. Émission : ondes bêta. Température de l'eau : 21 °C. Température corporelle : 37,1 °C.

Le scanner montre que Jacques Klein ramène lentement sa tête en arrière, sa nuque se tend, signe d'endormissement.

Après avoir ralenti au maximum sa respiration, puis ses battements cardiaques par sa simple volonté, Jacques commence sa plongée proprement dite.

« STADE 1 : ENDORMISSEMENT ». La ligne d'encéphalogramme indique une petite oscillation. Le cerveau passe de 10 hertz (niveau d'éveil) à 8 hertz (niveau d'entrée dans le sommeil). Il est en ondes alpha. Température de l'eau : 18 °C. Température corporelle : 36,8 °C.

– Il bascule de l'autre côté du miroir, annonce Charlotte.

71

Jacques Klein, âgé de 47 ans, entre en immersion progressive dans le monde des songes.

« STADE 2 : SOMMEIL LÉGER ». Le cerveau passe de 8 à 4 hertz. Émission : ondes thêta. Température de l'eau : 17 °C. Température corporelle : 36 °C.

Éric Giacometti baisse encore le thermostat contrôlant la température de l'eau salée du sarcophage.

Shambaya murmure une prière chantée dans sa langue.

« STADE 3 : SOMMEIL PROFOND ». Le cerveau passe de 4 à 2 hertz. Émission : ondes delta. Température de l'eau : 16 °C. Température corporelle : 34 °C (hypothermie légère). Les oscillations de l'électroencéphalogramme s'espacent.

Icare, caméra à la main, se met à entonner la même chanson rituelle que sa mère.

« STADE 4 : SOMMEIL TRÈS PROFOND ». Le cerveau passe de 2 à 1 hertz. L'électroencéphalogramme montre des oscillations de plus en plus grandes. Température de l'eau : 14 °C. Température corporelle : 32 °C (hypothermie moyenne).

L'écran central, qui jusque-là n'affichait qu'une surface marron, s'éclaire et révèle un décor aquatique avec une pente rocheuse.

– Il visualise son hypnogramme pour nous faire comprendre qu'il sait où il en est dans sa plongée, signale Éric Giacometti, admiratif.

Icare s'est arrêté de chanter et décrit en sénoï ce qui apparaît à l'écran pour sa mère.

La descente dans l'eau se poursuit jusqu'au moment où Jacques touche le fond du lac qui est aussi le fond de son sommeil profond.

Alors que sa respiration ralentit, son pouls se fait moins régulier et plus lent.

– Ça va ? demande Charlotte dans le micro relié au haut-parleur du sarcophage.

Sur l'écran de l'ordinateur, on voit les paupières de Jacques être balayées de gauche à droite.

– Tu es conscient d'être à la limite du stade 4 du sommeil profond ?

Nouveau balayage latéral.

– Te sens-tu prêt à continuer ?

Affirmatif.

« STADE 5 : SOMMEIL PARADOXAL », indique le terminal de contrôle.

Le corps de Jacques commence à s'agiter. Le passage en sommeil paradoxal est toujours un instant délicat et tous suivent les indicateurs biologiques. Sur l'écran de cinéma, ils voient Jacques marcher au fond de l'eau. Une paroi raide se dresse face à lui.

– Le pic du sommeil paradoxal, commente Éric Giacometti en baissant d'un coup la température de l'eau, pour atteindre 9 °C.

Sur la caméra infrarouge servant de détecteur de chaleur corporelle, tous peuvent voir que le sang quitte progressivement les extrémités du dormeur, orteils et doigts, pour remonter vers les bras et les jambes. La respiration s'accélère un peu alors que le liquide de vie afflue vers le thorax, la tête et le sexe.

La surface de sa peau n'est plus irriguée par le sang et la caméra révèle qu'il a les poils dressés, ce que l'on appelle communément « avoir la chair de poule ». Les doigts sont parcourus de légers tremblements. Soudain, les globes oculaires de Jacques s'agitent très vite alors que ses battements de cœur ralentissent. L'électroencéphalogramme indique qu'il est remonté en fréquence à 30 hertz. Ce qui correspond à une émission d'ondes gamma. Le cœur est à trente pulsations par minute. La température du corps est de 30 °C. L'électroencéphalogramme montre une intense activité du cerveau.

– Il a une érection alors que son battement cardiaque est bas, chuchote Charlotte à l'oreille de Giacometti. Comment est-ce possible ? Je croyais qu'il fallait une pression sanguine accrue pour remplir de sang les corps caverneux.

– C'est là encore un paradoxe du sommeil paradoxal et un des mystères du corps humain, reconnaît le scientifique.

– Il prend du plaisir à rêver, rappelle Shambaya qui les a entendus. Toute cette plongée est un ravissement des sens et de l'esprit pour lui.

Le corps de l'onironaute est parcouru de petits tics nerveux.

– Je croyais qu'on mourait en dessous de trente degrés, remarque Charlotte, étonnée par les chiffres qui s'affichent sur le tableau de contrôle des signes vitaux.

– Pour les opérations à cœur ouvert, c'est la température à laquelle on maintient le corps, explique Éric Giacometti. En fait, on peut descendre très bas. À mon avis, la seule limite, c'est quand le sang gèle.

– Mais Jacques est déjà en hypothermie grave.

– Vous voulez qu'on arrête ?

Les autres ne répondent pas. Éric Giacometti prend ce silence pour un non. Il se penche sur le micro.

– Tu m'entends, Jacques ? Est-ce que tout va bien pour toi jusqu'à maintenant ?

En réponse, à nouveau les globes oculaires glissent latéralement une fois sous la peau des paupières.

Sur l'écran oniroramique, tous peuvent constater que son esprit, lui, est toujours dans le décor de son rêve. Il escalade le pic rocheux sous l'eau, et finit par approcher de la surface. Mais il ne franchit pas cette ligne d'éveil. Arrivé au sommet, ses yeux s'agitent sous les paupières, ses tempes battent fort, son cœur ralentit.

– Ça va encore ?

Nouvelle réponse affirmative. Ses doigts bougent comme s'il souhaitait leur faire un salut.

Température du corps : 28 °C. Seuls les organes vitaux et le sexe bénéficient encore d'une irrigation sanguine.

Jacques atteint devant eux le sommet du pic rocheux affleurant la surface de l'eau. Et, au sommet de cette montagne, se trouve l'accès à un puits sous-marin.

– Un trou bleu virtuel, remarque Icare.

– C'est par là qu'il va entrer dans le sixième sommeil, comprend Éric Giacometti. Tu m'entends, Jacques ? Veux-tu continuer ?

Mais l'écran oniroramique montre déjà Jacques en train de descendre dans le cylindre de plus en plus sombre.

– Il va falloir l'aider, signale le scientifique.

– Son corps est déjà dans une zone dangereuse, rappelle Charlotte.

Éric Giacometti baisse la température de l'eau jusqu'à 8 °C. L'écran indique que la température corporelle descend à 27 °C, ce qui correspond à une hypothermie sévère.

– Il est déjà en état d'hibernation, constate Charlotte en regardant le rythme du cœur.

– Nous ne sommes jamais descendus aussi bas, déclare Éric Giacometti.

– Regardez ! Il a des difficultés à poursuivre sa descente, c'est comme si son corps voulait l'empêcher d'aller plus loin, dit Charlotte.

Éric ne sait pas quelle décision prendre, et ses compagnons ne lui sont d'aucune aide. Alors il prend sur lui la responsabilité de presser la seringue qui contient le liquide de tétrodotoxine de fugu dilué dans son stabilisant de mandragore et de belladone.

Le liquide jaune circule dans les courbes du tuyau transparent puis disparaît dans le sarcophage. Jacques Klein a un frisson. Son corps se tétanise.

– Il est entré en catalepsie, note Éric.

– C'est un état qu'il connaît, il ne devrait pas s'en effrayer, rappelle Shambaya.

Sur l'écran oniroramique, Jacques continue de nager plus profondément dans l'eau bleu marine.

L'électroencéphalogramme indique 46 hertz. Il est en ondes epsilon. Son corps entre en état d'hibernation complète. Le cœur en est à douze battements par minute. La température corporelle est de 25 °C.

– Vingt-cinq degrés ? Un humain peut survivre à ça ? s'étonne Icare.

– On n'est jamais allé plus bas, reconnaît Éric.

Subitement, l'électroencéphalogramme grimpe en flèche : 47, 48, puis 49 hertz.

– L'activité du cerveau s'accélère, constate Charlotte. Paralysie totale du corps.

– Il quitte le sommeil paradoxal ! Il est en train d'entrer dans le sixième sommeil, le *Somnus incognitus* ! s'exclame Éric, impressionné.

Il se penche sur le micro pour parler à l'onironaute.

– Tu m'entends toujours, Jacques ?

Pas de réponse.

– Est-ce que ça va ? répète-t-il.

Les yeux ne bougent plus.

Sur l'écran, Jacques s'enfonce toujours plus avant dans l'eau sombre.

– Qu'est-ce qu'on fait ? demande Charlotte.

– On ne peut pas stopper l'expérience à ce stade. Je prends sur moi les conséquences de ce qui va suivre, dit Éric.

– Et s'il meurt ? s'inquiète Shambaya.

– Pour l'instant, il est techniquement en vie.

Les autres ne semblent pas partager son optimisme. Éric tente un nouvel essai au micro.

– Allô ! Jacques ? Tu m'entends ?

Tout à coup, l'écran oniroramique s'éteint. Les seules sources lumineuses de la pièce sont le terminal de contrôle et les bougies.

Toutes les données se sont stabilisées : 25 °C de température interne, douze battements cardiaques par minute, électroencéphalogramme à 49 hertz.

Shambaya se met à chanter, bientôt imitée par son fils.

Brusquement, les ondes cérébrales chutent de 49 à 15 hertz.

– Que se passe-t-il ? questionne Charlotte.

– C'est comme s'il était à bout de souffle. Je ne sais pas. C'est un paradoxe dans le paradoxe, je n'ai jamais vu ça. Personne n'est allé aussi loin, reconnaît Éric, préoccupé.

– Il est mort ? s'alarme Icare.

Le scientifique, troublé par les informations du tableau de bord, ne trouve rien à répondre. Il sait que dans certains pays le corps qui flotte à l'intérieur du sarcophage serait à cette heure considéré comme cliniquement mort.

Les ondes cérébrales poursuivent leurs variations alors que l'électroencéphalogramme indique 14 hertz, puis 13 hertz.

– Il est passé directement d'ondes epsilon... en ondes mu.

– C'est quoi, mu ?

– C'est une lettre de l'alphabet grec, explique Éric Giacometti. Cela correspond à la lettre M. Regardez : l'onde en dessine les deux arceaux courbes. Le M est d'ailleurs la treizième lettre de l'alphabet.

L'inquiétude les gagne, et c'est Icare qui rompt le silence avec la question que tous se posent :

– « M » comme mort ?

– Il y est arrivé, dit doucement Shambaya. Mais nous ne pouvons plus le suivre là où il est...

72

Bleu.

De plus en plus foncé.

Noir.

Jacques Klein nage dans l'obscurité et cette sensation est effrayante car il ne peut être sûr qu'il se déplace. L'eau semble devenir visqueuse. Comme de l'huile.

Une envie soudaine de rebrousser chemin le saisit, mais il sait qu'il est trop tard pour ça.

Je voulais y aller, j'y suis. Et je vais probablement ne jamais en revenir.

Ainsi, c'est le prix à payer pour les navigateurs imprudents (... papa ?), et je vais tout perdre au moment où je pensais tout gagner.

Tout ce qui m'a été offert, je vais devoir le rendre.

Tout ce que j'ai eu tellement de mal à obtenir, je vais devoir y renoncer.

Voilà le prix de la découverte du sixième sommeil

Tout allait bien, pourquoi ai-je tout risqué ?

Il est trop tard pour songer à faire demi-tour.

Là, tout est sombre et dangereux.

Tout est froid et visqueux.

Le fond du lac s'éclaire soudain d'une légère lueur.

La résistance de l'eau augmente et Jacques progresse encore plus difficilement. Mais il se rapproche de la lueur qui a pris une teinte rosée, il nage de toutes ses forces.

Des arbustes rouges, mous, aux branches en filaments, se rejoignent pour former de grands buissons.

Cela pourrait être...

Il avance et voit les longs filaments qui s'étirent, s'enchevêtrent, se croisent.

... des neurones.

Au fond du lac du sommeil paradoxal, se trouve l'accès à un... cerveau géant.

Les neurones s'étalent à perte de vue devant Jacques, ébahi par le spectacle.

Il vole dans cette forêt gigantesque faite de filaments rouges.

Où suis-je ? se demande-t-il en embrassant du regard l'ensemble du panorama, cette matière lumineuse visqueuse et rose.

– Tu es là où tu dois être.

Jacques se retourne. JK67, l'homme aux cheveux blancs, flotte à côté de lui dans ce paysage fantastique.

– Cet instant est trop important pour que je te laisse le vivre seul, JK47.

– Où suis-je ? répète-t-il à voix haute.

– Tu es... dans ton propre inconscient. Ce dernier se visualise lui-même comme un cerveau. En fait, il ambitionne d'être incarné. Tout ce qui est immatériel a la prétention de devenir matériel. Les esprits rêvent de devenir des gens. Les idées rêvent d'être prononcées par des bouches ou écrites dans des livres. Les fantômes en ont marre de voler et de traverser les murs, ils souhaitent pouvoir s'asseoir, marcher, dormir, souffrir dans leur chair. Ils veulent qu'on prononce leur nom, ils veulent exister.

– Donc cet endroit est mon inconscient qui rêve d'être un cerveau ? Comme un logiciel rêverait d'être une puce informatique ? Comme un héros de roman rêverait de sortir du papier ?

– Ton inconscient est une somme d'idées, il rêve de devenir une masse de cellules.

Jacques Klein digère l'information.

– Au fond du lac de mes rêves il y a donc... ma propre « mini-Noosphère » ?

– Disons, pour reprendre l'image de Shambaya, que toi (ton corps matériel), tu es comparable à un ordinateur comme ceux qu'on trouve dans le commerce. Avec un prix donné, un poids, une obsolescence programmée, un certain besoin d'énergie, des failles. Tu me suis ?

– Oui.

– À l'intérieur de ton ordinateur, de ton corps, il y a une carte mère (ton cerveau) avec des circuits électroniques (tes neurones). Ces neurones, lorsqu'ils reçoivent de l'énergie, font deux choses. D'une part, ils stockent en mémoire des informations.

– Alors le corps est l'ordinateur, et l'esprit est le programme ?

– Oui. Et le programme a la capacité d'associer les informations qu'il a déjà en mémoire pour fabriquer des idées nouvelles.

– Ce serait cela... l'imagination ?

– Exact. C'est la deuxième chose que font les neurones. Une idée originale est le mélange de deux pensées. Par exemple, l'idée de l'avion est venue de l'association de l'homme et de l'oiseau, l'idée du sous-marin de celle de l'homme et du poisson, l'idée de la ville de l'association de l'homme et de la fourmi.

Les deux Jacques Klein virevoltent dans la matière rose.

– Et si je suis comme un ordinateur physique, en me connectant, je peux créer un Internet d'imaginations connectées... la Noosphère ?

– Oui, ton inconscient sait se brancher sur une structure plus large et plus complexe (les autres inconscients), comme la mémoire de ton ordinateur se branche sur Internet.

Ils progressent à l'intérieur du cerveau virtuel.

– C'est le programme collectif, la *Gestalt*, la communion des esprits connectés des hommes.

– J'adore.

– Mais là, tu n'es pas dans le collectif, tu es dans l'individuel. Tu es dans la représentation de ton esprit unique. Suis-moi, nous allons nous rendre dans une zone précise de ton inconscient. Vu qu'il se visualise comme un vrai cerveau, cela va être facile.

JK67 le guide vers ce qui semble en être le centre, dans une zone mauve.

– Ici, ton cerveau reptilien, dit-il en ouvrant les bras. C'est le plus ancien, c'est là que se trouvent tes réflexes mais aussi tes peurs et tes envies primaires. C'est l'animal qui est en toi. C'est ici qu'on retire la main qui approche du feu, c'est ici que se trouvent tes terreurs et tes pulsions les plus primaires, celles qui te permettent de survivre, de te battre et de trouver l'immortalité à travers la reproduction.

– Donc ma peur des requins, mon envie de mettre mon poing dans la figure de Kiambang et celle de faire l'amour avec Shambaya, tout ça se passe ici ?

Le vieux Jacques les guide vers une autre zone, orange celle-là.

– Ici, ton deuxième cerveau, le cerveau émotionnel. C'est ici que se trouvent tes élans affectifs. C'est ici que tu as pitié, c'est ici que tu ressens les injustices. C'est aussi ici que se trouve ta mémoire. Cette zone orange est le siège de la vengeance, de la reconnaissance.

Puis vient une zone grise.

– Et voilà ton cortex préfrontal. C'est là que tu réfléchis, que tu élabores des stratégies, que tu imagines.

– C'est là que je rêve ?

– Le cerveau préfrontal est la partie la plus spirituelle de ton individu, là se trouvent ton sens artistique, ta capacité de jouer aux échecs ou à dialoguer avec moi. Le cortex de l'hémisphère gauche est plus tourné vers les stratégies, celui de l'hémisphère droit vers l'art. Et quand cela ne sait pas où aller, hésite entre la gauche et la droite, pour gagner du temps cela provoque une explosion : le rire.

JK47 est émerveillé par la visite.

– C'est quand même bizarre de se dire qu'au plus profond de mes rêves je visite mon propre cerveau !

– Non, au fond de tes rêves tu visites ton inconscient qui se prend pour un cerveau... Mais au final cela revient pratiquement au même.

– Où veux-tu m'emmener, maintenant ?

– Là où tout va se jouer.

Ils arrivent devant un buisson de neurones rouges du cortex.

– C'est quoi ?

– C'est ta pendule interne. Enfin la perception qu'a ton inconscient de ta pendule interne. C'est ici que tu perçois l'écoulement du temps. Le passé, le présent et le futur ne sont qu'une idée ou, comme dirait maman, une « croyance ». Objectivement, c'est une convention entre les hommes qui fait que cette croyance de l'écoulement du temps est généralement admise. C'est en partie dû à l'apparition et la disparition de la lumière. Donc à l'alternance du jour et de la nuit.

– Mais le temps est bien une réalité objective ?

– Tu te souviens de la phrase « La réalité est ce qui continue d'exister lorsqu'on cesse d'y croire » ? Tout ce que tu nommes réalité est croyance. Ce que tu vois de ton cerveau ici est le fruit de ton imagination. N'oublie pas que nous sommes dans un rêve, JK47.

– Mais ce rêve est très réaliste.

Le Jacques aux cheveux blancs s'approche du ganglion où se trouve la pensée du temps.

– C'est là que nous allons agir. Nous allons tordre (ou tout du moins le faire croire à ton inconscient) l'extrémité de ce ganglion afin de lui faire faire une boucle.

Soudain, un flash éblouit les deux hommes et un vacarme assourdissant retentit. Un mini-orage éclate dans le buisson rouge et ils sont traversés par des décharges électriques douloureuses.

— Aïe ! s'écrie Jacques. C'est quoi, ça ?

— Je crois savoir... C'est... un doute.

— Un doute ?

— Quelque chose en toi s'est rebellé contre l'idée de tripoter un ganglion pour lui faire perdre sa notion du temps. Une partie de ton inconscient comprend ce que je veux faire mais refuse de créer cette anomalie temporaire.

Autour d'eux, l'électricité statique augmente, le buisson de neurones rouges vibre, parcouru d'éclairs.

— Bon sang, c'est ma pensée qui crée cela ?

— Plus précisément, c'est ta peur de perte de cohérence. Jusque-là tout était logique, dans la prolongation de ce que t'avaient enseigné tes parents, tes professeurs et les autres humains avec lesquels tu étais entré en interaction. Se dire que le temps n'existe pas est insupportable pour ton intelligence.

— Mais je vous écoute, pourtant !

— Tu m'écoutes, mais je suis en train de ficher en l'air toutes tes croyances. Ton inconscient se rebelle. D'ailleurs, même si tu me parles, tu n'as jamais complètement accepté l'idée que j'aie créé un ascenseur temporel pour dialoguer avec toi. En fait, tu as juste constaté que quelqu'un te donnait des conseils en rêve et que ceux-ci étaient utiles. Après, tu as arrêté de te poser des questions et tu m'as écouté, mais tu n'as jamais réellement cru en mon existence et en mon invention. Et là, tu vois, ton inconscient se rebelle contre... moi.

Les éclairs de foudre surgissant des neurones se concentrent sur JK67.

— Je ne veux pas vous faire de mal !

Un éclair le frappe et JK67 se tord de douleur.

— Toi non, mais ton inconscient oui. Il veut me tuer, ainsi je ne serai plus qu'une idée parmi d'autres, puis le souvenir d'un rêve, une « probable illusion ».

— Je ne vous veux pas de mal, JK67 !

– Alors, crois en moi vraiment ! Le temps n'est qu'une convention de ce qui te semble logique, mais tu peux dans le présent atteindre le passé ! Crois en moi ! Je t'en prie, JK47 !

À nouveau la foudre frappe. L'homme aux cheveux blancs ne bouge plus, gisant entre les neurones.

Est-il possible qu'inconsciemment j'aie souhaité arrêter ce dialogue parce qu'il me semblait insupportable ? se demande Jacques. « Un futur moi-même qui me donne des conseils en rêve » ? En fait je n'y ai jamais cru. Il n'y a que lorsqu'il a provoqué ma paralysie du sommeil que j'ai commencé à l'écouter, et après j'ai continué à jubjoter pour dialoguer avec lui tout simplement parce que j'y trouvais un bénéfice. Mais au fond de moi, « ici », je n'ai jamais voulu accepter l'idée qu'un vieux moi-même pouvait remonter le temps en rêve pour me rejoindre.

Alors que la foudre tombée du buisson de neurones se calme, Jacques comprend qu'il a un compte à régler avec son inconscient s'il veut pouvoir accepter l'idée que JK67 ait inventé son fameux Aton.

Il touche un neurone de sa main et son esprit conscient se branche alors sur son esprit inconscient. Il revoit en pensée sa naissance, vécue comme un traumatisme.

On m'a réveillé de mon premier sommeil et je ne m'en suis jamais vraiment remis.

Il revoit le moment où il a réalisé, bébé, que lui et le monde étaient séparés. Jusque-là, il croyait que sa mère et lui-même ne faisaient qu'un, et puis, à 9 mois, il l'a vue partir sans pouvoir la faire revenir et cela l'a marqué.

La première séparation d'avec maman était déjà terrible, alors qu'elle n'a duré que quelques heures.

Ensuite, il revit les instants pénibles où, à table, son père le forçait à manger de la viande rouge saignante, il revoit les pulls dont le trou trop petit lui comprimait le cou alors qu'il grandissait. L'inconscient a tout mémorisé. L'inconscient n'a rien pardonné. Sa mémoire a toujours retenu ces informations :

« On se comporte mal avec toi », « On te manque de respect » et « Ce qui t'arrive est injuste. »

Il repense à la mort de son père. *Une autre injustice.*

Il repense à sa blessure au front infligée par Wilfrid à la piscine.

Je croyais lui avoir pardonné, mais non, je lui en veux encore. En fait, je souhaite toujours qu'il soit puni de la manière la plus douloureuse possible pour cette cicatrice qu'il m'a faite et qui intrigue toutes les personnes qui me croisent.

Il repense à toutes les humiliations de son enfance, les mauvaises notes annoncées en public par les professeurs, les brimades des chefs de classe, les ricanements des proviseurs, certains de ses résultats jugés décevants.

Je n'ai pardonné à personne, j'ai juste planqué dans les profondeurs de mon inconscient ce qui gênait ma conscience. J'ai fait semblant de pardonner pour que cela n'encombre plus mon esprit, mais ça n'a fait que graver plus profondément ces traumatismes en moi.

Il revoit les filles qui, à l'école, refusaient qu'il les embrasse.

Mon inconscient n'oublie rien, mon inconscient ne pardonne rien. Mon inconscient ne fait confiance à personne.

Il revoit le moment où il a découvert la disparition de sa mère et il s'aperçoit qu'il lui en veut, même après tout ce temps, de ne pas l'avoir averti de son départ.

Maintenant que je vois mon propre fond, je découvre que je suis un revanchard, un teigneux, un violent.

Il se souvient d'avoir vu des amis qui, sous l'effet de l'ivresse, devenaient des brutes, et il comprend que ces derniers ne faisaient qu'ouvrir des brèches dans leur inconscient qui révélait ainsi leur vrai monstre intérieur.

L'alcool et la drogue créent des failles dans les murs épais de la citadelle de protection qui cache les pensées profondes.

Les parents, les professeurs, la morale, la peur du regard des autres, la peur de l'échec ont construit ces murs épais qui dissimulent l'inconscient, mais là, en m'enfonçant au plus profond du sommeil, je suis dans ce buisson de neurones ou, du moins, dans la visualisation qu'en a mon inconscient.

D'autres scènes désagréables assaillent son esprit. Il regrette de ne pas avoir capturé Kiambang pour l'enfermer dans une pièce et lui faire écouter *Frère Jacques* en boucle pendant une semaine.

Il s'est toujours méfié de Franckie Charras : le fait que cet homme soit un ancien soldat ne lui a jamais semblé rassurant. Il s'est toujours méfié de Shambaya. Et même de son propre fils, Icare. Il ne lui a jamais vraiment fait confiance. Il ne lui a pas pardonné les nuits pénibles des premiers mois où il n'arrêtait pas de geindre et de pleurer.

Par contre, même si Justine avait été prête à le jeter dans un canal avec un parpaing de béton accroché au pied, il en a toujours eu la nostalgie.

Justine. La belle Justine.

Son inconscient fonctionne à l'envers. Il se méfie de sa propre famille et est très indulgent envers les intrigants.

Il mord la main qui le récompense.

Il embrasse celle qui le punit.

Ses pensées repartent vers le vieux JK67.

Son inconscient n'a jamais aimé son arrogance, son côté « Monsieur Je-sais-tout », son côté « fais-moi confiance », son faux air paternel et protecteur. Son inconscient n'a pas apprécié de recevoir des ordres de cet individu imaginaire, doté de surcroît d'un véritable pouvoir sur lui.

Son inconscient a toujours considéré que personne n'avait à lui dire ce qu'il avait à faire.

Je ne peux pas faire confiance à JK67 dans la mesure où je ne fais confiance à personne.

En fait, je n'ai même pas confiance en moi.

Au fond, je m'aperçois que… je ne m'aime pas.

Je me suis toujours trouvé lâche et fainéant.

Si je ne m'aime pas, comment pourrais-je aimer les autres ?

Cette idée lui fait du mal, mais il a l'impression pour la première fois d'avoir exprimé une vérité.

Et aujourd'hui, sous mes yeux, mon inconscient a mis hors d'usage le « futur moi-même ».

Le Jacques Klein aux cheveux gris se penche sur le Jacques Klein aux cheveux blancs.

Je suis mon pire ennemi.

Surmontant toutes ces émotions, il se dit qu'à 47 ans, il est temps d'accepter la bizarrerie de son propre destin au lieu de vouloir faire rentrer sa vie dans un moule.

Accepter ses étranges parents et cesser de leur en vouloir.

Accepter son physique.

Accepter les épreuves de la vie.

Même Wilfrid et Kiambang, même les firmes pharmaceutiques ont été des révélateurs de ma personnalité.

Accepter les injustices et les trahisons. Cela aussi m'a construit.

Je n'ai même plus besoin de me venger car mon succès sera ma meilleure vengeance.

Je le peux car je suis un type formidable, unique et courageux. Ce que j'accomplis aujourd'hui, personne ne l'a jamais fait avant. J'ai réussi là où ma mère a échoué. Je suis le meilleur. Et en plus je vais inventer un moyen de me faire aider par une autre merveilleuse personne : le moi-même du futur !

Surmontant sa peur d'être frappé par les éclairs qui les entourent, le jeune Jacques prend le vieux Jacques dans ses bras :

— C'est bon, j'ai compris, j'ai choisi mon camp. Je vous fais confiance, JK67, et je ne vais pas suivre mon inconscient qui, sous ses faux airs de sage, n'est qu'un revanchard, un trouillard et un masochiste.

Il pose sa main sur le visage du vieux lui-même et le caresse avec tendresse, jusqu'à ce que l'autre finisse par ouvrir les yeux.

— Je crois en vous, prononce JK47.

– Alors commence par me tutoyer, répond JK67 dans un sourire. Il serait peut-être temps qu'on laisse tomber les manières, tous les deux.

– Excusez... Excuse-moi. Mon inconscient a toujours gouverné mes actes, et maintenant, je tiens à le faire évoluer différemment.

– Je connais ton inconscient, j'ai eu le même. Il a naguère été de bon conseil, mais là il m'a perçu comme un concurrent. Il y a une part de jalousie derrière son hostilité à mon égard.

Ils observent le buisson de neurones rouges qui est encore parcouru de lueurs électriques.

– Je vais essayer de le contrôler. Ma conscience est plus forte, elle peut décider de le faire taire.

Progressivement, le buisson rouge cesse de vibrer, se calme, et JK67 se relève indemne.

– Il va falloir agir vite, maintenant.

– Tu me dis toujours ça. Avec toi, JK67, nous sommes toujours dans l'urgence. Mon corps est en danger, c'est ça ?

– Non, mais tu as un rendez-vous à honorer. Aujourd'hui, c'est ton anniversaire. Tu vas avoir 48 ans. Or, si tu te souviens bien, c'est ce jour-là que nous avons eu notre première conversation.

– Bon sang ! À minuit. Quelle heure est-il à l'extérieur ?

– Dehors, il est minuit moins sept.

73

Le chant sénoï résonne dans la salle de cinéma oniroramique, entrant en interaction avec la musique du « Nouveau Monde » de Dvořák.

Le terminal indique toujours les mêmes constantes vitales.

Le corps de Jacques Klein flotte dans l'eau froide et salée.

L'électroencéphalogramme montre une fréquence cérébrale de 13 hertz : l'onde mu.

Charlotte ferme les yeux à son tour et murmure une prière improvisée.

Éric Giacometti ne cesse de tripoter les fils électriques et les tuyaux pour vérifier qu'ils sont tous bien opérationnels et bien branchés.

74

Un esprit dans un esprit.

Deux visiteurs dans un cortex.

Deux rêveurs dans un imaginaire commun.

Autour d'eux les neurones forment une forêt de protubérances rouges.

— Il est temps désormais de créer l'Ascenseur temporel onirique qui va te permettre de rejoindre ton jeune toi-même, JK47.

— Je suis prêt, JK67.

— Tout d'abord, accepte l'idée que c'est un moyen de remonter le temps qui n'est pas une machine à proprement parler, mais un concept à aménager dans ton inconscient. C'est de la « mise en abyme » psychologique et c'est plus fort que toute expérience physique. As-tu bien saisi ?

— Quand même. J'ai du mal à concevoir comment un simple concept psychologique peut... m'envoyer « réellement » dans les rêves de mes 28 ans. Il y a forcément un procédé... « mécanique ».

— Non, pas mécanique, mais « géométrique ». La solution est dans notre nom, Jacques.

— Je me souviens que Wilfrid se moquait de moi parce que Klein signifie « petit » en allemand.

– Ce mot est associé à d'autres notions.

– Le bleu de Klein ? Les vêtements Calvin Klein ? Le film *Monsieur Klein* ? J'ai tout entendu...

– Souviens-toi de tes cours de mathématiques... Souviens-toi de l'enseignement de papa. Il nous avait parlé d'une forme extraordinaire liée à notre nom.

– La... bouteille de Klein ?

– Exactement. C'est notre ancêtre, Felix Klein, un mathématicien, très célèbre à son époque, qui est l'inventeur de cette bouteille. Te souviens-tu de sa forme très particulière ?

– Je crois me rappeler que c'est comme un ruban de Möbius en 3D. L'anneau de Möbius forme un huit qui s'inverse. Du coup, il n'a ni endroit ni envers.

– La bouteille de Klein est un récipient dont le goulot s'est étiré jusqu'à revenir dans son propre flanc pour s'évaser et se fondre avec le fond. Un huit en relief avec un orifice au-dessous. Sa particularité n'est pas de n'avoir ni envers ni endroit, mais de n'avoir ni intérieur ni extérieur.

– Mais quel rapport avec ton Ascenseur temporel ?

– L'Aton consiste à façonner un neurone pour le transformer en bouteille de Klein. En fait, tu vas tordre un bout de ta propre machine à gérer le temps.

La phrase résonne dans son esprit.

– Mais tout d'abord il faut trouver le bon « bout de temps » à tordre. Celui où tu avais 27 ans et où tu étais en train de dormir avec Justine. Je vais t'aider.

JK67 le guide vers la zone du cortex dite du lobe temporal médian, là où se trouvent stockés les souvenirs du passé lointain. Ici, au milieu d'un fatras de filaments rouges stockant les scènes les plus marquantes de sa vie, JK67 trouve le neurone qui a mémorisé la nuit qu'il a passée avec Justine. Les deux hommes s'approchent du petit arbre rouge d'où jaillissent les branches-dendrites. Le plus âgé montre au plus jeune comment procéder. Il faut isoler le neurone en en détachant les synapses qui le reliaient aux autres. Et ensemble, les deux Jacques transforment la membrane de la cellule nerveuse en sphère, puis en vase. Ensuite, à la manière d'un verrier, JK67 étire une extrémité pour en faire un goulot. Une fois qu'il a suffisamment allongé cette protubérance, l'homme aux cheveux blancs indique à celui aux cheveux gris qu'il faut le recourber pour qu'il s'enfonce dans son flanc.

JK47 fait ployer le tube.

Il n'y a plus qu'à évaser ensuite l'extrémité inférieure pour qu'elle forme le fond ouvert.

Ils ont leur bouteille de Klein.

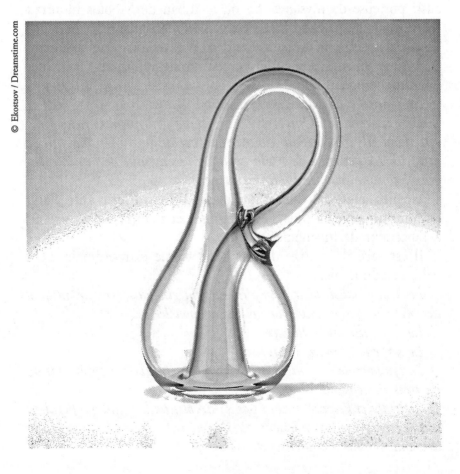

© Ekostsov / Dreamstime.com

Les deux se reculent pour contempler le fruit de leur travail.

— Alors c'est ça, ton fameux Aton ? Un neurone de l'inconscient transformé, en rêve, en bouteille de Klein ?

— C'est beau, tu ne trouves pas, JK47 ?

— Dire que j'ai toujours pensé que ce nom ridicule à consonance allemande était une malédiction. Tu crois que, avec sa collection, papa a fait exprès d'attirer notre attention sur les coquillages pour préparer cet instant ? demande JK47 en caressant la forme arrondie.

Il n'a jamais vu une figure aussi extraordinaire, aussi parfaite, aussi porteuse de mystères. Là où le ruban de Möbius montrait qu'on peut être à l'endroit et à l'envers en même temps, la bouteille de Klein montre qu'on peut être dedans et dehors simultanément.

À simplement la regarder, il sent mille informations affluer dans son esprit.

La bouteille de Klein est la solution à tout.

La naissance de l'Univers ? Le Big-Bang pourrait être comparé à cette bouteille : expansion, contraction, expansion... Un mécanisme sans fin. La bouteille de Klein explique la physique de l'infiniment grand comme celle de l'infiniment petit.

Jacques aussi en vieillissant a grandi, son esprit s'est élargi comme un univers puis s'est stabilisé, et maintenant il revient à l'intérieur de lui-même.

Il est saisi de vertige devant cette forme extraordinairement belle et admirable.

Le temps aussi peut s'amplifier, s'élargir puis rétrécir jusqu'à devenir un goulot. Alors la boucle est bouclée.

La bouteille est scellée.

Le serpent se mord la queue.

Le symbole de l'infini, 8 à l'horizontale, trouve sa représentation en trois dimensions.

Le temps et l'espace ne sont pas de simples ballons qui gonfleraient sans cesse. Vient un moment où ils retournent sur eux-mêmes. Ils deviennent des... bouteilles de Klein !

Le voyage dans le temps, en utilisant le monde du rêve (qui échappe aux lois de la physique newtonienne et même einsteinienne), devient possible.

JK47 poursuit sa réflexion à voix haute :

– ... Tel est le paradoxe suprême que nous enseigne la bouteille de Klein : le dehors mène au dedans. L'extérieur mène à l'intérieur. Au bout du chemin qui nous mène loin, on revient à son point de départ. Au bout de la maturité se trouve un accès à la jeunesse.

JK47 observe le paysage rose qui l'entoure. Les arborescences rouges. Le volume ocre face à lui.

Je suis dans...

– Tu es dans ton propre esprit, et c'est là que tout se joue. Et face à toi se trouve l'Aton, l'ascenseur magique qui permet de remonter le temps. Maintenant, il ne faut plus perdre une seconde, il faut vite que tu rejoignes une personne formidable, le jeune que tu as été.

– Et toi, JK67... que vas-tu devenir lorsque je vais devenir... toi ?

L'homme aux cheveux blancs se contente de répondre par un sourire et un clin d'œil rassurants. Et le Jacques aux cheveux gris, à minuit moins douze secondes, entre à l'intérieur du neurone transformé en bouteille de Klein.

Il est aspiré dans le vortex.

Tout devient fluide.

Il glisse dans la forme torsadée à la paroi lisse qu'il sait être un « jeu d'esprit à l'intérieur de son rêve ».

Le cône dans lequel il est entré se transforme en tube de plus en plus étroit. Il se démène pour avancer le long des murs mous et rouges.

Comme au jour de sa naissance : il sort d'une matrice pour surgir dans un autre monde.

Il avance et, quelque part, ailleurs, dehors, il est aussi minuit. Alors JK47 devient JK48.

Jacques Klein aux cheveux gris émerge dans un décor plus lumineux, un territoire fait de brouillard et de sable.

Des arbres. Une forêt.

Il marche dans la brume qui se dissipe lentement.

Il distingue maintenant la couleur du sable.

Rose.

Il y a un type au loin.

Cela lui procure une sensation étrange de se voir avec des cheveux bruns. Pas de rides, la peau souple. L'homme se tient droit, il est musclé, distingué.

Le jeune lui-même a l'air très surpris de le voir.

— Bon sang ! Ça marche ! s'exclame JK48.

Face à lui, le jeune homme semble effrayé, dérouté, mais aussi impressionné.

— Bon, donc ça marche... Ça marche ! J'ai réussi !

JK48 prend le sable rose entre ses mains et le laisse dégouliner entre ses doigts, puis son regard revient vers le jeune homme. L'émotion est forte.

Les larmes brouillent sa vue. Il se sent obligé d'expliquer :

— Je sais que tout cela peut paraître un peu surprenant, mais surtout, ne t'inquiète pas.

— Je ne suis pas inquiet. Je ne sais pas qui vous êtes, mais ce que je sais, c'est que nous sommes dans mon rêve.

— Je ne suis pas qu'un personnage de ton rêve et je ne suis pas là par hasard.

Face à lui, le « jeune lui-même » semble sceptique, alors JK48 reproduit presque sans y penser un échange qu'il se rappelle avoir eu il y a vingt ans.

— Je n'ai pas le temps de tout t'expliquer maintenant. Il faut tout de suite sortir de ce rêve et agir. Maman est en danger. Vite ! Vite ! Reviens dans le réel. Réveille-toi et fonce !

— Qui êtes-vous ?

— Je suis toi dans vingt ans. Donc toi âgé de 48 ans.

— Qu'est-ce que vous fichez dans mon rêve ?

– Il faut que tu acceptes les faits suivants qui peuvent sembler bizarres, je te le concède : 1) j'existe réellement ; 2) je suis l'homme que tu vas devenir dans le futur ; 3) je te parle grâce à une invention que j'ai faite (et que donc « tu » vas faire) dans ce futur. Mais là, pour l'instant, il y a urgence : maman est réellement en grand danger ! Réveille-toi ! fonce ! obéis-moi !

– Vous n'êtes qu'un personnage de mon rêve, pourquoi je devrais vous obéir ?

– Non, je te l'ai dit, je ne suis pas qu'un personnage de rêve, je suis bel et bien réel. La preuve, je te donne une information que tu n'as aucun moyen d'obtenir en dehors de moi : maman est en danger de mort. Et il n'y a que toi qui puisses la sauver. Alors réveille-toi et fonce. Vite ! Sauve maman !

– Donnez-moi une raison de croire en votre existence réelle, une seule.

– Je suis le résultat du projet secret de maman. Le sixième stade du sommeil : le « *Somnus incognitus* ». C'est précisément cela qui me permet de venir te voir ! Si tu en doutes, écoute ton intuition profonde, quelque chose en toi sait forcément que je dis la vérité !

Tout en parlant, JK48 admire son corps de JK28.

Il se trouve vraiment beau. À l'époque son corps était parfait mais il n'y faisait même pas attention. C'est quand on perd les choses qu'on se rend compte qu'elles étaient précieuses.

En revanche, son esprit de 28 ans ne lui semble pas brillant.

J'étais si naïf, se dit-il. *La peur gouvernait la plupart de mes actes et je n'aspirais qu'à la tranquillité, à une vie banale et confortable. Comme j'étais peu ambitieux, et comme JK48 m'a été utile ! Mais il faut maintenant que je me montre aussi fort que lui si je veux que ce passé suive son cours.*

Le jeune homme aux cheveux noirs est de plus en plus rétif malgré la troublante familiarité de l'homme qui lui fait face.

Il se voit vieux et la vieillesse lui fait peur car il sait que c'est l'étape qui précède la mort. Avec mes rides, je le dégoûte sans doute.

– Je suis désolé, mais vous êtes dans mon rêve, donc vous n'êtes pas réel, insiste le jeune homme.

– J'avais oublié que j'étais têtu à ce point. Je te promets que si nous nous revoyons grâce au jubjotage, je t'expliquerai tout en détail, mais pour l'instant, je t'en prie, fais-moi confiance. Il faut sauver maman, elle est en danger. C'est une question de minutes, voire de secondes.

– Vous ne m'avez pas convaincu. Et puis d'abord, comment savez-vous qu'elle est vivante ? Comment savez-vous où elle est alors qu'elle a tout fait pour le cacher !

Comment dit l'adage déjà ?

« Ah ! si jeunesse savait. Ah ! si vieillesse pouvait. »

Je suis en plein dans ce dilemme. J'avais vraiment des œillères quand j'étais jeune. Je pouvais faire tellement de choses mais mon horizon était si réduit ! C'est comme si tout me semblait limité. Je créais des murs pour consolider mon monde et je ne me rendais pas compte qu'un jour, mon inconscient en serait prisonnier.

Détendons-nous et tentons de le convaincre. Il le faut, sinon il restera avec Justine et deviendra une épave. Je dois le faire pour lui. Je dois le faire pour moi. Comment le lui faire comprendre ?

– Fais-moi confiance, je le sais.

– Alors où est-elle ? Puisque vous êtes si malin, Monsieur-le-personnage-de-mes-rêves-qui-se-prétend-moi-même-plus-âgé.

– En… Malaisie. C'est là que tu dois aller pour la sauver car elle est en danger de mort.

– Qu'est-ce qu'elle serait allée faire en Malaisie ?

– Souviens-toi, maman avait évoqué les Sénoïs, le « peuple du rêve ». Les Sénoïs, ces gens qui accordent plus d'importance au temps qu'ils passent à dormir qu'au temps passé éveillé. Après le décès d'Akhilesh et la réaction de son entourage, elle a été si écœurée qu'elle est partie là-bas. Pour fuir Paris, mais aussi pour parfaire sa connaissance du monde du sommeil, afin de pouvoir réussir ses prochains lancements de pionniers vers le sixième stade.

— Et pourquoi serait-elle en danger ?

— Les Sénoïs sont un peuple de la forêt, ils sont menacés et elle les protège, mais personne ne la protège, elle. Et actuellement, maman risque de...

— Je ne vous crois pas.

— Écoute, Jacques ! Tu as le choix entre te réveiller et agir, ou dormir et laisser le monde dérouler son scénario sans toi. Tu auras toujours ce choix, mais dis-toi bien que si c'est vrai, si je suis celui que je prétends être, que maman est en danger et que tu ne fais rien, tu le regretteras toute ta vie. Es-tu prêt à prendre ce risque ? Tu te rappelles la phrase de papa ? « Celui qui n'a pas voulu quand il le pouvait... ne pourra pas quand il le voudra. »

Le Jacques Klein aux cheveux noirs semble enfin un peu touché par les arguments du Jacques Klein aux cheveux gris.

— Alors, entre suivre les conseils d'un personnage de rêve (ce qui peut être déconcertant dans un premier temps, je l'avoue) ou prendre le risque de laisser mourir maman, que choisis-tu ?

Le jeune homme, visiblement troublé et indécis, disparaît subitement.

JK 48 est désormais seul sur l'île de Sable rose. Ne subsiste de JK28 que l'empreinte de ses pieds nus sur le rivage.

JK48 reprend conscience que, dans son présent à lui, il est ailleurs avec un battement de pouls très faible, une température corporelle très basse, des signes vitaux inquiétants. Comme une marmotte en hibernation.

Mais il ne se sent pas pressé de rentrer. Il reste un moment à regarder les arbres de la forêt de l'île de Sable rose, ils sont légèrement inclinés par le vent. Des feuilles ovales sont arrachées et tournoient avant de se poser au sol.

Ainsi j'ai vu et j'ai compris.

Je suis comme le chien Pompon après qu'on lui a soulevé les poils qui obscurcissaient sa vision. Je vois le vrai monde, et je trouve cela excitant et réjouissant. Jusque-là, mon univers était étriqué et limité, désormais j'ai de la perspective.

Au-delà des premières frontières de la perception, il y en a d'autres, plus éloignées.

Jacques fouille parmi les coquillages sur la plage et en trouve un nacré en forme de bouteille de Klein.

Au-dessus de lui, les nuages sont des visages : la Noosphère.

Je n'avais pas été assez attentif, il y avait des signes sur cette île rose. Tout était déjà là, tout a toujours été devant mon nez et je n'y ai pas fait attention parce que je n'imaginais pas que la solution de tout était dans mes rêves. Je les parcourais comme on traverse les salles d'un musée, sans prendre le temps de me poser pour observer.

Par terre, il découvre une chemise hawaïenne. Il l'enfile. Une piña colada avec son ombrelle et sa tranche d'ananas est là aussi. Il la goûte et constate que ce n'est pas un vrai cocktail.

C'est la potion à base de poison fugu, de mandragore et de belladone. Je l'ai toujours laissée ici pour me rappeler que je suis aussi, ailleurs, en danger de mort. Mais quand j'en servais une au jeune moi-même, il avait droit à une vraie, lui.

Jacques Klein s'installe dans le rocking-chair, surgi du néant également.

Je devrais rentrer maintenant, avant que Shambaya et les autres ne s'inquiètent. Mais mon rendez-vous n'est pas terminé.

Il se balance dans le fauteuil, apprécie d'être sur cette île imaginée par son père, trouvée par sa mère, utilisée par son futur lui-même. Il garde les yeux ouverts, songe de nouveau à tout ce qu'il a vécu.

Soudain une autre personne apparaît, elle s'avance vers lui : JK68.

– Dire que nous avons failli être tous les trois dans le même rêve, dit-il. Les Jacques Klein du passé, du présent et du futur. Le

JK28 aux cheveux noirs, le JK48 aux cheveux gris, le JK68 aux cheveux blancs ensemble. Cela aurait été pittoresque, n'est-ce pas ?

– Et maintenant, je fais quoi ?

– Maintenant, nous allons pouvoir sauver maman. Elle est coincée au stade 5,8. Elle est entre deux eaux. Tu vas la faire descendre et, là, elle pourra toucher le fond du lac et donner le coup de talon au sol qui lui permettra de remonter à la surface.

75

Le sarcophage est illuminé par les bougies.

La musique de Dvořák s'est tue, seules les chansons sénoïs résonnent encore dans la pièce, chuchotées par Shambaya et Icare.

Cela fait maintenant plusieurs minutes que l'écran du Dream Catcher est marron et tous affichent des mines pessimistes. Soudain l'électroencéphalogramme, l'électrocardiogramme, la température, les ondes se modifient : Jacques est vivant.

– Papa est prêt à revenir ! s'exclame Icare.

– Vite ! L'antidote ! crie Charlotte.

Éric Giacometti change de seringue et envoie dans les veines du dormeur le mélange « réveil » à base de datura et de jusquiame.

À l'écran, l'eau grise devient bleue. Ils peuvent suivre Jacques qui remonte à la surface du pic du sommeil paradoxal.

La caméra à l'intérieur du sarcophage révèle que les globes oculaires s'agitent à nouveau sous les paupières.

Les tympans se remettent à battre.

La nuque se redresse.

L'électroencéphalogramme passe d'ondes mu à 13 hertz à ondes epsilon à plus de 45 hertz.

Stade 5 : il est au sommet du pic affleurant la surface et l'éveil. Il redescend, s'enfonce à nouveau dans une eau plus claire.

Ondes gamma : 30 hertz.

Il rejoint le fond, jusqu'au stade 4 du sommeil profond.

Ondes delta : 2 hertz.

Éric Giacometti pousse un soupir de soulagement. Icare et Shambaya aussi. Charlotte améliore la qualité de l'image en jouant sur les contrastes. Le scientifique augmente la température de l'eau salée à l'intérieur du sarcophage.

L'hypnogramme montre que l'explorateur est désormais au stade 3, puis bientôt aux stades 2 et 1.

Ondes bêta.

Le cerveau retrouve une activité normale.

Jacques Klein ouvre un œil, puis l'autre.

Éric et Icare se précipitent pour soulever le lourd couvercle et Charlotte l'aide à sortir du caisson.

— Tu as réussi ! exulte Éric.

Icare filme la sortie du caisson.

— Alors, c'était comment ? Raconte ! le presse Éric Giacometti.

Jacques saisit le peignoir qu'on lui tend, il grelotte encore. Il porte à ses lèvres la boisson énergisante que lui donne Charlotte.

— Je dois sauver maman, articule-t-il.

Obéissant aux ordres du pionnier de l'onironautique, le reste de l'équipe va sur-le-champ chercher le lit à roulettes de Caroline Klein qui repose toujours dans la clinique annexe. Avec des gestes attentionnés, ils déshabillent la vieille dame et l'installent dans le sarcophage encore rempli d'eau.

Jacques lui pose les capteurs et la perfusion.

Tout va très vite.

— N'est-ce pas dangereux ? demande Éric, trouvant l'exaltation de Jacques un peu suspecte. Elle a quand même 80 ans, et ce n'est pas un âge pour faire ce genre d'exploration.

Mais comme il n'a aucune autre solution à proposer, il n'insiste pas.

Jacques referme le couvercle du sarcophage, règle la température de l'eau, s'approche du micro.

– Tu m'entends, maman ?

Pas de réponse.

– Maman, je sais que tu m'entends. Tu es bloquée dans le monde des rêves, le cinquième stade, à un niveau qui correspondrait à 5,8. Bref, tu es devant le seuil, mais tu es coincée entre deux couches. Tu ne peux pas revenir dans le monde normal. Tu ne peux pas remonter non plus, donc il faut descendre. Je l'ai fait avant toi et je sais que cela peut marcher. Enfant, tu m'as appris le rêve accompagné. Si tu le veux bien, nous allons refaire le chemin ensemble, mais cette fois, c'est toi qui me suis à la voix dans ton rêve. Prépare-toi à y aller, maman. Je te suivrai jusqu'à la limite, après j'espère que CK100 (ton futur toi âgé de vingt ans de plus) viendra t'aider comme JK68 est venu m'aider.

Son hypnogramme indique qu'elle est en effet à un stade au-delà du sommeil paradoxal. Jacques fait baisser la température de l'eau.

– Maman, il faut que tu saches que la clef pour réussir l'aller-retour est... notre nom, « Klein ». C'est notre nom et la forme géometrique qu'il évoque, la bouteille de Klein, qui te permettra de circuler dans l'espace-temps produit par les songes.

Les autres ne comprennent pas de quoi il parle, mais ils n'osent pas poser de questions.

– Tu as toujours eu raison, maman. Au bout du sommeil et du rêve se trouve un état qui transcende le temps et la matière. Le Nirvana qu'évoquaient les Hindous. Un espace-temps où le passé, le présent et le futur sont réunis. Tu peux y accéder, maman. Tu le peux maintenant et je vais t'y aider.

L'écran oniroramique est uniformément rouge.

Jacques leur demande à tous de se tenir prêts et il envoie dans la perfusion le cocktail fugu-mandragore-belladone.

Le cœur de la vieille dame, déjà très lent, ralentit encore.

— Écoute-moi, maman, tu peux revenir dans le monde de l'éveil, mais d'abord, il faut que tu rencontres ton futur toi-même et que tu rassures et aides la jeune femme que tu étais. C'est la peur qui nous bloque, maman. La peur de la mort, la peur des autres, la peur de perdre. La future toi-même va te l'expliquer et, ensemble, vous pourrez prendre l'Aton. Pense à la bouteille de Klein, maman, c'est ce qui va te permettre de circuler dans ton propre rêve.

Charlotte voit que l'hypnogramme est passé de 5,8 à 5,9.

— Maintenant, vas-y, maman, franchis la limite !

Tous les signaux vitaux de Caroline Klein s'éteignent les uns après les autres sur le terminal. L'écran rouge devient progressivement marron, puis noir.

76

La scène ressemble à une veillée funèbre. Jacques est le seul à ne pas sembler inquiet.

— Mamie est morte ? demande Icare en chuchotant.

Éric se mord la lèvre inférieure. Shambaya se remet à entonner un chant sénoï. Personne ne dit mot.

Jacques constate que les indicateurs des signes vitaux ne sont guère encourageants.

— Ça a fait la même chose avec moi, dit-il pour rassurer son entourage, et peut-être se rassurer lui-même.

Les autres l'écoutent.

— Là, elle doit faire le même parcours que moi. Combien de temps me suis-je absenté dans le sixième stade ?

– Douze minutes.

Tous attendent en silence. Les douze minutes passent.

JK48 imagine sa mère, CK80, rejointe par CK100, et les deux femmes en train de s'expliquer.

Elle doit avoir des choses à régler avec son passé, avance-t-il.

L'attente se prolonge. Jacques observe le sarcophage. Son esprit vagabonde.

Les sauts d'évolution sont peut-être générés non pas par les hommes du futur qui viennent voir les personnes du passé, mais... par les hommes du futur qui visitent en rêve leurs jeunes « eux-mêmes ».

L'attente se prolonge. Jacques inspire et souffle lentement.

Nostradamus a dû se brancher sur son futur Nostradamus pour prévoir la lance dans l'œil du roi Henri II, qui a entraîné sa mort quelques jours plus tard.

Sans doute beaucoup d'autres inventeurs du passé connaissaient cette possibilité. Il paraît que, vers la fin de sa vie, Thomas Edison travaillait sur le « nécrographe » qui devait l'aider à communiquer scientifiquement avec les morts.

Les pensées s'accumulent dans l'esprit de Jacques.

Dans ce cas, la bouteille de Klein existait avant Felix Klein. L'idée lui a-t-elle été inspirée par un Felix Klein plus âgé en songe ?

Et comment l'esclave Joseph aurait-il pu prévoir autrement les sept années de vaches maigres après les sept années de vaches grasses ?

Comment Daniel aurait-il pu savoir qu'après les Grecs et l'Empire romain viendrait la chrétienté ?

Comment Christophe Colomb aurait-il pu savoir qu'il y avait une terre au-delà de l'océan Atlantique ?

Notre monde moderne est issu de rêveurs qui ont eu accès à une communication avec de futurs eux-mêmes « convaincants ».

La découverte de la structure en double hélice de l'ADN a été faite par un rêve de doubles serpents montant vers le ciel.

La découverte de la structure des molécules est née des rêves de Friedrich Kekulé.

« J'ai fait un rêve », a dit Martin Luther King avant de livrer sa vision d'un monde futur sans racisme.

Jacques Klein lâche un soupir.

Trente minutes se sont écoulées depuis que le cocktail a été injecté dans les veines de Caroline Klein.

Dix nouvelles minutes passent.

Le cœur de Caroline Klein bat à présent à quatre coups par minute.

— Elle n'est plus là, murmure Charlotte.

— Son esprit est peut-être allé plus loin que le mien. Maman avait plus de choses à dire à son inconscient. Elle va revenir. Forcément, elle va revenir, tente de se convaincre Jacques.

— Pour la médecine, elle est cliniquement morte, reconnaît Éric Giacometti.

— J'étais mort moi aussi, non ? s'énerve Jacques.

Nul n'ose le contredire. Alors l'attente se prolonge en silence.

— Ça fait une heure qu'elle est partie, Jacques. Avec un battement cardiaque aussi faible, le cerveau n'est plus irrigué. Même si elle revenait, elle serait probablement... abîmée.

— Elle est partie de plus loin, elle a donc besoin de plus de temps, c'est tout. Mais je sais qu'elle va revenir.

Shambaya chantonne toujours. Icare joue à un jeu vidéo sur son smartphone. Éric utilise le sien pour lire toutes les dernières découvertes faites sur les expériences de mort imminente.

Et tous attendent.

Que se passe-t-il ? se demande Jacques. Qu'est-ce qu'elle vit ?

Elle doit affronter son propre inconscient comme j'ai affronté le mien.

Pourquoi est-ce plus long que pour moi ?

Elle doit avoir quelque chose de plus sombre à régler avec sa propre enfance. Quelque chose qui provoquait ses crises de somnambulisme. Qui l'a fait fuir loin de moi.

Son propre père ? Sa propre mère ?

En tout cas, une chose vraiment terrible, sinon elle n'aurait pas voulu rester à l'écart de son propre enfant pendant seize ans.

À moins... À moins qu'elle ait commis un acte terrible lors d'une crise de somnambulisme. Tué quelqu'un. Tué quelqu'un de sa famille.

J'ai l'impression que je le sais, et je le sens au fond de moi.

Son jeune frère... Elle en a parlé après une crise avec papa.

Elle disait que la justice l'avait jugée irresponsable mais qu'elle ne se le pardonnait pas.

Ça expliquerait tout. Ce qui lui faisait peur... c'était de me tuer. Un jour. Lors d'une crise. Oui, c'est probablement ça !

Ma dernière expérience a changé ma conscience... Je sens désormais certaines choses sans devoir aller dans la Noosphère, sans discuter avec les esprits, c'est comme si j'étais connecté à... toutes les vérités au-delà des mensonges, des oublis et des croyances infondées.

Maman m'a fui parce qu'elle n'avait pas le choix.

Et là, elle est en train de dénouer ce nœud.

Je ne t'ai pas jugée pour m'avoir laissé si longtemps sans nouvelles de toi, alors je t'en prie, ne te juge pas toi-même !

Accepte-toi, maman. Moi, je t'accepte avec ta maladie dont tu n'es pas responsable. Maman, je t'ai aimée depuis ma naissance, je ne sais pas ce que tu as fait mais je te pardonne par avance. Nul n'est tenu d'être parfait.

Mais soixante-dix minutes passent. Puis quatre-vingts.

Jacques finit par perdre espoir. Abattu, il s'assoit par terre. Icare vient vers lui.

— Tu peux me raconter comment c'était, papa, là-bas, au fond de ton rêve ?

Shambaya a cessé de chanter et, assise aux côtés de son mari, elle lui caresse le visage.

— Ce n'est pas de ta faute, dit-elle. Tu as voulu essayer de la faire revenir en l'amenant « là-bas », mais c'est une dimension où la science ne peut pas sauver les gens.

Le compteur indique que la vieille dame de 80 ans est partie depuis une heure et demie et, soudain, à la quatre-vingt-quatorzième minute, l'activité cérébrale se manifeste par un mouvement des globes oculaires sous l'épaisseur de la peau des paupières.

— Elle est revenue au stade 5,9 ! s'écrie Charlotte.

C'est son futur elle-même qui l'aide à remonter, songe Jacques.

— Maman, tu m'entends ?

Mouvement latéral sous la paupière.

— Nous sommes là, nous t'attendons dans... le monde réel. Tu peux remonter toute seule ?

Deux mouvements latéraux.

— On va lui faire des électrochocs et une piqûre d'adrénaline, lance Éric, qui déjà cherche ses ustensiles.

— Maman ! Écoute-moi ! Je sais que tu m'entends ! Ton esprit est plus fort que la matière. Je suis sûr que tu peux y arriver sans électrochocs. L'esprit arrive à maîtriser l'espace et le temps.

À nouveau ses yeux balayent deux fois de suite la peau sous ses paupières. Éric est prêt à injecter l'adrénaline. Alors Jacques parle plus fort dans le micro relié au sarcophage.

— Reviens par toi-même, maman ! Essaye !

Un battement sous les paupières et tout le corps de Caroline Klein est parcouru de frissons.

— Ça y est, annonce Charlotte, qui surveille l'hypnogramme. Elle remonte. Stade 5,8...

L'écran oniroramique s'éclaire et tous peuvent y voir une montagne affleurant la surface de l'eau.

Il ne faut surtout pas qu'elle se réveille maintenant, pense Jacques, sinon cela peut provoquer une déchirure dans son esprit et elle se retrouverait avec des séquelles psychiques aiguës.

Ondes gamma. Puis elle descend et se retrouve au fond de son lac.

L'écran leur montre qu'elle remonte les quatrième et troisième stades. Ondes delta. Deuxième stade. Ondes thêta. Premier stade. Ondes alpha. Préparation à l'éveil : ondes bêta.

La caméra du sarcophage révèle que les cils de Caroline frémissent. Les paupières s'entrouvrent puis se referment, comme si elle ne souhaitait pas encore quitter le monde du sommeil. Le couvercle du caisson est soulevé.

Avec les mêmes gestes qui lui avaient été prodigués à sa naissance, Jacques Klein débranche la perfusion de sa mère comme s'il coupait un cordon ombilical.

Il plonge les bras dans l'eau salée, prend sa mère à bras le corps et la soulève pour la sortir de l'eau. Des mains l'entourent d'une serviette et l'essuient, la sèchent, lui enfilent un peignoir tiède.

Jacques l'embrasse sur le front.

Caroline tente encore d'ouvrir les yeux mais la lumière ambiante l'aveugle. Elle se protège le visage de sa main. Puis elle serre ses poings et se met à pleurer.

Jacques la porte sur un lit. On la croirait dans une couveuse. Il souffle quelques bougies pour diminuer encore la lumière de la pièce, pourtant déjà dans la pénombre.

Il la regarde.

Sa mère cesse progressivement de pleurer, elle semble alors replonger dans un sommeil normal.

Elle sourit, elle a l'air bien.

Elle dort.

Jacques Klein écarte des mèches collées sur son front et lui caresse le visage, exactement comme sa mère l'avait fait avec lui à sa naissance.

77

« Nous passons un tiers de notre vie à dormir. Un tiers. Et un douzième à rêver. Pourtant, la plupart des gens s'en désintéressent. Le temps de sommeil n'est perçu que comme un temps de récupération. Les rêves sont presque systématiquement oubliés dès le réveil. Pour moi, ce qu'il se passe toutes les nuits sous les draps de chacun, dans la tiédeur moite de notre lit, est de l'ordre du mystère. Le monde du sommeil est le nouveau continent à explorer, un monde parallèle rempli de trésors qui méritent d'être exhumés et exploités. Un jour, à l'école, on enseignera aux enfants à bien dormir. Un jour, à l'université, on apprendra aux étudiants à rêver. Un jour, les songes deviendront des œuvres d'art visibles par tous sur grand écran. Dès lors, ce tiers de vie qu'on considérait à tort comme inutile sera enfin rentabilisé pour décupler toutes nos possibilités physiques et psychiques. »

Caroline Klein

POSTFACE

Si je devais chercher les racines de cet ouvrage, il faudrait tout d'abord exhumer un reportage sur les onironautes que j'avais effectué quand j'étais journaliste scientifique dans les années 1980.

Le simple fait de savoir que c'était possible m'a permis, une semaine plus tard, de faire mon premier rêve lucide, qui était le suivant : j'étais à Paris, près de l'île Saint-Louis, j'avais des ailes de chauve-souris beiges et translucides et je m'élevais en brassant l'air dans un bruit de cuir souple. Dès que j'arrêtais, je redescendais, ce qui, à la longue, m'épuisait, surtout au niveau des épaules. Cependant, je décidais d'utiliser ces longues ailes pour planer au-dessus de la Seine. Ce faisant, je découvrais un peuple de clochards troglodytes qui avaient construit leurs maisons sur les berges du fleuve et qu'on ne pouvait voir qu'en volant au ras de l'eau.

Dans mon rêve, si je cessais de battre des bras, non seulement je perdais de l'altitude mais je savais que je risquais de toucher la Seine et de me réveiller. Je tins le plus longtemps possible, mais mes épaules me tiraient tellement que je finis par lâcher prise, toucher l'eau du fleuve et sortir du songe.

C'était mon premier rêve lucide. Une autre fois, j'ai rêvé que je disais à un groupe de gens que je pouvais disparaître. Alors, dans mon songe, je fermais les yeux et je me réveillais dans le monde réel, mon lit. Puis je refermais les yeux et je revenais dans mon rêve et je leur disais : « Alors, vous avez vu, c'est magique, hein, je peux disparaître quand je veux et je peux le refaire quand je veux. » Et tous me regardaient, incrédules.

La deuxième source de cet ouvrage réside dans les mois d'insomnie, ou tout du moins de sommeil difficile, que j'ai connus pendant l'année qui a précédé son écriture. C'est à cette époque que j'ai installé le programme d'hypnogramme sur mon smartphone qui me permettait au réveil de voir comment se déroulaient réellement mes nuits.

Au fur et à mesure que je parvenais à avoir mes cinq vallées de descente vers le sommeil paradoxal, j'avais l'impression de m'améliorer dans un nouveau sport. Et ce temps passé à dormir, j'ai vite essayé de le rentabiliser au mieux en plongeant le plus profondément possible et le plus vite possible dans le cinquième stade.

Autre racine : lors d'une émission de télévision avec Frédéric Lopez, *La Parenthèse inattendue*, je me suis retrouvé à parler au téléphone avec l'enfant que je suis censé avoir été. Il m'a semblé que j'avais beaucoup de choses à dire au jeune BW. Le message principal était surtout « Prends des risques », car au moins, même si on échoue, l'expérience nous aura toujours nourri.

En novembre 1999, j'ai pu nager avec des dauphins, lors d'une expédition avec Claude Tracks, et j'ai vécu l'expérience relatée dans le roman avec les deux dauphins bélugas et les dauphins gris qui essayaient de faire comprendre aux plongeurs qu'ils devaient arrêter de se mettre au milieu de leur nourriture.

Enfin, le dernier ingrédient de la conception de ce livre est la bouteille de Klein. Dès que je l'ai vue, je me suis dit : « Voilà l'explication des concepts de temps et d'espace. » L'anneau de Möbius a déjà fait couler beaucoup d'encre, il était temps de faire basculer l'intérêt des lecteurs et d'ajouter une dimension à mes livres : après le triangle (des énigmes de la trilogie des *Fourmis*), la pyramide (de la trilogie de *Troisième Humanité*), après l'anneau de Möbius : la bouteille de Klein.

PS 1 : Je ne sais pas si vous, lecteur, vous dormez bien, je ne sais pas si vous vous souvenez de vos rêves, mais je vous propose de les noter (pour ceux qui le souhaitent) à la fin de cet ouvrage ou dans la banque de données abritée par mon site, www.bernardwerber.com. Nous pourrons ainsi les partager et les commenter ensemble.

PS 2 : Enfin, pour compléter la première question, j'en ai une seconde à vous poser : Si vous pouviez discuter en rêve avec l'être que vous allez devenir dans vingt ans, qu'aimeriez-vous lui demander ?

PS 3 : Bonne nuit, dormez bien et faites de beaux rêves.

BW

Paris 16 avril 2015, 10 h 21,
dans un café de la rue Lamarck,
à Montmartre, Paris.

MUSIQUES ÉCOUTÉES
DURANT L'ÉCRITURE DU ROMAN

9ᵉ Symphonie « Du Nouveau Monde » de Dvořák.

Bande originale du film *Interstellar* par Hans Zimmer (très inspirée de la bande originale du film *Koyaanisqatsi* par Philip Glass que, du coup, j'ai écoutée aussi).

Furious Angels de Rob Dougan, extrait du film *Matrix*.

Chants aborigènes d'Australie, et tout spécialement le concert « Didgeridoo Meets Orchestra » donné en août 2013 à l'opéra de Sydney.

Album *Golden Age* de Woodkid.

REMERCIEMENTS

Merci à :

Amélie Andrieux (muse), Hélène Pau (rêveuse lucide), Patricia Darré (médium géniale), Éric Antoine (magicien spirituel), Vincent Baguian (maître de chant), Claude Lelouch (cinéaste et sage), Gilles Malençon (hypnotiseur éclairé), Alex Berger (évolutionnaire), Sylvain Ordureau (scientifique polyvalent), Frédéric Saldmann (médecin-explorateur), Éric Giacometti (écrivain illuminé) et Guillaume Gautier (créateur d'un programme d'accompagnement pour rêves lucides), dont les conversations lors de nos déjeuners ont été des sources d'inspiration de ce roman.

Sylvain Timsit, Sébastien et Mélanie Tesquet, qui sont mes premiers lecteurs, ainsi que Christine Murillo, Jean-Claude Leguay et Grégoire Oestermann, auteurs du *Baleinié, dictionnaire des tracas*, pour leur réjouissante invention du verbe « jubjoter ».

Enfin, mon éditeur, Richard Ducousset, qui me suit depuis maintenant vingt-cinq ans.

NOTEZ ICI VOS PROPRES RÊVES

Date	Récit

Date	Récit

Date	Récit

Date	Récit

Composition Nord Compo
Impression CPI Bussière en août 2015
Éditions Albin Michel
22, rue Huyghens 75014 Paris
ISBN : 978-2-226-31929-6
N° d'édition : 21883/01. N° d'impression : 2017697
Dépôt légal : octobre 2015
Imprimé en France